中华人民共和国法律释义丛书
全国人民代表大会常务委员会法制工作委员会　编

中华人民共和国
突发事件应对法释义

主　编：李　飞（全国人大常委会法制工作委员会副主任）
副主编：王世瑚（全国人大常委会法制工作委员会国家法室巡视员）
撰稿人（按姓氏笔画排序）：
马文里　王曙光　刘　梅　孙镇平
张　晶　李　菊　汪　洋　陈国刚
武　增　黄宇菲

法律出版社

图书在版编目(CIP)数据

中华人民共和国突发事件应对法释义 / 全国人大常委会法制工作委员会编. -- 北京 : 法律出版社, 2007.10 (2018.11 重印)
(中华人民共和国法律释义丛书)
ISBN 978 - 7 - 5036 - 7744 - 1

Ⅰ. ①中… Ⅱ. ①全… Ⅲ. ①突发事件应对法 - 法律解释 - 中国 Ⅳ. ①D922.145

中国版本图书馆 CIP 数据核字(2007)第 148353 号

中华人民共和国突发事件应对法释义
ZHONGHUA RENMIN GONGHEGUO TUFA SHIJIAN YINGDUIFA SHIYI

全国人大常委会法制工作委员会 编

责任编辑 麦 锐
装帧设计 李 瞻

编辑统筹 法规出版分社
出版 法律出版社
开本 850 毫米×1168 毫米 1/32
总发行 中国法律图书有限公司
印张 11
经销 新华书店
字数 248 千
印刷 北京玺诚印务有限公司
版本 2007 年 10 月第 1 版
责任印制 吕亚莉
印次 2018 年 11 月第 5 次印刷

法律出版社/北京市丰台区莲花池西里 7 号(100073)
网址/www.lawpress.com.cn
投稿邮箱/info@lawpress.com.cn
销售热线/010 - 83938336
举报维权邮箱/jbwq@lawpress.com.cn
咨询电话/010 - 63939796

中国法律图书有限公司/北京市丰台区莲花池西里 7 号(100073)
全国各地中法图分、子公司销售电话:
统一销售客服/400 - 660 - 6393
第一法律书店/010 - 83938334/8335 西安分公司/029 - 85330678 重庆分公司/023 - 67453036
上海分公司/021 - 62071639/1636 深圳分公司/0755 - 83072995

书号:ISBN 978 - 7 - 5036 - 7744 - 1 **定价**:46.00 元

总　序

人类文明的历史上，还没有哪一个时代像中国的改革开放40年一样，在历史长河中掀起如此巨大的浪花——它不仅深刻改变了一个国家的面貌与精神气质、使数亿人摆脱贫困，还极大地改变了世界格局。

1978，在那一年的年底，中共中央一次全体会议——十一届三中全会扭转了中国的前进方向，开辟了一个时代。回首过去，我们发现，一些观念从那时开始在中国出现，一些声音从那时开始逐渐响起，一些人物开始登上历史舞台。从这一年开始，随着"加强社会主义民主，健全社会主义法制"历史性任务的提出，"法制"两个字进入了人们的视野；政法机关开始恢复重建；法律院系开始蓬勃发展。一部部法律从庙堂走进了人们的生活，一次次裁决推动着国家前进的脚步。从"有法可依、有法必依、执法必严、违法必究"到"科学立法、严格执法、公正司法、全民守法"；从"法制"到"法治"；从法治观念的形成到"依法治国，建设社会主义法治国家"写进宪法，再到"法治国家、法治政府、法治社会一体建设"，人们对法治的认识步步深入，中国的改革不断向前推进，结出丰硕的果实。在中国共产党的带领下，这个励精图治的古老国度，再一次创造了改革的奇迹。

40年发生了无数故事,40年产生了许多事物。为了纪念这难忘的40年,本社组织编辑出版了一批"纪念改革开放40周年"主题图书。这些图书,将40年来颁布的重要法律及其释义甄选汇集,将法学领域有代表性的学术论文萃取精编,把有关政法机关的重建、法律院系的重生与发展进行展现,将一批被时代改变命运的人物再次唤起。我们希望从法律与法律人的视角,重新审视过去的40年,认真体会这不平凡的40年。

如江河东下,逝者如斯。岁月总会过去,人事总有代谢,但一个不平凡的时代留下的深刻痕迹,永远不会磨灭。"不忘初心,牢记使命",习近平总书记在党的十九大报告中向全党发出的号召,使我们有理由期待,下一个40年,中国将更加惊艳!

法律出版社编辑委员会

2018年10月

出版前言

《中华人民共和国法律释义丛书》是由全国人大常委会法制工作委员会组织编辑的一套系列丛书。

该套丛书由一系列法律释义组成。邀请有关专家、学者和部分参与立法的同志编著。该丛书坚持以准确地反映立法宗旨和法律条款内容为最基本要求，在每部法律释义中努力做到观点的权威性和内容解释的准确性。

我们相信，该套丛书的陆续出版，将会给广大读者进一步学好法律提供有益的帮助。

重印说明

本次重印，是为改革开放40周年制作的特别纪念版，为了保持内容原貌，未对正文和附录作实质修改。个别法条内容有修订或修正的，以脚注形式作了标注。特此说明。

2018年10月

目　录

第一部分　释　义

第二部分　附　录

第一部分 释 义

第一章 总 则

《中华人民共和国突发事件应对法》于2007年8月30日由第十届全国人大常委会第二十九次会议通过，自2007年11月1日起施行。这部法律的制定，以宪法为依据，以维护国家安全、公共安全、环境安全和社会秩序为宗旨，科学总结多年来我国应对各类突发事件的经验，全面规范突发事件应对活动，对于构建社会主义和谐社会，推进依法治国，建设社会主义法治国家，具有重要的意义。

本章共16条，主要规定的是本法的立法宗旨、调整的范围，以及突发事件应急管理体制、机制等重要内容。

第一条 为了预防和减少突发事件的发生，控制、减轻和消除突发事件引起的严重社会危害，规范突发事件应对活动，保护人民生命财产安全，维护国家安全、公共安全、环境安全和社会秩序，制定本法。

【释义】 本条是关于制定突发事件应对法的立法宗旨的规定。

突发事件应对法的立法宗旨，是预防和减少突发事件的发生，控制、减轻和消除突发事件引起的严重社会危害，规范突发事件应对活动，保护人民生命财产安全，维护国家安全、公共安全、环境安全和社会秩序。

当前，我国应对来自自然灾害、事故灾难、公共卫生、社会安全等领域的突发事件的任务仍然十分艰巨。加强突发事件应对管理，大力提高应对各类突发事件的预防和处置能力，预防和减少突发事件的发生，控制、减轻和消除突发事件引起的严重社会危害，切实维护广大人民群众的生命财产安全，最大限度地减少突发事件及其造成的人员伤亡和危害，维护国家安全和社会稳定，促进经济社会全面、协调、可持续发展，成为突发事件应对法制建设的当务之急和立法的根本出发点。

依法行政，建设法治政府，是实施依法治国基本方略的政治要求。政府在组织、实施突发事件应对的整个活动中也要坚持依法行政，规范政府行为。

政府是突发事件应对活动最重要的主体之一，它负有统一领导、综合协调突发事件应对工作的职责。近年来，在国务院的统一领导下，各级人民政府及其有关部门为组织、实施和规范突发事件应对活动，颁布了大量行政法规、部委规章和规范性文件，采取了一系列有效的措施，有力地促进了突发事件应对工作的开展和有关体制、机制的建设，取得了很大成绩，对于保护人民生命财产安全发挥了重要作用。但是，在突发事件应对工作中也还存在一些突出问题，应对突发事件的责任不够明确，统一、协调、灵敏的应对体制尚未形成。这些不利因素的存在，在一定程度上削弱了应对突发事件的工作效能，有必要加以规范，使突发事件的预防与应急准备、监测与预警、应急处置与救援、事后恢复与重建等活动都有法可依，有章可循。

党的十六届四中全会指出，要建立健全社会预警体系，形成统一指挥、功能齐全、反应灵敏、运转高效的应急机制，提高保障公共安全和处置突发事件的能力。要适应我国社会的深刻变化，增强全社会的法律意识和诚信意识,维护社会安定团结。十六届五中全会进一步重申,要建立健全社会预警体系和应急救援、社会动员机制,提高处置突发性事件能力,维护国家安全和社会稳定,保障人民群众安居乐业。党中央关于应对突发事件能力建设、体制建设的重大决策要通过立法程序上升为国家意志,成为全体人民一体遵循的行动准则,就必须把突发事件应对工作的各个环节具体化、规范化、法制化,突发事件应对法的出台适得其时。

第二条 突发事件的预防与应急准备、监测与预警、应急处置与救援、事后恢复与重建等应对活动,适用本法。

【释义】 本条是关于本法调整范围的规定。

突发事件应对法的调整范围,是突发事件的预防与应急准备、监测与预警、应急处置与救援、事后恢复与重建等应对活动,也就是把应对突发事件的事前、事中、事后的全过程活动纳入本法的调整范围之内。在应对突发事件的过程中,上述应对突发事件的各个环节密切相关,直接决定着处置突发事件的成败。

预防与应急准备,是做好突发事件应对工作的基础性工作,必须立足于“预防为主”的原则,积极做好突发事件的预防与应急准备工作。县级以上地方人民政府及其有关部门应当在本行政区域或职权范围内采取必要的安全防范措施,制定并完善突发事件的应急预案,开展应急培训、宣传及应急演练,组建各类应急救援队伍,保障经费、物资储备、应急通信,建设应急避难场所,建立健全突发事件监测预警制度,开展危险源调查、登记、评估,分析、调处和化解易引发突发事件的基层矛盾纠纷,做好突发事件的预防与应急准备工作。有关企事业单位特别是高危企业行业、公共场所、公共交通工具和其他人群密集场所的管理单位、居民委员会、村民委员会也应积极配合、协助政府及有关部门做好预防与应急准备工作。

监测与预警，是应对突发事件工作的第一道防线，必须遵循“早发现、早报告、早处置”的原则，完善突发事件监测与预警机制，防患于未然。建立和完善监测与预警机制，是维护社会稳定，促进我国政治、经济、社会、自然协调发展的必然要求，是建立现代化的、科学的应对突发事件管理体制和机制的前提基础。突发事件的监测与预警，既是政府日常管理中的一项重要职能，也是政府应急工作不可缺少的组成部分。本法着重规范了突发事件信息系统建设、突发事件监测制度和预警制度建设，包括突发事件信息收集与分析、突发事件监测、预警信息发布与媒体管理。突发事件监测活动贯穿于突发事件发生、发展的全过程，但重在突发事件发生前的监测，这也是“预防为主”的工作要求。通过监测，及时搜集可能发生突发事件潜在风险的有关信息，特别是要监控掌握能够表示危机严重程度和进展状态的特征性信息，对危机发生的几率、发生的时间、发生的地点、发生的原因、可能波及的范围、可能造成的危害程度，以及危机的演化方向和变化趋势做出分析判断，以便使应对突发事件领导机构、指挥机构、突发事件可能波及的人民群众和社会组织及时掌握危机动向，对可能发生的各种突发事件在“去伪存真”的基础上事先有一个相对科学的判断，一方面按照突发事件可能发生的紧急程度、发展态势和可能造成的危害程度，由有权机关发布相应级别的预警；另一方面提前做好应对突发事件的各种准备，使各项应对工作有序进入临战状态，尽最大努力在突发事件发生时最大限度地减少损失。

应急处置与救援，是应对突发事件工作的核心环节。当突发事件发生时，履行统一领导职责或者组织处置突发事件的人民政府，应当根据有关法律、法规、规章和应急预案的规定，启动相应级别的应急处置程序，包括信息报告、先期处置、应急响应、指挥与协调、应急结束等环节。在应急处置与救援过程中，关键是要落实经过科学论证、反复演练的应急预案，根据突发事件的性质、特点和危害程度，组织政府有关部门，调动社会人力、物力和技术，采取一项或多项应急处置措施，有效控制、减轻和消除突发事件引起的严重社会危害。必要时，可以请求上级政府或部门以及相邻地区政府或部门给予支持。及时、准确、统一发布有关突发事件应急处置工作的情况和事态发展的信息，有效杜绝各种虚假信息。突发事件发生地的居民委员会、村民委员会、其他组织和公民个人应当按照当地政府的有关决定、命令，配合、协助开展突发事件应对工作，做好自救和互救。

事后恢复与重建，是应对突发事件工作的最后一个阶段，应当组织受影响地区尽快恢复生产、生活、工作和社会秩序。要继续采取措施防止“灾后灾”（指次生灾害、衍生灾害和后续灾害）发生和新引发社会安全事件；及时组织和协调有关部门恢复社会治安秩序和建设生活生产必需的公共设施；合理规划，科学建设；保证重灾区优先得到救助和安置；对突发事件中的伤亡人员、应急处置工作人员，以及紧急调集、征用有关单位及个人物资，要按照规定给予抚慰、抚恤和补偿。此外，有关部门要按照规定及时调拨救助资金和物资，做好疫病防治和环境污染消除以及保险理赔等工作。有关人民政府和部门还应当对突发事件的起因、性质、影响、责任、经验教训和恢复重建等问题进行调查评估，不断完善应急预案和应急体制、机制；对作出突出贡献的先进集体和个人给予表彰或奖励，对突发事件应对过程中有关违法违纪人员依法追究相应责任。

第三条　本法所称突发事件，是指突然发生，造成或者可能造成严重社会危害，需要采取应急处置措施予以应对的自然灾害、事故灾难、公共卫生事件和社会安全事件。

按照社会危害程度、影响范围等因素，自然灾害、事故灾难、公共卫生事件分为特别重大、重大、较大和一般四级。法律、行政法规或者国务院另有规定的，从其规定。

突发事件的分级标准由国务院或者国务院确定的部门制定。

【释义】 本条是关于突发事件内涵、分类、分级和分级标准的规定。

(一)突发事件的内涵

本法关于突发事件的内涵,采取了概括和列举相结合的表述方式,它是指突然发生,造成或者可能造成严重社会危害,需要采取应急处置措施予以应对的自然灾害、事故灾难、公共卫生事件和社会安全事件。突发事件的内涵包含了以下核心要素:

一是本法所指的突发事件具有明显的公共性或社会性。应对“公共危机”是国家启动制定突发事件应对法的初衷。突发事件应对法所要解决和应对的是“公共危机”,本法所调整的“突发事件”具有明显的“公共性”。2003 年第十届全国人民代表大会第二次会议审议批准的《政府工作报告》明确提出,各级政府要全面履行政府职能……特别要加快建立健全各种突发事件应急机制,提高政府应对公共危机的能力。由此可见,国家启动制定突发事件应对法的核心目的是为了应对突发公共危机。公共危机是指在公共领域内发生的危机,即危机事件对一个社会系统的基本价值和行为准则架构产生严重威胁,给公众的正常生活造成严重影响,其影响和涉及的主体具有社群性和大众性。因此,公共危机管理与个体、企业危机管理的本质区别就是公共危机管理具有公共性或社会性。这种公共性或社会性表现在事件本身引起公众的高度关注,不能引起公众高度关注的事件就不具备公共性,就不是公共危机事件;对公共利益产生较大消极负面影响,如危及公共安全、损害公共财产和广大民众的私有财产,甚至严重破坏正常的社会秩序、危及社会的基本价值等;事件本身与公共权力之间发生直接联系尤其是形成某种公法关系时,才能构成公共危机事件。如果突发事件不需要公权力介入,只需要在一定群体中自行解决,这样的事件就不具有公共危机事件的公共性。

二是本法所指的突发事件具有突发性和紧迫性。突发事件的发生往往是突如其来，如果不能及时采取应对措施，危机就会迅速扩大和升级，会造成更大的危害和损害。

三是本法所指的突发事件具有危害性和破坏性。危害性和破坏性是突发事件的本质特征，一旦发生本法所称的突发事件，就会对生命财产、社会秩序、公共安全构成严重威胁，如应对不当就会造成巨大的生命、财产损失或社会秩序的严重动荡。

四是本法所指的突发事件必须借助于公权力的介入和动用社会人力、物力才能解决。公权力在突发事件应对过程中发挥着领导、组织、指挥、协调等功能，公权力介入突发事件的应对，既是政府的权力也是政府的义务。

（二）突发事件的分类

突发事件分类，是按照突发事件的性质、过程和机理的不同进行区分。本法将突发事件分为四类，即自然灾害、事故灾难、公共卫生事件和社会安全事件。

自然灾害，主要包括水旱灾害、气象灾害、地震灾害、地质灾害、海洋灾害、生物灾害和森林草原火灾等。

事故灾难，主要包括工矿商贸等企业的各类安全事故、交通运输事故、公共设施和设备事故、环境污染和生态破坏事件等。

公共卫生事件，主要包括传染病疫情、群体性不明原因疾病、食品安全和职业危害、动物疫情以及其他严重影响公众健康和生命安全的事件。

社会安全事件，主要包括严重危害社会治安秩序的突发事件。

（三）突发事件的分级

本法将突发事件按照社会危害程度、影响范围、突发事件性质、可控性、行业特点等因素，将自然灾害、事故灾难、公共卫生事件分为特别重大、重大、较大和一般四级。法律、行政法规或者国务院另有规定的，从其规定。这样规定的目的，一方面是为了便于实行“分级负责”“分级响应”措施的落实;另一方面是为了尊重特殊行业管理的特殊性、专业性、灵活性的工作要求。

我国现行有关法律、行政法规和规范性文件,对于突发事件的分级并不完全统一。绝大多数现行法律法规和规范性文件将突发事件分为四级,如《国家突发公共事件总体应急预案》。部分现行法律法规和规范性文件将突发公共事件分为二级或三级或五级。分为二级的,如《国家处置电网大面积停电事件应急预案》《国家处置城市地铁事故灾难应急预案》《国家安全生产事故灾难应急预案》;分为三级的,如《全国高致病性禽流感应急预案》《国家核应急预案》《国家处置重、特大森林火灾应急预案》;还有的分为五级,如《黄河水量调度突发事件应急处置规定》。

(四)突发事件的分级标准

本法授权国务院或者国务院确定的部门制定突发事件的分级标准。

突发事件的分级,要求具有科学性。每一类突发事件都具有特殊性,其发展机理都不相同,必须在科学论证的基础上确定标准。国务院和国务院确定的部门,是统一领导、分类处置突发事件的主管部门,授权它们对突发事件分级标准作出规定,符合它们的职责权限。

第四条　国家建立统一领导、综合协调、分类管理、分级负责、属地管理为主的应急管理体制。

【释义】　本条是关于建立突发事件应急管理体制的要求的规定。

我国建立突发事件应急管理体制的要求是:统一领导、综合协调、分类管理、分级负责、属地管理为主。这既明确了突发事件应急管理体制建设的原则,也明确了突发事件应对的职责。

2006 年党的十六届六中全会作出的《中共中央关于构建社会

主义和谐社会若干重大问题的决定》，明确提出要“建立健全分类管理、分级负责、条块结合、属地为主的应急管理体制”。此后，国务院在《“十一五”期间国家突发公共事件应急体系建设规划》中再次重申，在“十一五”期间要“形成统一领导、分类管理、分级负责、条块结合、属地为主的应急管理体制”的工作要求。

（1）统一领导。在突发事件应对处理的各项工作中，必须坚持由各级人民政府统一领导，成立应急指挥机构，对应对工作实行统一指挥。各有关部门都要在应急指挥机构的领导下，依照法律、行政法规和有关规范性文件的规定，开展各项应对处理工作。突发事件应急管理体制，从纵向看，包括中央、省（自治区、直辖市）以及市、县地方政府的应急管理体制，实行垂直领导，下级服从上级；从横向看，包括突发事件发生地的政府及各有关部门，形成相互配合，共同服务于指挥中枢的关系。只有这样，才能保证步调一致，行动一致，构筑一道严密的防控网络。

（2）综合协调。在突发事件应对过程中，参与主体是多样的，既有政府及其政府部门，也有社会组织、企事业单位、基层自治组织、公民个人甚至还有国际援助力量，要实现“反应灵敏、协调有序、运转高效”的应急机制，必须加强在统一领导下的综合协调能力建设。应对突发事件综合协调，首先要明确有关政府和部门的职责，明确不同类型突发事件管理的牵头部门和单位，其他有关部门和单位提供必要的支持，相互协同运作。其次，综合协调人力、物力、技术、信息等保障力量，形成统一的突发事件信息系统、统一的应急指挥系统、统一的救援队伍系统、统一的物资储备系统等，以整合各类行政应急资源。最后，综合协调各类突发事件应对力量，形成“各部门协同配合、社会参与”的联动工作局面。

（3）分类管理。由于公共危机有不同的类型，每一种类型产生的原因、表现的方式、涉及的范围等都各不相同，因此，在集中统一的指挥体制下还应该实行分类管理。从管理的角度看，每一大类的突发事件，应由相应的部门实行管理，建立一定形式的统一指挥体制。但是重大决策必须由政府行政主要领导作出。这样，便于统一指挥，协调各种不同的管理主体。不同类型的公共危机日常管理应该依托相应的专业管理部门，由专业管理部门收集、分析、报告信息，为政府决策机构提供有价值的决策咨询和建议。

（4）分级负责。各类突发事件的性质、涉及的范围、造成的危害程度各不相同，首先应由当地政府负责管理，实行分级负责。对于突发事件的处置，不同级别的突发事件需要动用的人力和物力是不同的。无论是哪一级别的突发事件，各级的政府及其所属相关部门都有义务和责任做好预警和监测工作，地方政府平时应当做好信息的收集、分析工作，定期向上级机关报告相关信息，对可能出现的突发事件作出预测和预警。另外，要根据历史经验和可能出现的情况，编制突发事件应急预案，组织预案的演练和对公务员及社会大众进行危机意识和相关知识的教育和培训工作。分级负责明确了各级政府在应对突发事件中的责任。

（5）属地管理为主。强调属地管理为主，是因为突发事件的发生地政府的迅速反应和正确、有效应对，是有效遏制突发事件发生、发展的关键。因此，必须明确地方政府是发现突发事件苗头、预防发生、首先应对、防止扩散（引发、衍生新的危机）的第一责任人，赋予其统一实施应急处置的权力。出现重大突发事件，地方政府必须及时、如实向上级报告，必要时可以越级上报；同时根据预案马上动员或调集资源进行救助或处置；如果出现本级政府无法应对的突发事件时，应当马上请求上级政府直接管理。实行“属地管理为主”，让地方政府能迅速反应、及时处理，是适应“反应灵敏”突发事件应对工作的必然要求。属地管理为主不排除上级政府及其有关部门对其工作的指导，也不能免除发生地其他部门的协同义务。

第五条 突发事件应对工作实行预防为主、预防与应急相结合的原则。国家建立重大突发事件风险评估体系，对可能发生的突发事件进行综合性评估，减少重大突发事件的发生，最大限度地减轻重大突发事件的影响。

【释义】 本条是关于突发事件应对工作的原则以及重大突发事件风险评估的规定。

（一）突发事件应对工作的原则

突发事件应对工作的原则是：预防为主、预防与应急相结合。

“凡事预则立，不预则废。”“居安思危，思则有备，有备无患。”各级政府和有关部门要按照以人为本、执政为民的要求，把预防为主、预防与应急相结合的原则落实到突发事件应对工作之中，扎扎实实做好基础性准备工作，包括应对突发事件的思想准备、组织准备、预案准备、机制准备和工作准备，加强培训演练，做到常备不懈，以防止突发事件的发生、扩大或升级，最大限度地减少突发事件可能造成的损失。预防是为应急做准备，也是为事后恢复与重建做准备，因此预防工作要具有针对性、实效性，能够在战时顺利“切换”，《国家综合减灾“十 五”规划》则将这一原则更加细化为“预防为主，防抗救相结合”。《国务院关于全面加强应急管理工作的意见》对落实“预防为主、预防与应急相结合”的工作原则提出了明确的思路和工作目标，包括加强应急预案体系建设和管理、加强应急管理体制和机制建设、开展对各类突发公共事件风险隐患的普查和监控、促进各行业和领域安全防范措施的落实、加强突发公共事件的信息报告和预警工作、积极开展应急管理培训、推进国家应急平台体系建设、提高基层应急管理能力、加强应急救援队伍建设、加强各类应急资源的管理、加强评估和统计分析工作、加大对应急管理的资金投入力度、大力发展公共安全技术和产品、建立公共安全科技支撑体系、进一步加强对应急管理工作的领导、构建全社会共同参与的应急管理工作格局、大力宣传普及公共安全和应急防护知识。《国家综合减灾“十一五”规划》再次重申了上述部分建设任务和工作目标，对于提高突发事件预防能力建设指明了方向。上述目标和任务，相当一部分内容在本法有关条款中得到规定。

（二）重大突发事件风险评估制度

突发事件风险评估是指对法律保护的对象所面临的突发事件的威胁、保护对象自身的弱点、突发事件可能造成的影响，以及三者综合作用而带来风险的可能性与后果的评估。作为突发事件风险管理的基础，突发事件风险评估是各级人民政府和有关部门获得突发事件准确信息的重要途径。通过突发事件风险评估，可以识别法律保护对象面临的各种风险、风险发生概率和可能带来的负面影响、评判保护对象承受风险的能力、推荐预防、减轻和控制风险的优先对策。对突发事件建立各种有效的评估机制是突发事件危机管理的一项重要内容。建立和完善突发事件评估体系，对人类预防、减轻和消除突发事件可能带来的风险，提高应对突发事件的主动性、前瞻性、科学性、有效性和有序性将发挥重要的作用。按照评估的内容，突发事件风险评估体系包括突发事件发生、发展和结束三个阶段评估，即突发事件风险评估、突发事件影响评估和突发事件管理评估。

突发事件风险评估，是指对即将发生或刚刚发生的突发事件的风险程度的预先评估活动。它包括：一是，对以往突发事件的历史数据的积累和分析；二是，按照风险程度，分别对突发事件进行分类，确定突发事件可能造成的损害程度和出现的频率；三是，根据风险程度大小，采取相应的突发事件应对管理措施。

突发事件影响评估，是指对即将发生或刚刚发生的突发事件所造成的影响或损失进行的评估活动。突发事件影响评估是采取突发事件应对措施力度和事后恢复与重建管理中的一项基础性工作。如果对突发事件的影响不能做出及时准确的评估，那么，应对措施和事后恢复与重建管理就无法对症下药,政府及其管理者就难以尽快将社会财产、基础设施、社会秩序和社会心理恢复到正常的状态。对突发事件影响评估,应当包括下列因素:原因分析、影响分析、受影响人群分析、受影响区域分析、影响持续时间分析、损害程度大小分析等。

突发事件管理评估,是指对突发事件管理本身的有效性进行的评估活动。因此,突发事件管理评估应本着总结和提高的态度,客观地进行。突发事件管理评估包括:一是对突发事件管理基础工作的评估;二是对突发事件管理过程的评估;三是对突发事件管理结果的评估。

突发事件风险评估从根本上是要服务于防灾、减灾工作。当前,国家确立了"十一五"期间突发事件(主要是自然灾害)风险评估体系建设任务和重点建设工程,推动了突发事件风险评估工作的开展和完善。其主要任务是:全面调查我国重点区域各类自然灾害风险,查明主要的灾害风险隐患,建立完善自然灾害风险隐患数据库;对我国重点区域各类自然灾害风险进行评估,编制全国灾害高风险区及重点区域灾害风险图,以此为基础,开展对重大项目的灾害综合风险评价试点工作;完善灾情统计标准,建立我国自然灾害灾情统计体系,建成国家、省、市、县四级灾情上报系统,健全灾情信息快报、核报工作机制;建立减灾委协调相关部门的灾害信息沟通、会商、通报制度;充分利用各有关部门的基础地理信息、经济社会专题信息和灾害信息,建设灾害信息共享及发布平台,加强对灾害信息的分析、处理和应用。其重点建设工程是全国重点区域综合灾害风险和减灾能力调查工程。要充分利用已有各类灾害调查成果,开展全国重点区域综合灾害风险和减灾能力调查。建立全国灾害风险和减灾能力数据库系统,建设多尺度、多灾种的风险评估模型库,建立国家及重点区域灾害风险管理平台,形成国家及重点区域灾害风险监测评估业务运行系统。编制全国综合灾害风险图(全国 1∶1000000、省级 1∶250000 和灾害高风险区及重点区域 1∶50000 灾害风险图)。在华北、东北、华东、华中、华南、西北、西南 7 大区域,开展灾害风险和减灾能力试点调查,建立灾害风险评估标准和指标体系,开展调查培训工作,推进全国综合灾害风险和减灾能力调查全面开展;揭示灾害隐患和减灾薄弱环节,掌握减灾能力状况,为中央和地方各级政府提高综合减灾能力、应对灾害风险提供科学依据。

第六条　国家建立有效的社会动员机制,增强全民的公共安全和防范风险的意识,提高全社会的避险救助能力。

【释义】　本条是关于提高全社会的避险救助能力的规定。

提高全社会的避险救助能力,建立有效的社会动员机制和增强公民的公共安全和防范风险的意识是两项基础性工作。

(一)社会动员机制

动员,是各级政府调动全社会人力、物力、财力应对特定事件的行为过程。动员包括经济动员(物质、财力)、人力动员、技术动员等。

社会动员主要是指政府在突发事件应对中调动非政府资源应对突发事件的行为过程。动员的对象必须是已经客观存在的实体或能力,要点是改变用途、对象,建立符合应急需要的临时隶属关系以及工作秩序。

有效的突发事件应对管理要按照中央提出的建立“党委领导、政府负责、社会协同、公众参与”的社会管理格局的思路,建立起有效的社会动员机制,紧紧依靠群众,军地结合,动员国内和国际社会各种力量参与突发事件应对管理。充分发挥群众团体、红十字会等民间组织、基层自治组织和公民在灾害防御、紧急救援、救灾捐赠、医疗救助、卫生防疫、恢复重建、灾后心理支持等方面的作用。社会动员成效的好坏,一是取决于突发事件应急领导机构特别是政府的组织动员能力，政府组织动员能力则依赖于其工作的效率性和在人民群众心目中的威望；二是取决于公民社会的发展水平和国民的综合素质。

（二）增强公民的公共安全和防范风险意识

公共安全和防范风险意识是危机预警的起点，提高人们的公共安全和防范风险意识，对于有效防范突发事件的发生是非常关键的，首要的是必须在全社会增强公民的公共安全和防范风险意识。具体包括建立社会应急联动系统工程；加强应急管理科普宣教工作，提高社会公众维护公共安全意识和应对突发公共事件能力；深入宣传各类应急预案，全面普及预防、避险、自救、互救、减灾等知识和技能，逐步推广应急识别系统，使其了解各种灾难发生的科学过程，掌握一定的自我保护的方法，增强其危机应对能力；同时有意识地在平时针对应急情况进行演习、培训。尽快把公共安全和应急防护知识纳入学校教学内容，编制中小学公共安全教育指导纲要，安排相应的课程或课时。充分运用各种现代传播手段，扩大应急管理科普宣教工作覆盖面。新闻媒体应无偿开展突发公共事件预防与处置、自救与互救知识的公益宣传。发挥公众、社区、企事业、社团在突发事件中自救、互救的能力，实现政府功能与社会功能互补与良性互动。实现《中共中央关于构建社会主义和谐社会若干重大问题的决定》所提出的“实现社会预警、社会动员、快速反应、应急处置的整体联动”目标。

第七条　县级人民政府对本行政区域内突发事件的应对工作负责；涉及两个以上行政区域的，由有关行政区域共同的上一级人民政府负责，或者由各有关行政区域的上一级人民政府共同负责。

突发事件发生后，发生地县级人民政府应当立即采取措施控制事态发展，组织开展应急救援和处置工作，并立即向上一级人民

政府报告,必要时可以越级上报。

突发事件发生地县级人民政府不能消除或者不能有效控制突发事件引起的严重社会危害的,应当及时向上级人民政府报告。上级人民政府应当及时采取措施,统一领导应急处置工作。

法律、行政法规规定由国务院有关部门对突发事件的应对工作负责的,从其规定;地方人民政府应当积极配合并提供必要的支持。

【释义】 本条是关于突发事件应对运行机制中各级人民政府和有关部门分工负责的规定。

健全应急运行机制,提高应对突发事件的实效性,是合理划分各级人民政府和有关部门应急分工负责的基本出发点和落脚点。《国务院关于全面加强应急管理工作的意见》提出了明确的工作目标之一就是"健全分类管理、分级负责、条块结合、属地为主的应急管理体制",在《国家综合减灾"十一五"规划》中也再次明确要"各负其责,区域和部门协作减灾"。

本条规定是应急管理体制原则的具体化。前三款着重强调了"属地为主"原则下县级人民政府的责任,以及"分级负责"原则下各级人民政府的责任;第四款则着重强调了"分类管理"原则下国务院有关部门对特定突发事件应对工作的责任,同时按照"条块结合"原则对地方人民政府的协助义务提出要求。

(一)各级人民政府应对突发事件的分工负责

国家突发事件应急管理体制是在国务院统一领导下,各地方、各部门按照分级管理、分级响应的原则,建立健全应急管理机构,明确各级应急管理机构的工作职责。

县级人民政府对本行政区域内发生的突发事件负首要的应对处置责任,包括信息的收集、险情的监测和预警、组织调动应急队伍,依法采取必要的其他应对措施;涉及两个以上行政区域的,由有关行政区域共同的上一级人民政府负责,或者由各有关行政区域的上一级人民政府共同负责。较大和一般突发事件,分别由发生地设区的市级人民政府和县级人民政府统一领导和协调应急处置工作。重大和特别重大自然灾害、公共卫生事件、事故灾难的应急处置工作由发生地省级人民政府统一领导和协调,其中影响全国或者跨省级行政区域的特别重大自然灾害、公共卫生事件、事故灾难的应急处置工作由国务院统一领导和协调。社会安全事件由发生地县级人民政府组织处置,必要时上级人民政府可以直接组织处置。

(二)国务院有关部门对突发事件的应对工作负责

基于历史的原因和专业应对特定行业或领域的突发事件的需要,本法颁布前已经形成了有关法律、法规确定由国务院有关部门对特定行业或领域的突发事件的应对工作负责的工作格局。为了更有效地借助专业力量处置特定行业或领域的突发事件的需要,本着"条块结合"的工作原则,本法规定"法律、行政法规规定由国务院有关部门对突发事件的应对工作负责的,从其规定"。本法所称的法律、行政法规规定由国务院有关部门负责应对的突发事件,指的是在民航、铁路、海事、核利用行业或领域发生的突发事件,具体包括核事故、民航事故、水上交通事故、铁路行车事故等。本法规定国务院有关部门对特定行业或领域的突发事件的应对工作负责,并不是完全排除突发事件发生地人民政府的应急责任,突发事件发生地人民政府应当积极配合并提供必要的支持。这一条文的精神,在《中华人民共和国民用航空法》《中华人民共和国海上交通安全法》《中华人民共和国铁路法》《核电厂核事故应急管理条例》《中华人民共和国内河交通安全管理条例》《国家核应急预案》《国家海上搜救应急预案》《铁路交通事故应急救援和调查处理条例》《国家处置铁路行车事故应急预案》中都有体现。

第八条　国务院在总理领导下研究、决定和部署特别重大突发事件的应对工作；根据实际需要，设立国家突发事件应急指挥机构，负责突发事件应对工作；必要时，国务院可以派出工作组指导有关工作。

县级以上地方各级人民政府设立由本级人民政府主要负责人、相关部门负责人、驻当地中国人民解放军和中国人民武装警察部队有关负责人组成的突发事件应急指挥机构，统一领导、协调本级人民政府各有关部门和下级人民政府开展突发事件应对工作；根据实际需要，设立相关类别突发事件应急指挥机构，组织、协调、指挥突发事件应对工作。

上级人民政府主管部门应当在各自职责范围内，指导、协助下级人民政府及其相应部门做好有关突发事件的应对工作。

【释义】　本条是关于突发事件领导机构、应急指挥机构设立及其职责的规定。

（一）突发事件应对领导机构

建立健全各级党委、政府领导下的统一指挥机制，实行首长负责制，是我国突发事件应急指挥体制的工作要求。国务院是突发事件应急管理工作的最高行政领导机构。在国务院总理的领导下，通过国务院常务会议研究、决定和部署特别重大突发事件应急管理工作。地方各级人民政府是本行政区域突发公共事件应急管理工作的行政领导机构，负责本行政区域各类突发公共事件的应对工作。地方政府突发事件管理的主要职能，是做好辖区内突发事件监测预警、应急处置（重点是先期处置、应急响应）和恢复重建的组织领导工作。

（二）突发事件应急指挥机构

根据应对突发事件的实际需要，国务院设立国家突发事件应急指挥机构，统一领导突发事件应对工作。必要时，国务院可以派出工作组指导有关工作。如国家设立的国家抗旱防汛总指挥部、国家森林防火总指挥部、国家抗震救灾总指挥部、重大工业事故国家救灾总指挥部等。

地方性突发事件，由县级以上地方人民政府设立的突发事件应急指挥机构负责处置。县级以上地方人民政府设立的突发事件应急指挥机构，形式上属于政府处理突发事件应对工作的议事、协调机构，负责统一领导、协调本级人民政府各有关部门和下级人民政府开展有关突发事件的应对工作。突发事件应急指挥机构由人民政府主要负责人、相关部门负责人、中国人民解放军和中国人民武装警察部队有关负责人组成。必要时，突发事件发生地的县级以上地方人民政府可以临时设立现场应急指挥机构，统一组织、协调、指挥现场应急处置工作。

（三）相关类别突发事件应急指挥机构

县级以上地方人民政府根据需要设立相关类别突发事件应急指挥机构，组织、协调、指挥突发事件应对工作。由于上级人民政府主管部门对下级人民政府相关部门有行政上或业务上的领导、指导关系，在发生突发事件时，上级人民政府主管部门应当在各自职责范围内，指导、协助下级人民政府及其相应部门做好有关突发事件的应对工作。

第九条　国务院和县级以上地方各级人民政府是突发事件应对工作的行政领导机关，其办事机构及具体职责由国务院规定。

【释义】　本条是关于突发事件应急办事机构的规定。

国务院和县级以上地方各级人民政府是突发事件应对工作的行政领导机关，在各级人民政府内部都设立了相应的突发事件应急管理综合办事机构。

中央政府的突发事件应急管理综合办事机构设在国务院办公厅，称国务院应急管理办公室。国务院秘书长为办公室主任，直接对总理负责；所有国务院副秘书长均为副主任，各自对应相关应急指挥机构,协助有关领导处理工作。

国务院应急管理办公室,主要履行职守应急、信息汇总和综合协调职能,发挥运转枢纽作用,负责接收和办理向国务院报送的紧急重要事项;承办国务院应急管理的专题会议,督促落实有关决定事项和国务院领导批示、指示精神;负责综合和指导全国突发事件应急预案体系、应急指挥信息平台建设;协调特别重大突发事件的预防预警、应急处置、事件调查、事后评估和信息发布等工作。

地方各级政府是本行政区域突发事件应急管理领导机构,其综合办事机构及职责类同于中央政府。

鉴于突发事件应急办事机构及其职责属于行政管理范畴,其设置及其职责授权国务院作出规定,便于行政统一领导,上下协同、高效运转。

第十条　有关人民政府及其部门作出的应对突发事件的决定、命令,应当及时公布。

【释义】 本条是关于应对突发事件的决定、命令公开原则的规定。

根据宪法和法律、行政法规的规定,各级人民政府及其有关部门有权在其职权范围内发布具有约束力的决定和命令,包括关于突发事件应对工作的决定和命令。

有关人民政府及其部门及时公布作出的应对突发事件的决定、命令,是依法治国、建设法治政府的必然要求,它具有重要的现实意义。一是,它是实现公民"知情权"的重要方式,有利于推进政府依法行政;二是,它是进行社会动员的有效方式,有利于"政府主导、社会参与、协调有序、运转高效"应急管理体制的形成;三是,有利于接受权力机关的监督;四是,有利于行政机关的上级对下级的监督。

2007 年 4 月 5 日,国务院颁布了《中华人民共和国政府信息公开条例》(国务院令第492号),将于2008年5月1日施行,该条例明确了信息公开的行政主体、公开的范围、公开的方式和程序、监督和保障等内容。

行政机关是政府信息的主要拥有者,也是政府信息公开义务的主要承担者。公开政府信息,是行政机关的责任;获取政府信息,是公众的权利。为了确保行政机关切实履行公开义务,该条例第4条第1款规定,各级人民政府及县级以上人民政府部门应当建立健全本行政机关的政府信息公开工作制度,并指定机构作为政府信息公开工作机构,负责本行政机关政府信息公开的日常工作。作为具有管理公共事务职能的组织,如地震局、气象局、银监会、证监会、保监会、电监会等单位,公开政府信息的活动也要适用本条例。根据条例的规定,行政机关应当确定其主动公开的政府信息的具体内容,其中突发公共事件的应急预案、预警信息及应对等情况的政府信息,抢险救灾、优抚、救济、社会捐助等款物的管理、使用和分配等情况的政府信息都属于重点公开内容。

第十一条　有关人民政府及其部门采取的应对突发事件的措施,应当与突发事件可能造成的社会危害的性质、程度和范围相适应;有多种措施可供选择的,应当选择有利于最大程度地保护公民、法人和其他组织权益的措施。

公民、法人和其他组织有义务参与突发事件应对工作。

【释义】　本条是关于突发事件应对行政行为合理性原则和公民、法人和其他组织参与突发事件应对工作义务的规定。

(一)突发事件应对行政行为合理原则

行政合理原则又称行政适当原则、比例原则、禁止过度原则,是指行政行为在形式合法的前提下应尽可能合理、适当和公正,它是行政法中一个非常重要的基本原则。如果说行政合法原则旨在解决行政行为的合法性,那么行政合理原则则旨在解决行政行为的适当性。

行政合理原则是基于自由裁量权的存在和自由裁量行为的实施而产生的。由于自由裁量权和自由裁量行为存在着给相对人造成损害的可能性,必须以行政合理原则限制行政主体的行为,作为对行政合法原则的必要补充。因此,强调行政合理原则的目的是为了进一步坚持行政合法原则。

如何坚持行政合理原则,国务院颁布的《全面推进依法行政实施纲要》有明确的要求:一是行政机关实施行政管理,应当遵循公平、公正的原则;二是要平等对待行政管理相对人,不偏私、不歧视;三是行使自由裁量权应当符合法律目的,排除不相关因素的干扰;所采取的措施和手段应当必要、适当;行政机关实施行政管理可以采用多种方式实现行政目的的,应当避免采用损害当事人权益的方式。

本法赋予有关人民政府及其部门可以采取的应对突发事件的措施具有很大的裁量自由,难免在行政中造成相对人损害,有必要加以合理性限制。总的来说,应当遵循以下要求:

一是,突发事件应对措施与应急响应紧密关联,不同类型的突发事件可能造成的社会危害根据其性质、程度和范围,应当由不同级别的政府或部门采取不同级别的应急响应措施,这是分级管理的核心内容。要保证行政合理原则在突发事件应急措施中得到落实,最重要的是严格落实各类、各层级突发事件应急预案。因为应急预案是经过科学论证、长期总结实践经验的产物,其科学性、合理性、有效性、针对性都在一定程度上保证了应对措施的合理性。

二是,在一定应急响应级别下,应急主体和应急措施范围具有相对固定性,但在具体适用应急措施范围的一项或是多项措施时,人民政府和部门有很大的自由裁量权,这就要求有多种措施可供选择的,应当选择有利于最大限度地保护公民、法人和其他组织权益的措施。

（二）公民、法人和其他组织有参与突发事件应对工作的义务

按照宪法规定，公民、法人和其他组织不仅是权利主体，也是义务主体。在突发事件应对过程中，各级人民政府和有关部门依法采取突发事件应对措施，既是政府和有关部门的权力，又是政府和有关部门的义务。公民、法人和其他组织在突发事件应对中获得救助是一项权利，但更重要的是有参与自救、互救的义务。

突发事件应对的根本目的，在于保护人民生命财产安全，维护国家安全、公共安全、环境安全和社会秩序。突发事件发生地的公民应当服从所在地人民政府、居民委员会、村民委员会或者所属单位的指挥和安排，配合人民政府采取的应急处置措施，积极参加应急救援工作，协助维护社会秩序。

第十二条 有关人民政府及其部门为应对突发事件，可以征用单位和个人的财产。被征用的财产在使用完毕或者突发事件应急处置工作结束后，应当及时返还。财产被征用或者征用后毁损、灭失的，应当给予补偿。

【释义】 本条是关于应对突发事件征用财产与征用补偿的有关规定。

（一）应急征用

有关人民政府及其部门为应对突发事件，征用单位和个人的财产的具体行政行为，属于应急征用。应急征用是行政征用的一种形式。行政征用是指行政主体出于公共利益的需要，依据法律法规强制性地取得行政相对人财产使用权或劳务并给予经济补偿的一种具体行政行为。本条关于应对突发事件行政征用的具体行政行为，不包括劳务或劳动力。

宪法第 13 条第 3 款规定，国家为了公共利益的需要，可以依照法律规定对公民的私有财产实行征收或者征用并给予补偿。物权法第 44 条规定，因抢险、救灾等紧急需要，依照法律规定的权限

和程序可以征用单位、个人的不动产或者动产。宪法和物权法的上述规定,明确了有关人民政府及其部门有权依照法律的规定征用公民、法人和其他组织的财产。

从具体实践来看,防震减灾法、传染病防治法等单行法规定,征用主体包括了有关人民政府、政府有关部门等,征用客体包括了土地、建筑物、房屋、设施、运输工具、通信设备、工程机械、抢险救灾工具等。

(二)征用补偿

征用补偿属于行政补偿。行政补偿的实质在于,对于因公益需要,在经济上蒙受特别损失的人给予补偿,以调和私有财产权与公共利益的关系,实现公平正义的理想,保障法律秩序的安定。

宪法第 13 条第 3 款规定,国家为了公共利益的需要,可以依照法律规定对公民的私有财产实行征收或者征用并给予补偿。物权法第 44 条规定,被征用的不动产或者动产使用后,应当返还被征用人。单位、个人的不动产或者动产被征用或者征用后毁损、灭失的,应当给予补偿。本条关于征用补偿的规定,是落实宪法和物权法有关规定精神的体现。

征用不改变财产所有权,不发生财产所有权的转移,它只是为了突发事件应急需要而采取的临时措施。公民、法人、其他组织的财产权受宪法和其他有关法律的保护,当被征用的财产在使用完毕或者突发事件应急处置工作结束后,应当及时返还给财产所有人。

“财产被征用或者征用后毁损、灭失的,应当给予补偿”包括了两层含义:一是被征用的财产毁损、灭失的,会导致被征用财产使用价值的降低或财产所有权的消灭,所以应当给予补偿;二是财产被征用的,虽未造成财产本身的直接损害,但基于利用财产使用价值的事实,也应当给予补偿。

第十三条　因采取突发事件应对措施，诉讼、行政复议、仲裁活动不能正常进行的，适用有关时效中止和程序中止的规定，但法律另有规定的除外。

【释义】　本条是关于时效中止和程序中止的有关规定。

（一）时效中止

时效中止，是指在诉讼时效期间的最后6个月内，因不可抗力或者其他障碍不能行使请求权的，诉讼时效中止。从中止时效的原因消除之日起，诉讼时效期间继续计算。时效中止的事由有两类：一是不可抗力；二是其他障碍。

因采取突发事件应对措施而导致诉讼、行政复议、仲裁活动不能正常进行的，属于时效中止事由中的"其他障碍"。突发事件中属于不可抗力的情形而导致时效中止的，按照有关法律规定处理。

关于时效中止的一般情形，在民事诉讼法、行政诉讼法、仲裁法、行政复议法等中均有规定。根据2003年防治传染性非典型肺炎（SARS）工作的实际情况，《最高人民法院关于在防治传染性非典型肺炎期间依法做好人民法院相关审判、执行工作的通知》（以下简称《通知》）规定，当事人因是"非典"患者、疑似"非典"患者或者被依法隔离人员，不能及时行使民事请求权的，适用《中华人民共和国民法通则》第139条关于诉讼时效中止的规定。公民因是"非典"患者、疑似"非典"患者或者被依法隔离人员，不能在法定期间内提起行政诉讼的，按照《中华人民共和国行政诉讼法》第40条时效中止的规定处理。

因采取突发事件应对措施而导致时效中止的，待有关人民政府或有关部门停止实施突发事件应对措施后，诉讼时效期间继续计算。

（二）程序中止

程序中止，指的是在诉讼和执行过程中，由于出现了某种特殊情况而使诉讼程序、执行程序暂时停止，待这种情况消失后，诉讼程序或执行程序继续进行。程序中止主要是两种情形，即诉讼中止和执行中止。关于这两种程序中止的一般规定在相关诉讼法中均有规定。按照《中华人民共和国民事诉讼法》第136条和最高人民法院《关于执行〈中华人民共和国行政诉讼法〉若干问题的解释》第51条的规定，适用程序中止的情况中包括“其他应当中止诉讼的情形”和“人民法院认为应当中止执行的其他情形”。

因采取突发事件应对措施而导致中止诉讼或中止执行的，应当属于人民法院依照职权认定的可以程序中止的情况。目前关于因采取突发事件应对措施而导致程序中止的情形并没有相关的法律、法规或规范性文件加以明确地规定。根据实践经验，特别是2003年防治传染性非典型肺炎（SARS）工作的审判经验，因采取突发事件应对措施而导致程序中止的情形主要有以下几种情况：

一是，应当出庭参加诉讼的案件当事人因受到突发事件应对措施的限制而无法参加诉讼的，人民法院可以依法裁定中止审理。如《通知》规定，当事人或者其他必须出庭的诉讼参与人或者诉讼参加人为“非典”患者、疑似“非典”患者或者被依法隔离人员的；当事人或者其他必须出庭的诉讼参与人或者诉讼参加人因被采取隔离措施而不能参加诉讼活动的，人民法院可以依法裁定中止审理。

二是，当事人因受理法院所在地或者被执行财产所在地采取突发事件应对措施而主动要求中止审理、中止执行的。如《通知》规定，当事人因受理法院所在地或者被执行财产所在地存在“非典”疫情而提出中止审理、中止执行申请的，人民法院可以依法裁定中止审理或中止执行。

三是，人民法院依职权裁定中止程序的。如《通知》规定，为有利于“非典”的防治，人民法院认为应当中止案件审理、中止案件执行的其他情况，应当裁定中止审理或中止执行。

（三）例外规定

现行民事诉讼法、行政诉讼法等均有关于时效中止的例外规定。本法充分尊重现有法律的规定，也作出了“法律另有规定的除外”的例外规定。这样规定，主要是考虑了某些案件的特殊性和国际条约的约束力。如《中华人民共和国民用航空法》第171条规定，地面第三人损害赔偿的诉讼时效期间为2年，自损害发生之日起计算；但是，在任何情况下，时效期间不得超过自损害发生之日起3年。又如《中华人民共和国海商法》第21、22、29条规定，具有船舶优先权的海事请求（如海难救助损害赔偿请求），自优先权产生之日起满1年不行使的，优先权消灭。1年优先权的期限不得中止或者中断。再如《交通部关于我国加入〈1974年海运旅客及其行李运输雅典公约〉及其1976年议定书的通知》规定，有关时效期间的中止和中断的事由应受受理案件的法院地法律的制约，但在任何情况下，在旅客离船之日或应离船之日起3年后（以迟者为准），不得根据本公约提起诉讼。但在诉因产生后，经承运人声明或经当事各方协议，时效期间可以延长。该声明或协议应以书面做出。

第十四条　中国人民解放军、中国人民武装警察部队和民兵组织依照本法和其他有关法律、行政法规、军事法规的规定以及国务院、中央军事委员会的命令，参加突发事件的应急救援和处置工作。

【释义】　本条是关于武装力量参加突发事件的应急救援和处置工作的规定。

中华人民共和国的武装力量，由中国人民解放军现役部队和预备役部队、中国人民武装警察部队、民兵组成。

（一）武装力量是突发事件应急救援和处置的重要力量

我国现行的法律、行政法规、军事法规，如《中华人民共和国防震减灾法》《中华人民共和国防洪法》等法律、《核电厂核事故应急管理条例》《破坏性地震应急条例》《中华人民共和国防汛条例》等行政法规、《军队参加抢险救灾条例》等军事法规，都有关于武装力量参与突发事件应急救援和处置工作的规定。武装力量在突发事件应急救援和处置工作中发挥着重要的作用，为维护国家安全、公共安全、环境安全和社会秩序，为维护人民的生命财产安全做出了巨大贡献。

在参与抢险救灾工作中，按照《军队参加抢险救灾条例》的规定，军队主要担负五项任务：(1)解救、转移或者疏散受困人员；(2)保护重要目标安全；(3)抢救、运送重要物资；(4)参加道路(桥梁、隧道)抢修、海上搜救、核生化救援、疫情控制、医疗救护等专业抢险；(5)排除或者控制其他危重险情、灾情。必要时，军队可以协助地方人民政府开展灾后重建等工作。

(二)武装力量参与突发事件应急救援和处置工作应依法进行

武装力量参加各类突发事件的应急救援与处置工作，应当按照现行的法律、行政法规和军事法规的规定依法进行。特别是2005年6月国务院和中央军事委员会颁布实施了《军队参加抢险救灾条例》，2007年8月中央军事委员会颁布实施了《军队处置突发事件总体应急预案》，对军队参加突发事件应急处置和抢险救灾的主要任务、与地方人民政府的工作协调关系、动用军队的权限和程序、军地联合指挥、平时救灾准备和经费物资保障等作了更加明确的规定，具有很强的操作性和适用性，使军队参与突发事件应急处置和抢险救灾行动流程更清晰、处置更及时、效果更明显，可更有效地提高军队处置突发事件的能力。

(三)武装力量要在统一领导下履行突发事件应急救援和处置任务

武装力量在参与处置突发事件过程中，要依法接受领导，服从并执行国务院和中央军事委员会的命令。

一是，要按照法律、行政法规和军事法律的规定，参与县级以上地方人民政府突发事件应急指挥机构的统一领导。根据本法和其他有关法律以及《军队参加抢险救灾条例》的规定，军队有关负责人是县级以上地方人民政府组织的突发事件应急指挥机构的重要组成人员，参与突发事件的统一领导。如本法第 8 条规定：“县级以上地方人民政府设立由本级政府负责人、相关部门负责人、驻当地中国人民解放军和中国人民武装警察部队有关负责人组成的突发事件应急指挥机构，统一领导、协调本级政府各有关部门和下级人民政府开展突发事件应对工作。”《军队参加抢险救灾条例》第 6 条规定：“县级以上地方人民政府组建的抢险救灾指挥机构，应当有当地同级军事机关的负责人参加；当地有驻军部队的，还应当有驻军部队的负责人参加。”《军队参加抢险救灾条例》第 7 条规定：“军队参加抢险救灾应当在人民政府的统一领导下进行，具体任务由抢险救灾指挥机构赋予，部队的抢险救灾行动由军队负责指挥。”

二是，要按照武装力量隶属关系执行主管机关的命令。根据《中华人民共和国国防法》的规定，中央军事委员会统一领导和指挥全国武装力量。因此，中国人民解放军、中国人民武装警察部队和民兵组织都要服从并执行中央军事委员会关于突发事件应急救援与处置的命令。由于中国人民武装警察部队和民兵组织按照《中华人民共和国国防法》和《民兵工作条例》的规定，实行国务院和中央军事委员会双重领导，因此，中国人民武装警察部队和民兵组织还要服从和执行国务院的命令。

第十五条　中华人民共和国政府在突发事件的预防、监测与预警、应急处置与救援、事后恢复与重建等方面，同外国政府和有关国际组织开展合作与交流。

【释义】　本条是关于开展突发事件应对国际合作与交流的规定。

随着国际政治经济一体化进程的发展，加强国家、地区间的应对突发事件国际合作与交流，实施国际人道主义援助，防范和抵御人类面临的共同灾害和威胁，对于创造和谐的国际环境至关重要。在国际合作与交流中，要加强与有关国家、地区及国际组织在应急管理领域的沟通与合作，参与有关国际组织并积极发挥作用，共同应对各类跨国或世界性突发公共事件。大力宣传我国在应对突发公共事件、加强应急管理方面的政策措施和成功做法，积极参与国际应急救援活动，向国际社会展示我国的良好形象。密切跟踪研究国际应急管理发展的动态和趋势，参与公共安全领域重大国际项目研究与合作，学习、借鉴有关国家在灾害预防、紧急处置和应急体系建设等方面的有益经验，促进我国应急管理工作水平的提高。建立健全与联合国组织、国际或区域减灾机构、各国政府以及非政府组织在减灾领域的国际交流与合作机制。严格履行国际条约或协定中的国家义务，充分发挥我国在亚洲减灾领域的重要作用，大力推进《上海合作组织政府间救灾互助协定》《亚洲减少灾害风险北京行动计划》的实施。

第十六条　县级以上人民政府作出应对突发事件的决定、命令，应当报本级人民代表大会常务委员会备案；突发事件应急处置工作结束后，应当向本级人民代表大会常务委员会作出专项工作报告。

【释义】　本条是关于县级以上人民代表大会常务委员会进行法律监督和工作监督的有关规定。

我国实行人民代表大会制度，“一府两院”都由人大产生，对人大负责，受人大监督。人大常委会对“一府两院”的监督包括法律监督和工作监督。

（一）法律监督

县级以上人民政府作出应对突发事件的决定、命令，应当报本级人民代表大会常务委员会备案。这是人大行使法律监督职权的重要内容。

各级人大常委会对本级人民政府作出应对突发事件的决定、命令进行备案审查,主要是审查这些决定和命令是否存在着超越权限,限制或者剥夺公民、法人和组织的合法权益,或者增加公民、法人和组织义务的情形;违反法律、法规规定的情形以及其他不适当而应当予以撤销的情形。

县级以上人民政府是突发事件应对工作的行政领导机关,有权依法在其职权范围内作出一项或多项应对突发事件的决定和命令。人民政府作出的应对突发事件的决定、命令,接受同级人大常委会的监督,是维护国家法制统一和尊严的需要,也是维护广大人民群众合法权益和社会稳定的需要。

(二)工作监督

人民代表大会制度,是实现人民当家作主的重要途径。各级人民政府接受各级人大常委会的监督,就是接受人民的监督。

按照各级人民代表大会常务委员会监督法的规定,各级人大常委会围绕党和国家工作大局,每年选择若干关系改革发展稳定大局和群众切身利益、社会普遍关注的重大问题,有计划地安排听取和审议本级人民政府的专项工作报告,是人大常委会行使监督职权的基本形式。县级以上各级人民政府在突发事件应急处置工作结束后,应当向本级人民代表大会常务委员会作出专项工作报告,这是人大常委会行使监督职权的重要体现,目的是为了促进依法行政,依法应对突发事件,建设法治政府。

县级以上人民政府领导、指挥处置突发事件,采取各种应对突发事件措施,都会引起社会的普遍关注,理应成为各级人大常委会工作监督的重点。对县级以上人民政府应对突发事件工作进行监督,有利于督促政府改进突发事件应对工作,完善突发事件应对工作机制和体制,维护人民群众的合法权益和社会的稳定。

第二章　预防与应急准备

本章共20条，全面规定了突发事件预防与应急准备的基础性工作。主要体现“预防为主”和“有备无患”的原则，强调各级人民政府及其有关部门应当在本行政区域或职权范围内采取必要的防范措施和重点工作。主要包括：制定和完善应急预案、开展应急培训、宣传及应急演练；各类救援队伍组建、物资储备、经费保障、通信保障；建设应急避难场所、建立健全监测预警制度；开展危险源调查、登记、评估、调处和化解易引发突发事件的基层矛盾纠纷等。有关企事业单位特别是高危企业行业、公共场所、公共交通工具和其他人群密集场所的管理单位、居民委员会、村民委员会应当积极配合、协助政府及有关部门做好预防与应急准备工作。

第十七条　国家建立健全突发事件应急预案体系。

国务院制定国家突发事件总体应急预案，组织制定国家突发事件专项应急预案；国务院有关部门根据各自的职责和国务院相关应急预案，制定国家突发事件部门应急预案。

地方各级人民政府和县级以上地方各级人民政府有关部门根据有关法律、法规、规章、上级人民政府及其有关部门的应急预案以及本地区的实际情况，制定相应的突发事件应急预案。

应急预案制定机关应当根据实际需要和情势变化，适时修订应急预案。应急预案的制定、修订程序由国务院规定。

【释义】　本条是对国家建立健全突发事件应急预案体系的规定。

突发事件在时间上是突然发生的,为在关键时刻最大限度地减少损失,必须反应迅速,协调一致,及时有效地采取应对措施。为此,必须在平时制定完备的预案。预案是为完成某项工作任务所作的全面、具体的实施方案。它不同于其他计划文书的特点,在于其针对性更强,内容更加系统、详尽。

预案有助于识别潜在突发公共事件、了解突发事件的发生机理、明确应急救援的范围和体系,使突发事件的应急预防、预警、财物保障等工作有章可循;有利于对突发事件及时做出响应和处置;有利于避免或防止突发事件扩大或升级,最大限度地减少突发事件造成的损失;有利于提高全社会的居安思危,积极防范社会风险的意识。

建立健全突发事件应急预案体系的目的是,建立覆盖全国各地区、各行业、各单位的应急预案体系,使中央政府、地方政府和各部门在体系中的职能清晰明确,既相对独立,又相互协调;以提高预防和处置突发事件能力为重点,全面加强应急管理工作,最大限度地控制、减轻或消除突发事件引起的社会危害,最大限度减少突发事件造成的人员伤亡和财产损害,以维护国家安全和社会稳定,促进经济社会全面、协调、可持续发展。

国家突发事件应急预案分为两个层次:一是中央一级的突发事件总体应急预案、专项应急预案和部门应急预案;二是地方一级突发事件总体应急预案、专项应急预案和部门应急预案。

国家突发事件应急预案体系包括:一是突发事件总体应急预案。总体应急预案是全国应急预案体系的总纲,是国务院应对特别重大突发事件的规范性文件。二是突发公共事件专项应急预案。专项应急预案主要是国务院及其有关部门为应对某一类型或某几种类型突发公共事件而制定的应急预案。三是突发事件部门应急预案。部门应急预案是国务院有关部门根据总体应急预案、专项应急预案和部门职责为应对突发事件制定的预案。

目前,国家已制定总体应急预案1件;制定国家专项应急预案共28件,其中:自然灾害类专项预案5件,如防汛抗旱、地质灾害、地震应急等预案;事故灾难类专项预案9件,如安全生产事故灾难、海上搜救应急、环境事件应急等预案;公共卫生类专项预案4件,如卫生事件应急、动物疫情应急、重大食品安全事故应急等;部门应急预案共57件,如建设系统破坏性地震应急、铁路防洪应急、矿山事故灾难应急等。

地方突发事件应急预案具体包括:省级人民政府的突发事件总体应急预案、专项应急预案和部门应急预案;各市、县人民政府及基层政权组织的突发事件应急预案。上述预案在省级人民政府的领导下,按照分类管理、分级负责的原则,由地方人民政府及其有关部门分别制定。

企事业单位应当根据有关法律法规制订应急预案。举办大型会展和文化体育等重大活动,主办单位也要制订应急预案。

编制突发事件应急预案应遵循的指导思想和原则主要有以下几点:

一是以人为本,减少危害。切实履行政府的社会管理和公共服务职能,把保障公众健康和生命财产安全作为首要任务,最大限度地减少突发公共事件及其造成的人员伤亡和危害。

二是居安思危,预防为主。高度重视公共安全工作,常抓不懈,防患于未然。增强忧患意识,坚持预防与应急相结合,常态与非常态相结合,做好应对突发事件的各项准备工作。

三是统一领导,分级负责。在党中央、国务院的统一领导下,建立健全分类管理、分级负责,条块结合、属地管理为主的应急管理体制,在各级党委领导下,实行行政领导责任制,充分发挥专业应急指挥机构的作用。

四是依法规范,加强管理。依据有关法律和行政法规,加强应急管理,维护公众的合法权益,使应对突发公共事件的工作规范化、制度化、法制化。

五是快速反应,协同应对。加强以属地管理为主的应急处置队伍建设,建立联动协调制度,充分动员和发挥乡镇、社区、企事业单位、社会团体和志愿者队伍的作用,依靠公众力量,形成统一指挥、反应灵敏、功能齐全、协调有序、运转高效的应急管理机制。

六是依靠科技,提高素质。加强公共安全科学研究和技术开发,采用先进的监测、预测、预警、预防和应急处置技术及设施,充分发挥专家队伍和专业人员的作用,提高应对突发公共事件的科技水平和指挥能力,避免发生次生、衍生事件;加强宣传和培训教育工作,提高公众自救、互救和应对各类突发事件的综合素质。

应急预案的制定机关应当根据实际情况和情势变化,适时修改、调整应急预案。应急预案的制定、修订程序由国务院规定。

第十八条　应急预案应当根据本法和其他有关法律、法规的规定,针对突发事件的性质、特点和可能造成的社会危害,具体规定突发事件应急管理工作的组织指挥体系与职责和突发事件的预防与预警机制、处置程序、应急保障措施以及事后恢复与重建措施等内容。

【释义】　本条是对应急预案基本内容的规定。

加强应急管理工作,是关系国家经济社会发展全局和人民群众生命财产安全的大事,是全面落实科学发展观、构建社会主义和谐社会的重要内容,是各级政府坚持以人为本、执政为民、全面履行政府职能的重要体现。制订应急预案应当科学、严密和全面。本条明确规定了应急预案的主要内容,包括:组织指挥体系与职责、预防和预警机制、处置程序、应急保障措施、恢复与重建措施等。

1. 组织指挥体系与职责

一是领导机构和职责：国务院是突发事件应急管理工作的最高行政领导机构。在国务院总理领导下，由国务院常务会议和国家相关突发公共事件应急指挥机构负责突发公共事件的应急管理工作；必要时，派出国务院工作组指导有关工作。

二是办事机构和职责：国务院办公厅设国务院应急管理办公室，履行值守应急、信息汇总和综合协调职责，发挥运转枢纽作用。

三是工作机构和职责：国务院有关部门依据有关法律、行政法规和各自的职责，负责相关类别突发事件的应急管理工作。具体负责相关类别的突发事件专项和部门应急预案的起草与实施，贯彻落实国务院有关决定事项。

四是地方机构和职责：地方各级人民政府是本行政区域突发事件应急管理工作的行政领导机构，负责本行政区域各类突发事件的应对工作。

五是专家组和职责：国务院和各应急管理机构建立各类专业人才库，可以根据实际需要聘请有关专家组成专家组，为应急管理提供决策建议，必要时参加突发事件的应急处置工作。

2. 突发事件的预防和预警机制

突发事件的预防工作主要通过对风险隐患的普查和监控来实现。普查就是全面掌握本行政区域、本行业和领域各类风险隐患情况。监控是对具有各类风险隐患地点或设施，实行长效管理、监控和检查，及时排除风险隐患。预警是对各类风险隐患信息进行综合、科学的风险分析后，将有可能发生或即将发生的突发事件的情况及时发布预警信息。

预警信息包括：突发事件的类别、预警级别（一般分为四级：特别严重为Ⅰ级、严重为Ⅱ级、较重为Ⅲ级、一般为Ⅳ级，依次用红色、橙色、黄色和蓝色表示）、起始时间、可能影响范围、警示事项、应采取的措施和发布机关等内容。对于预警信息的发布、调整和解除，一般通过广播、电视、报刊、通信、信息网络、警报器、宣传车或组织人员逐户通知等方式。对老、幼、病、残、孕等特殊人群以及学校等特殊场所和警报盲区应采取有针对性的公告方式。

3. 处置程序

应急预案对处置程序一般应规定以下四个步骤：

一是信息报告。突发事件发生后，各地区、各部门要立即报告，同时通报有关地区和部门。应急处置过程中，要及时续报有关情况。

二是先期处置。突发事件发生后，事发地的人民政府在报告突发事件信息的同时，根据职责和规定的权限启动相关应急预案，及时、有效地进行处置，控制事态。

三是应急响应。对于突发事件，要及时启动相关预案，开展处置工作。现场应急指挥机构负责现场的应急处置工作。

四是应急结束。突发事件应急处置工作结束，或者相关危险因素消除后，现场应急指挥机构予以撤销。

4. 应急保障措施

(1)人力资源保障。公安(消防)、医疗卫生、地震救援、海上搜救、矿山救护、森林消防、防洪抢险、核与辐射、环境监控、危险化学品事故救援、铁路事故、民航事故、基础信息网络和重要信息系统事故处置，以及水、电、油、气等工程抢险救援队伍是应急救援的专业队伍和骨干力量。地方各级人民政府和有关部门、单位要加强应急救援队伍的业务培训和应急演练，建立联动协调机制，提高装备水平；动员社会团体、企事业单位以及志愿者等各种社会力量参与应急救援工作；增进国际间的交流与合作。同时，要加强以乡镇和社区为单位的公众应急能力建设，发挥其在应对突发公共事件中的重要作用。人民解放军和人民武装警察部队是处置突发公共事件的骨干和突击力量，按照有关规定参加应急处置工作。

(2)财力保障。要保证所需突发事件应急准备和救援工作资金。对受突发事件影响较大的行业、企事业单位和个人要及时研究提出相应的补偿或救助政策。对突发事件财政应急保障资金的使用和效果进行监管和评估。鼓励自然人、法人或者其他组织(包括国际组织)按照《中华人民共和国公益事业捐赠法》等有关法律、法规的规定进行捐赠和援助。

(3)物资保障。通过建立健全应急物资监测网络、预警体系和应急物资生产、储备、调拨及紧急配送体系,完善应急工作程序,确保应急所需物资和生活用品的及时供应,并加强对物资储备的监督管理,及时予以补充和更新。地方各级人民政府应根据有关法律、法规和应急预案的规定,做好物资储备工作。

(4)基本生活保障。做好受灾群众的基本生活保障工作,确保灾区群众有饭吃、有水喝、有衣穿、有住处、有病能得到及时医治。

(5)医疗卫生保障。卫生部门负责组建医疗卫生应急专业技术队伍,根据需要及时赴现场开展医疗救治、疾病预防控制等卫生应急工作。及时为受灾地区提供药品、器械等卫生和医疗设备。并且在必要时,组织动员红十字会等社会卫生力量参与医疗卫生救助工作。

(6)交通运输保障。保证紧急情况下应急交通工具的优先安排、优先调度、优先放行,确保运输安全畅通。依法建立紧急情况社会交通运输工具的征用程序,确保抢险救灾物资和人员能够及时、安全送达。根据应急处置需要,对现场及相关通道实行交通管制,开设应急救援“绿色通道”,保证应急救援工作的顺利开展。

(7)治安维护。加强对重点地区、重点场所、重点人群、重要物资和设备的安全保护,依法严厉打击违法犯罪活动。在必要时,依法采取有效管制措施,控制事态,维护社会秩序。

(8)人员防护。指定或建立与人口密度、城市规模相适应的应急避险场所,完善紧急疏散管理办法和程序,明确各级责任人,确保在紧急情况下公众安全、有序的转移或疏散。采取必要的防护措施，严格按照程序开展应急救援工作，确保人员安全。

(9)通信保障。建立健全应急通信、应急广播电视保障工作体系，完善公用通信网，建立有线和无线相结合、基础电信网络与机动通信系统相配套的应急通信系统，确保通信畅通。

(10)公共设施正常运转。有关部门按照职责分工，分别负责对煤、电、油、气、水的供给，以及废水、废气、固体废弃物等有害物质的监测和处理。

(11)科技支撑。积极开展公共安全领域的科学研究；加大公共安全监测、预测、预警、预防和应急处置技术研发的投入，不断改进技术装备，建立健全公共安全应急技术平台，提高我国公共安全科技水平。注意发挥企业在公共安全领域的研发作用。

5. 恢复与重建措施

应急预案关于恢复与重建措施的内容一般分为四个方面：

一是善后处置。对突发事件中的伤亡人员、应急处置工作人员，以及紧急调集、征用有关单位及个人的物资，按照规定给予抚恤、补助或补偿，并提供心理服务及司法援助。做好疫病防治和环境污染消除工作。保险监管机构督促有关保险机构及时做好有关单位和个人损失的理赔工作。

二是调查与评估。对突发事件的起因、性质、影响、责任、经验教训和恢复重建等问题进行调查评估。

三是恢复重建。根据受灾地区恢复重建计划，组织和实施恢复重建。

四是信息发布。突发事件的信息发布应当及时、准确、客观、全面。事件发生的第一时间向社会发布简要信息，随后发布初步核实情况、政府应对措施和公众防范措施等，并根据事件处置情况做好后续发布工作。信息发布形式主要包括授权发布、散发新闻稿、组织报道、接受记者采访、举行新闻发布会等。

第十九条　城乡规划应当符合预防、处置突发事件的需要，统筹安排应对突发事件所必需的设备和基础设施建设，合理确定应急避难场所。

【释义】　本条是关于城乡规划应当符合预防、处置突发事件需要的规定。

城乡规划包括城镇体系规划、城市规划、镇规划、乡规划和村庄规划。编制城乡规划，应当符合预防、处置突发事件的需要。1989 年制定的《中华人民共和国城市规划法》第 15 条第 2 款规定："编制城市规划应当符合城市防火、防爆、抗震、防洪、防泥石流和治安、交通管理、人民防空建设等要求；在可能发生强烈地震和严重洪水灾害的地区，必须在规划中采取相应的抗震、防洪措施。"国务院 1993 年制定的《村庄和集镇规划建设管理条例》第 5 条规定："地处洪涝、地震、台风、滑坡等自然灾害易发地区的村庄和集镇，应当按照国家和地方的有关规定，在村庄、集镇总体规划中制定防灾措施。"本法明确要求，城乡规划应当符合预防、处置突发事件的需要，统筹安排应对突发事件所必需的设备和基础设施建设，合理确定应急避难场所。

1. 统筹安排应对突发事件所必需的设备和基础设施建设。在城市建设用地选择时，综合考虑地形、地质、气象、危险源场所、防洪、抗震、防风等安全因素，使居住用地、公共设施用地、工业用地等主要功能区尽量避开灾害源和生态敏感地带，实现城市总体布局的合理化。加强城乡公共设施、基础设施的抗灾能力，保障其安全、良性运行。尤其要注重人口密度大的旧城改造时防灾系统的配套和市政基础设施的改造。

2. 合理确定应急避难场所。省会城市和百万人口以上城市按照有关规划和相关标准，加快应急避难场所和紧急疏散通道建设工作。拓展广场、绿地、公园、学校、体育场馆等公共场所的应急避难功能，设置必要的基本生活设施。推进台风、地震、地质灾害、洪涝等多灾、易灾的农村地区，以及国家规划的防洪保护区和蓄滞洪区等区域的避难场所基础设施建设。

第二十条 县级人民政府应当对本行政区域内容易引发自然灾害、事故灾难和公共卫生事件的危险源、危险区域进行调查、登记、风险评估，定期进行检查、监控，并责令有关单位采取安全防范措施。

省级和设区的市级人民政府应当对本行政区域内容易引发特别重大、重大突发事件的危险源、危险区域进行调查、登记、风险评估，组织进行检查、监控，并责令有关单位采取安全防范措施。

县级以上地方各级人民政府按照本法规定登记的危险源、危险区域，应当按照国家规定及时向社会公布。

【释义】 本条是关于县级以上地方人民政府对危险源、危险区域的登记、监控和公布等管理职责的规定。

（一）危险源、危险区域的概念

危险源是指长期地或者临时地生产、搬运、使用或者储存危险物品，且危险物品的数量等于或者超过临界量的单元（包括场所和设施）。所谓危险物品，是指易燃易爆物品、危险化学品、放射性物品等能够危及人身安全和财产安全的物品。临界量是指国家法律、法规、标准规定的一种或一类特定危险物质的数量。危险源可能是具体的一个企业，也可能是生产经营单位内的某一车间或某台设备。

危险区域是指容易引发自然灾害、事故灾难或公共卫生事件，可能会对位于此环境内的人员造成健康或安全威胁的区域。例如，泥石流多发地区、核电站周边等都属于危险区域。

（二）对危险源、危险区域进行登记、监控的意义

由于危险源和危险区域潜藏着发生突发事件的可能性，需要对危险源、危险区域进行调查、登记，并根据对危险源、危险区域的

分析、辨识情况，选择合适的评估方法，对危险源、危险区域可能导致事故发生的可能性和严重程度进行定性和定量评价，在此基础上进行危险等级划分，以确定管理的重点。同时，由于危险源和危险区域有时是变化的，应当对其定期进行检查、监控，掌握危险源和危险区域的动态变化情况。

对危险源、危险区域的登记、监控具有十分重要的意义：首先，有利于避免突发事件的发生。对容易引发突发事件的危险源、危险区域进行重点监控防范，防患于未然，发现问题及时整改，可以将发生突发事件的可能性降至最低。其次，有利于应急处置的快速反应。在处置突发事件时，如果能够做到快速反应，就可能及时有效地控制事故与事件的规模，避免发生更大的损失。如果能在早期采取相应的控制、处置措施，无疑就争取到了处置的主动权，就有可能将损失控制在较小的范围内和较低的程度上。第三，有利于采取正确有效的应对措施。每一种突发事件的处置措施是不同的，在事故与事件发展的不同阶段，所应采取的手段措施也是不同的。通过对风险的识别，判断风险存在的几率大小，并分析属于哪一类突发事件，在此基础上，启动相应的应急预案，采取正确的应急措施。

（三）县级以上地方人民政府的危险源、危险区域管理职责

本法将对本行政区域内容易引发自然灾害、事故灾难和公共卫生事件的危险源、危险区域的管理职责赋予了县级人民政府；将对本行政区域内容易引发特别重大、重大突发事件的危险源、危险区域的管理职责赋予省级和设区的市级人民政府。这种职责的划分是与不同层级的人民政府应对突发事件的职责分工相联系的。

根据本条的规定，县级以上地方各级人民政府对危险源、危险区域的管理职责主要是：

1. 调查、登记和风险评估

调查就是尽可能地收集有关危险源和危险区域的信息，保证信息收集的全面性。要保证信息收集的全面性，就要分析确定危险源和危险区域的分布状况和范围大小，在此基础上，决定信息收集的范围和种类。登记就是对调查收集的信息归纳整理，登记造册，这样做的目的是使收集到的信息条理化和清晰明确，以便能够从整体上把握收集到的信息，同时对信息进行辨别，排除那些不必要的信息。对于经过核实真实存在的危险源、危险区域，应当登记造册，便于管理和查阅。风险评估是在调查登记的基础上，对经过确认登记的危险源、危险区域组织具备相关专业知识的专家及对应对突发事件有着丰富经验的人员进行分析、论证，得出有关结论，为应对处置工作做好准备。

2. 检查、监控

危险源、危险区域确定后，应当定期对其进行检查、监控，及时发现危险源、危险区域的变化情况，采取相应措施避免突发事件的发生。在最早的时间内，防止危险源、危险区域引起的突发事件规模的扩大和程度的加深。

3. 责令有关单位采取安全防范措施

县级以上地方人民政府在对危险源、危险区域的监督检查过程中，如果发现有关单位没有按照要求采取安全防范措施的，应当责令有关单位及时采取预防措施，防止突发事件的发生。

4. 按照国家规定及时向社会公布

为了保障人民群众的知情权，提高人民群众的自我防范意识，县级以上地方人民政府对于登记的危险源、危险区域，应当及时向社会公布。这里需要注意的一点是，政府向社会公布危险源、危险区域必须按照国家规定进行。这里的“国家规定”应当做广义理解，既包括法律、行政法规、政府规章，也包括国务院及其部门颁布的有关文件等。对于涉及国家安全、需要保密的单位或设施，其存在的危险源必须进行评估、登记，但可以按照“国家规定”不予公开。公布的方式可以是通过报刊、电视等媒体公布，也可以是设置警示标志，张贴公告等。

第二十一条　县级人民政府及其有关部门、乡级人民政府、街道办事处、居民委员会、村民委员会应当及时调解处理可能引发社会安全事件的矛盾纠纷。

【释义】　本条是关于基层政府和基层群众自治组织调解处理可能引发社会安全事件的矛盾纠纷的规定。

随着社会主义市场经济体制的建立和发展，以及各种利益关系的调整，出现了许多新的社会矛盾纠纷，矛盾纠纷的主体、内容日益多样化、复杂化。许多纠纷如果不能及时疏导化解，有可能使矛盾激化或者发展为群体性事件，影响社会稳定和经济的持续发展。因此，及时有效地化解矛盾纠纷，对于维护社会稳定和人民群众的安定幸福，具有十分重要的意义。

根据本条规定，县级人民政府及其有关部门、乡级人民政府、街道办事处、居民委员会、村民委员会都应当及时调解处理可能引发社会安全事件的矛盾纠纷。

调解处理矛盾纠纷，要坚持以下原则：第一，依法调解。依照法律、法规、规章和政策进行调解，是正确处理社会矛盾纠纷的根本保证。社会矛盾纠纷双方当事人对纠纷的是非曲直各有自己的看法和认识，如何来衡量和判断？这就是法律、法规、规章和政策。只有以法律为根据、事实为准绳，才能明辨是非，据此作出的调解才能令人口服心服，使双方当事人接受。第二，在双方当事人自愿平等的基础上进行调解。要在查明事实、分清是非的基础上，讲道理、论利害，晓之以理、动之以情，充分说理，耐心疏导，帮助当事人消除隔阂，互相让步，达成协议。

居民委员会人民调解委员会、村民委员会人民调解委员会是人民调解工作的基础，要巩固组织，规范工作，增强活力。要结合城市社区建设和农村基层组织建设，使其得到进一步巩固和发展。要适应新形势下化解矛盾纠纷及维护社会稳定的需要，积极推动建立和完善乡镇、街道人民调解组织。

要结合本地社会经济发展的特点，针对突出的难点热点纠纷开展调解工作，缓解改革进程中的利益冲突。要坚持抓早、抓小、抓苗头，把矛盾纠纷解决在萌芽状态，严防矛盾纠纷激化而引起群众性械斗等社会安全事件，全力维护社会稳定。

第二十二条　所有单位应当建立健全安全管理制度，定期检查本单位各项安全防范措施的落实情况，及时消除事故隐患；掌握并及时处理本单位存在的可能引发社会安全事件的问题，防止矛盾激化和事态扩大；对本单位可能发生的突发事件和采取安全防范措施的情况，应当按照规定及时向所在地人民政府或者人民政府有关部门报告。

【释义】　本条是关于单位预防突发事件义务的规定。

应对突发事件，首先要做好突发事件的提前预防工作，从源头上遏制突发事件的发生。突发事件一旦发生，不仅本单位受到影响，整个区域甚至社会都会受到影响。因此，所有单位都应当担负起预防突发事件发生的义务，采取各种有效的措施消除突发事件发生的各种因素，在保障自身安全的同时，也保障了社会的安全。

根据本条的规定，为预防自然灾害、事故灾难、公共卫生事件等突发事件的发生，所有单位应当建立健全安全管理制度。建立健全安全管理制度，应当主要从以下几个方面入手：

1. 建立、健全本单位的安全管理责任制。安全管理责任制是将本单位各级负责人员、职能部门及其工作人员在安全管理方面应做的事情及应负的责任加以明确规定的一种制度。安全管理责任制的主要内容包括三个方面：一是生产经营单位的各级负责生产和经营的管理人员，在完成生产或经营任务的同时，对保证生产安全负责；二是各职能部门的人员，对自己业务范围内及有关的安全事项负责；三是所有的从业人员应在自己本职工作范围内做到安全事项。

2. 组织制定本单位安全管理规章制度和操作规程。安全管理规章制度是一个单位规章制度的重要组成部分，是保证单位的各项工作安全、顺利进行的重要手段。各单位的主要负责人应当组织制定本单位的安全管理规章制度和操作规程，并保证其有效实施。

3. 各单位的主要负责人应当组织力量开展风险隐患普查工作，全面掌握本单位各类风险隐患情况，建立分级、分类管理制度，落实综合防范和处置措施，实行动态管理和监控，加强各个部门之间的配合；要定期检查本单位各项安全防范措施的落实情况，对可能引发突发事件的风险隐患，要组织力量限期治理，尽快消除隐患。

根据本法的规定，各单位都应当担负起预防社会安全事件发生的义务。社会安全事件的发生，最初往往是由于一些小的矛盾或小的纠纷引起的，如果对这些小的矛盾或小的纠纷处理不当，往往引发矛盾激化和事态扩大，最终发展成社会安全事件。因此，提前掌握并及时处理这些小的矛盾和纠纷，将引发社会安全事件的各种因素扼杀在萌芽状态，是预防社会安全事件的重要一环。

各单位对于本单位可能发生的突发事件和采取安全防范措施的情况，应当及时向所在地人民政府或政府相关部门报告，使政府及时获取相关的信息，以便于对可能发生的突发事件作出判断和相应的处置。各级人民政府及有关部门也要加强对本行政区域内的各单位、各重点部位安全管理的监督检查，严密防范各类安全事故的发生。各有关部门要按照有关法律法规和职责分工，加强对本系统、本行业和领域的安全监管监察。

第二十三条 矿山、建筑施工单位和易燃易爆物品、危险化学品、放射性物品等危险物品的生产、经营、储运、使用单位,应当制定具体应急预案,并对生产经营场所、有危险物品的建筑物、构筑物及周边环境开展隐患排查,及时采取措施消除隐患,防止发生突发事件。

【释义】 本条是关于高危行业企业预防突发事件义务的规定。

矿山、建筑施工单位和易燃易爆物品、危险化学品、放射性物品等危险物品的生产、经营、储运、使用单位(以下简称“高危行业企业”)由于其所从事的生产、经营等活动的特殊性,一旦发生事故,将会对人民群众的生命财产安全造成严重损害。因此,上述高危行业企业,必须本着高度负责的态度,严格执行相关法律、法规和国家标准或者行业标准的规定,建立、健全严格的安全管理规章制度,设置必要的安全防护设施,提高从业人员的素质,保证生产经营活动的安全进行。

各高危行业企业应当针对本企业的风险隐患特点,以编制事故灾难应急预案为重点,并根据实际需要编制其他方面的应急预案。预案的内容要简明、管用、注重实效,有针对性和可操作性,要在预案中明确可能发生事故的具体应对措施。企业要根据有关法律、法规、标准的变动情况,应急预案演练情况,以及企业作业条件、设备状况、产品品种、人员、技术、外部环境等不断变化的实际情况,及时评估和补充修订完善预案。

高危行业企业应当组织力量,重点针对企业生产经营场所、有危险物品的建筑物、构筑物及周边环境等认真开展隐患排查,全面分析可能会发生的灾害。对查处的隐患及时治理整改,制订切实可行的整改方案,并采取可靠的安全保障措施。对隐患较大的要采取停产整顿或停止使用等措施,防止发生突发事件。对重大危险源应当登记建档,进行定期检测、评估,实时监控,并告知从业人员和相关人员在紧急情况下应当采取的应急措施。

第二十四条　公共交通工具、公共场所和其他人员密集场所的经营单位或者管理单位应当制定具体应急预案，为交通工具和有关场所配备报警装置和必要的应急救援设备、设施，注明其使用方法，并显著标明安全撤离的通道、路线，保证安全通道、出口的畅通。

有关单位应当定期检测、维护其报警装置和应急救援设备、设施，使其处于良好状态，确保正常使用。

【释义】　本条是关于公共交通工具、公共场所和其他人员密集场所的经营单位或者管理单位预防突发事件义务的规定。

“公共交通工具”是指从事旅客运输的各种交通工具，包括列车、客机、轮船及公共汽车、电车、城市轨道交通等 。“公共场所”是指人群聚集，供人们学习、工作、社会交往、休息、文体娱乐、参观旅游及满足部分生活需求所使用的一切公共建筑物、场所及设施。

公共交通工具和公共场所一个共同的特点就是人员密集集中，往往在某一特定时间聚集成群，一旦发生意外情况，非常容易造成人员伤亡的严重后果。因此，本法规定了公共交通工具、公共场所和其他人员密集场所的经营单位或者管理单位预防突发事件的义务。

根据本法的规定，上述单位应当承担的义务具体包括：

1. 制定具体应急预案。上述单位应当根据相应的法律、法规和有关主管部门的预案，结合本单位经营管理的具体情况，制定具体的应急预案。预案中应当包括对事故灾难的预防措施、发生突发事件后的应对处置措施等。

2. 为有关场所和交通工具配备报警装置和必要的应急救援设备、设施，注明其使用方法。在有关场所配备报警装置和应急救援设备、设施，可以在发生紧急情况时，第一时间发现并及时作出反应，利用预先配备的应急救援设备和设施展开自救和他救工作，以更有效地应对和处置突发事件。

3. 保障安全通道、出口的畅通。安全通道是指发生紧急情况时，能够迅速安全通过的道路或出口。根据国家的有关规定，有关单位应当保证安全出口的畅通；不得封闭、堵塞安全出口；安全出口处不得设置门槛。安全出口和疏散通道及其转角处应当设置发光疏散指示标志。指示标志应当能够在断电且无自然光照明时，指引疏散位置和疏散方向。安全出口、疏散通道和重点部位应当设置应急照明灯。

4. 保障报警装置和应急救援设备、设施的正常使用。有关单位应当定期检测、维护其报警装置和应急救援设备、设施，使其处于良好状态，确保正常使用。

第二十五条　县级以上人民政府应当建立健全突发事件应急管理培训制度，对人民政府及其有关部门负有处置突发事件职责的工作人员定期进行培训。

【释义】　本条是关于突发事件应急管理培训制度的规定。

应急管理是指对于已经发生的突发事件，政府根据事先制定的应急预案，采取应急行动，控制或者消除正在发生的危机事件，减轻危机带来的损失，保护人民生命和财产安全。应急管理培训就是对应急管理所需的知识和技能的培训。

对政府及其部门负有处置突发事件职责的工作人员进行应急管理培训，是建立应急管理长效机制的重要措施。通过培训，增强应急管理队伍的素质，为突发事件应对工作提供人才储备和技能训练，培训和造就一支能应对各种突发事件，适应现代化建设需要的高素质、专业化的危机应对管理队伍，有利于建立应急管理的长效机制。

政府及其部门领导干部应急培训的重点是增强应急管理意识，提高统筹常态管理与应急管理、指挥处置应对突发公共事件的水平。各级应急管理机构干部和工作人员培训的重点是熟悉、掌握应急预案和相关工作制度、程序、要求等，提高为领导决策服务和开展应急管理工作的能力。基层干部应急管理培训的重点是增强公共安全意识，提高突发事件隐患排查监管和第一时间应对突发事件的能力。

县级以上人民政府应当建立健全突发事件应急管理培训制度，要制定应急管理的培训规划和培训大纲，明确培训内容、标准和方式，充分运用多种方法和手段，做好应急管理培训工作，并加强培训资质管理。

第二十六条　县级以上人民政府应当整合应急资源，建立或者确定综合性应急救援队伍。人民政府有关部门可以根据实际需要设立专业应急救援队伍。

县级以上人民政府及其有关部门可以建立由成年志愿者组成的应急救援队伍。单位应当建立由本单位职工组成的专职或者兼职应急救援队伍。

县级以上人民政府应当加强专业应急救援队伍与非专业应急救援队伍的合作，联合培训、联合演练，提高合成应急、协同应急的能力。

【释义】　本条是关于应急救援队伍建设的规定。

应急救援队伍可分为专业应急救援队伍和非专业应急救援队伍。专业应急救援队伍是指专门负责突发事件的应急救援和处置工作的队伍，主要有防汛抗旱、抗震救灾、森林消防、海上搜救、铁路事故救援、矿山救护、核应急、医疗救护、动物疫情处置等专业人员组成的队伍。非专业应急救援队伍并非为突发事件应对而设，也没有从事危机救援和危机控制的职责，但某些突发事件发生时，临时需要他们来承担一些应急救援和应急控制的任务,例如由政府或有关部门招募建立的由成年志愿者组成的应急救援队伍等。

本法将建立应急救援队伍的职责主要赋予了县级以上人民政府及其有关部门。根据本法的规定,县级以上人民政府应当整合应急资源,建立或者确定综合性应急救援队伍。政府有关部门可以根据实际需要设立专业应急救援队伍。县级以上人民政府及其有关部门可以建立由成年志愿者组成的非专职应急救援队伍。此外,单位也应当建立由本单位职工组成的专职或兼职应急救援队伍。

根据国务院有关文件的要求,应急救援队伍建设的总体目标是:落实"十一五"规划有关安全生产应急救援、国家灾害应急救援体系建设的重点工程。建立充分发挥公安消防以及武警、解放军、预备役民兵的骨干作用,各专业应急救援队伍各负其责、互为补充,企业专兼职救援队伍和社会志愿者共同参与的应急救援体系。加强各类应急抢险队伍建设,改善技术装备,强化培训演练,提高应急救援能力。建立应急救援专家队伍,充分发挥专家学者的专业特长和技术优势。逐步建立社会化的应急救援机制,大中型企业特别是高危行业企业要建立专职或兼职应急救援队伍,并积极参与社会应急救援;研究制定动员和鼓励志愿者参与应急救援工作的办法,加强对志愿者队伍的招募、组织和培训。

应急救援队伍建设的具体要求是:

1. 强化公安、武警和军队等骨干队伍应急能力建设。以骨干队伍为主干,以专业队伍为补充,逐步形成一批布局合理、综合能力强、精干实用的国家级应急救援力量。

2. 加强专业队伍处置能力建设。进一步加强防汛抗旱应急队伍和森林消防队伍建设,补充完善相应装备,提高应对洪涝、干旱以及森林大火的应急处置能力。依托大型国有企业专业应急队伍,通过增配大型、特种救援救生装备,建立安全生产区域性专业救援队伍。进一步完善沿海和内河干线行道及湖区水上搜救力量布局,补充更新救援装备、加强沿海和内河重点水域救助队伍飞行基地和救助船舶基地建设。完善省、市两级环境污染检测机动队伍,提高突发公共事件现场环境污染应急检测、评估和处置能力。加强医疗卫生救援队伍建设,完善重大动物疫情应急处置队伍,重点提高禽流感等重大动物疫情应急处置能力。

3. 推进企事业单位专兼职应急队伍建设。推进矿山、危险化学品、高风险油气田勘探与开采、核工业、森工、民航、铁路、水运、电力和电信等企事业单位应急队伍建设,按有关标准和规范配备应急技术装备,提高现场先期快速处置能力。推进企事业单位建立应急互助机制,发挥企事业单位应急队伍在区域联防和救援互助中的重要作用。

4. 加强应急专家队伍建设。各级政府及其有关部门开展专家信息收集、分类、建档工作,建立相应数据库,逐步完善专家信息共享机制,形成分级分类、覆盖全面的应急专家资源信息网络;完善专家参与预警、指挥、救援、救治和恢复重建等应急决策咨询工作的机制,开展专家会商、研判、培训和演练等活动。

5. 大力发展应急志愿者队伍。依托共青团组织、中国红十字会、中国青年志愿者协会、基层社区以及其他组织,建立形式多样的应急志愿者队伍,重点加强青年志愿者队伍建设。通过构筑社会参与平台和制定相关鼓励政策,逐步建立国家支持、项目化管理、社会化运作的应急志愿服务机制,发挥志愿者队伍在科普宣教、应急救助和恢复重建等方面的重要作用。

6. 提高专业队伍与非专业队伍的合成应急、协同应急能力。在应对危机时,每个地区都必须充分利用现代化的科学技术,整合现有的应急管理资源,加强专业应急救援队伍与非专业应急救援队伍的合作,合成应急、协调作战。这就要求县级以上人民政府平时重视专业应急救援队伍和非专业应急队伍的联合培训、联合演练，提高应急队伍的合成应急、协调应急能力。

第二十七条 国务院有关部门、县级以上地方各级人民政府及其有关部门、有关单位应当为专业应急救援人员购买人身意外伤害保险，配备必要的防护装备和器材，减少应急救援人员的人身风险。

【释义】 本条是关于政府和有关单位应当为专业应急救援人员购买人身意外伤害保险和配备必要的防护装备和器材的规定。

抢险救灾工作本身具有风险，为了保证抢险救灾工作的顺利进行，首先必须保证应急救援人员的安全。国务院有关部门、县级以上人民政府及其有关部门、有关单位应当为专业应急救援人员，包括企事业单位中设置的专职应急救援队伍的人员购买人身意外伤害保险，配备必要的防护装备和器材。

人身意外伤害保险，是指保险人对于被保险人由于自己意志以外的原因而致身体残废或者死亡时给付被保险人保险金的一种人身保险。政府和有关单位作为投保人与保险公司订立保险合同，支付保险费，以专业应急救援人员作为被保险人，当被保险人在突发事件应急救援和处置中发生意外伤害事故时，由保险公司依照合同约定向被保险人或受益人支付保险金。

配备必要的防护装备和器材，减少应急救援人员的人身风险，对于应急救援工作，也是非常必要的。

第二十八条 中国人民解放军、中国人民武装警察部队和民兵组织应当有计划地组织开展应急救援的专门训练。

【释义】 本条是关于中国人民解放军、中国人民武装警察部队和民兵组织开展应急救援专门训练的规定。

人民解放军、武装警察部队和民兵组织在应对处置突发事件中,发挥着重要的作用。为了增强应急救援和处置能力,必须进行应急救援的专门训练。突发事件的应急救援和处置需要专门的知识和技能,只有通过经常的培训和演练,才能有效掌握相关的知识技能,面对突发事件时,才能采取有效的救援和处置措施。

按照不同的训练形式和训练内容,应急救援训练主要有以下几种类型:

1. 一般训练与特殊训练。一般训练时按照应急预案的常规来演习训练,特殊训练是针对遇到的特殊情况进行的训练,如夜间停电、恶劣天气中出现的事故与事件如何处置等。

2. 基础训练与应用训练。基础训练是指对队伍进行基本能力和基本素质的教育、学习和训练,包括有关的法律、法规、方针、政策、方案、措施的学习和掌握,各种器材和装备的使用技能训练,排除各种障碍物或危险物的训练等。应用训练主要指解决各种问题、排除困难能力的训练。这种训练的着重点在于:培养全体参与处置事件的人员在复杂的条件和情况下合理运用已掌握的技能、技巧,提高处置突发事件的战斗力。

为保障应急训练的质量,应当有计划地开展训练。制订训练计划之前,首先要对应急救援队伍各层次和各岗位人员进行工作和任务分析,然后制订训练计划,并根据计划进行课程设计。通过训练,提高队伍的快速反应能力,提高指挥员的组织指挥能力和指挥机关人员的组织协调能力,使训练队伍的技能与素质得到巩固,提高各种后勤保障能力,培养队伍良好作风及心理素质。

第二十九条　县级人民政府及其有关部门、乡级人民政府、街道办事处应当组织开展应急知识的宣传普及活动和必要的应急演练。

居民委员会、村民委员会、企业事业单位应当根据所在地人民

政府的要求，结合各自的实际情况，开展有关突发事件应急知识的宣传普及活动和必要的应急演练。

新闻媒体应当无偿开展突发事件预防与应急、自救与互救知识的公益宣传。

【释义】 本条是关于应急知识的宣传普及和应急演练的规定。

应急知识是预防和应对突发事件的各种知识和技能的总称。通过宣传普及应急知识，可以使公众掌握自我保护的方法。县级人民政府及其有关部门、乡级人民政府和街道办事处应当组织开展应急知识的宣传普及活动和必要的应急演练。

居委会、村委会、企事业单位应当根据所在地人民政府的要求，结合各自的实际情况，开展有关突发事件应急知识的宣传普及活动和必要的应急演练。

应急知识的宣传普及，应当重点放在对群众危机防范能力和危机应对能力的培养上。首先应当提升群众危机防范意识和能力。防范突发事件必须有科学的知识和科学的方法，通过宣传教育，要让群众了解突发事件发生前的预兆，了解突发事件发生的原因、规律，并让群众掌握预防突发事件的一些基本的技能和方法。其次应当提升群众危机应对能力。当突发事件发生后，应当让群众学会如何科学面对突发事件，有效应对突发事件，保障自身安全。这里重点需要培养两种能力：一种是应对危机的生存能力，包括自救的技能和互助的技能等；一种是应对危机的心理承受能力。注意对群众应对突发事件心理承受能力的培养，增强群众信心，使群众在面对突发事件时临危不乱，沉着应对。

应急演练主要是针对社会公众进行的模拟突发事件时的应对演习，因此应当着重于对公众风险意识的培养和在紧急情况下自救能力的提高。

此外，本法还特别规定了新闻媒体应急知识的宣传义务。现代社会中，报刊、广播、电视、网络媒体等传媒行业在公共生活中发挥着越来越大的影响力，通过新闻媒体开展应急知识的宣传教育，能够起到良好的社会效果。同时，开展应急知识的宣传，也是新闻媒体应当承担的社会义务，新闻媒体应当无偿地积极开展应急知识的宣传普及工作。

第三十条　各级各类学校应当把应急知识教育纳入教学内容，对学生进行应急知识教育，培养学生的安全意识和自救与互救能力。

教育主管部门应当对学校开展应急知识教育进行指导和监督。

【释义】　本条是关于学校开展应急知识教育的规定。

各级各类学校，包括小学、中学、大学等各级学校，也包括职业技术学校等各类学校，都应当开展应急知识教育，培养学生的安全意识和应急能力。中小学应当将有关突发事件的预防与应急措施、自救与互救知识作为学生的必修内容。高等学校应当根据学科和专业特点，对学生进行有关突发事件预防和应急救援知识的教育。

学校应急知识教育要遵循学生身心发展规律，根据学生年龄的不同，把握学生认知特点，注重实践性、实用性和实效性。坚持课堂教育与实践活动相结合，学校教育与家庭、社会教育相结合；国家统一要求与地方结合实际积极探索相结合。帮助和引导学生了解基本的保护个体生命安全和维护社会公共安全的知识，树立和强化安全意识，正确处理个体生命与自我、他人、社会和自然之间的关系，了解保障安全的方法并掌握一定的技能。

教育主管部门应当对学校开展应急知识教育进行指导和监督，使学校的应急知识教育工作不断改进和完善。

第三十一条　国务院和县级以上地方各级人民政府应当采取财政措施，保障突发事件应对工作所需经费。

【释义】　本条是关于国务院和县级以上地方各级人民政府保障突发事件应对工作所需经费的规定。

（一）财政资金应当为应对突发事件提供经费保障

经费保障是突发事件应急准备的重要内容。我国应对突发事件的资金主要由三部分构成，即财政资金、社会捐助资金和商业及政策保险赔付资金。目前我国应对突发事件所需经费主要来自政府的财政拨款，少量来自社会捐助和商业及政策保险赔付资金。面对突发事件，为了及时有效控制、减轻和消除突发事件引起的严重社会危害，保护人民生命财产安全，维护国家安全、公共安全、环境安全和社会秩序，公共财政在保证突发事件应对的资金需求上是责无旁贷的。在我国有关突发事件应对的法律、行政法规也都明确规定了县级以上人民政府财政保证突发事件应对的经费需求的职责。如防震减灾法第 24 条规定："地震重点监视防御区的县级以上地方人民政府应当根据实际需要与可能，在本级财政预算和物资储备中安排适当的抗震救灾资金和物资。"《国家突发公共事件总体应急预案》规定，各级财政部门要按照现行事权、财权划分原则，分级负担公共安全工作以及预防与处置突发公共事件中需由政府负担的经费，并纳入本级财政年度预算，健全应急资金拨付制度。《国家突发公共卫生事件应急预案》规定，政府应保障突发公共卫生事件应急基础设施项目建设经费，按规定落实对突发公共卫生事件应急处理专业技术机构的财政补助政策和突发公共卫生事件应急处理经费，应根据需要对边远贫困地区突发公共卫生事件应急工作给予经费支持。国务院有关部门和地方各级人民政府应积极通过国际、国内等多渠道筹集资金，用于突发公共卫生事件应急处理工作。

在 2003 年应对非典型肺炎过程中，中央和各级地方财政分别从各自财政预备费中拿出了 20 亿元和 50 亿元,用于设立非典型肺炎防治专项基金,该项基金主要用于对非典型肺炎患者的治疗、购置相关的医疗设备、为医务工作者发放补贴、增加相关药品和物资的储备以及非典型肺炎快速诊断试剂的开发生产和研究工作。此外,国家财政还承担起了非典型肺炎患者的治疗费用。对于享受公费医疗的患者,治疗费用由公费医疗支付;对于农民和城市困难居民等不能享受公费医疗的患者一律实行免费治疗,由各级政府承担治疗费用。到 2003 年 5 月 14 日,中央财政为应对非典型肺炎总计支出 56 亿元,地方财政总计支出 70 亿元。

(二)通过财政预算预备费和列入财政预算的其他经费以及采取其他方式,保障应对突发事件所需经费

预算法第 32 条规定:“各级政府预算应当按照本级预算支出额的百分之一至百分之三设置预备费,用于当年预算执行中自然灾害救灾开支及其他难以预见的特殊开支。”目前我国各级政府财政都将财政预备费列入当年预算,一般占本级财政收入的 1% 到 5%,此项资金主要用于政府的意外开支,其中包括应对处置突发事件的资金支持。根据《国家突发公共事件总体应急预案》的规定,各级财政部门要按照现行事权、财权划分原则,分级负担公共安全工作以及预防与处置突发公共事件中需由政府负担的经费,并纳入本级财政年度预算,健全应急资金拨付制度。对规划布局内的重大建设项目给予重点支持。支持地方应急管理工作,建立完善财政专项转移支付制度。《突发公共卫生事件应急条例》《破坏性地震应急条例》《核电厂核事故应急管理条例》等行政法规,都规定了用于突发事件的预防与应急准备、检测与预警等方面的应急管理费用,根据预算法的有关规定,列入财政预算。如《突发公共卫生事件应急条例》第 6 条规定:“县级以上各级人民政府应当组织开展防治突发事件相关科学研究,建立突发事件应急流行病学调查、传染源隔离、医疗救护、现场处置、监督检查、监测检

验、卫生防护等有关物资、设备、设施、技术与人才资源储备,所需经费列入本级政府财政预算。国家对边远贫困地区突发事件应急工作给予财政支持。”

我国部门预算是按照基本支出和项目支出进行编报的,有关突发事件应对的日常经费是列入基本支出,通过基本支出解决,而对每年多发、常发重大灾害的应急救援工作可以通过申报项目支出解决,类似专款专用。在设立充足的财政预备费的基础上,财政对突发事件应对的经费支持还可以采取其他应急方式,如发行短期国债、向中央银行或国际金融机构借款、动用外汇储备等。

第三十二条　国家建立健全应急物资储备保障制度,完善重要应急物资的监管、生产、储备、调拨和紧急配送体系。

设区的市级以上人民政府和突发事件易发、多发地区的县级人民政府应当建立应急救援物资、生活必需品和应急处置装备的储备制度。

县级以上地方各级人民政府应当根据本地区的实际情况,与有关企业签订协议,保障应急救援物资、生活必需品和应急处置装备的生产、供给。

【释义】　本条是关于应急物资储备的规定。

应对突发事件应坚持预防为主、预防与应急相结合的原则。建立应急物资储备保障制度,健全重要应急物资的监管、生产、储备、调拨和紧急配送体系,目的在于使我们在突发事件发生时,能够在充分物资保障条件下,有效应对各种紧急情况。没有充分的物资保障,就不可能具备应对各类突发事件的应急能力,更不可能及时控制、减轻和消除突发事件引起的严重社会危害。本法第4章第49条中规定,自然灾害、事故灾难或者公共卫生事件发生后,履行统一领导职责的人民政府可以启动储备的应急救援物资。本条规定的就是突发事件未发生时所要做的物资储备。

（一）国家建立应急物资储备保障制度

目前我国已经初步建立了应急物资储备保障制度，重要应急物资的监管、生产、储备、调拨和紧急配送体系初步建成。国家在沈阳、天津、武汉、南宁、成都、西安等10个城市设立了中央级应急物资储备库。一些多灾易灾地区建立了地方应急物资储备库。国家将在对现有各类应急资源普查和有效整合的基础上，合理规划建设国家重要应急物资储备库，并按照分级负责的原则，加强地方应急物资储备库建设。根据国家综合减灾“十一五”规划，国家将以统筹规划、节约投资和资源整合为原则，通过新建、改扩建和利用国家物资储备库等方式，基本形成中央级救灾物资储备网络。按照救灾实际需求，适当增加中央救灾物资储备种类，增大物资储量。到2010年，基本建成统一指挥、规模适度、布局合理、功能齐全、反应迅速、运转高效、保障有力、符合中国国情的中央级救灾物资储备库体系。

（二）设区的市级以上人民政府和突发事件易发、多发地区的县级人民政府应当建立应急物资储备制度

为了在第一时间采取有效措施应对突发事件，省级和设区的市级人民政府应当建立应急救援物资、生活必需品和应急处置装备的储备制度，另外，突发事件易发、多发地区的县级人民政府也应当建立应急救援物资、生活必需品和应急处置装备的储备制度。《国务院关于全面加强应急管理工作的意见》指出，国家建立国家、地方和基层单位应急资源储备制度，在对现有各类应急资源普查和有效整合的基础上，统筹规划应急处置所需物料、装备、通信器材、生活用品等物资和紧急避难场所，以及运输能力、通信能力、生产能力和有关技术、信息的储备。加强对储备物资的动态管理，保证及时补充和更新。要建立国家和地方重要物资监测网络及应急物资生产、储备、调拨和紧急配送体系，保障应急处置和恢复重建工作的需要。合理规划建设国家重要应急物资储备库，按照分

级负责的原则，加强地方应急物资储备库建设。

（三）县级以上地方各级人民政府应当根据本地情况，为保障应急物资的生产和供给，与有关企业签订协议

县级以上地方各级人民政府与有关企业所签订的协议是一种行政合同。行政合同是指行政主体为了行使职能、实现特定的行政管理目标，而与公民、法人和其他组织，经过协商，相互意思表示一致所达成的协议。行政合同结合了合同和行政行为的特点。一方面，行政合同反映了相对人的意志，是相互意思表示一致的产物；另一方面，行政机关对合同的履行有监督权、指挥权，保证了行政管理目标的实现。一旦发生突发事件，与之相关的应急物资通常会出现供不应求的现象。本法第 52 条规定，履行统一领导职责或者组织处置突发事件的人民政府，必要时可以要求生产、供应生活必需品和应急救援物资的企业组织生产、保证供给。为了保障应急救援物资、生活必需品和应急处置装备的生产和供给，县级以上地方人民政府与有关企业签订应急物资的生产、供给合同是非常必要的。

第三十三条　国家建立健全应急通信保障体系，完善公用通信网，建立有线与无线相结合、基础电信网络与机动通信系统相配套的应急通信系统，确保突发事件应对工作的通信畅通。

【释义】　本条是关于国家建立应急通信保障的规定。

信息在当代突发事件应对中具有越来越重要的作用。及时收集、传递和共享信息，有利于降低突发事件造成的损害。一旦发生突发事件，信息的及时沟通和交换，有利于政府及时作出决策，协调应对突发事件的行动。因此，确保突发事件应对工作的通信畅通，应急通信保障体系的建立就显得尤为重要了。我国有关的专门法律对此也作出了规定。气象法第 26 条规定："信息产业部门应当与气象主管机构密切配合，确保气象通信畅通，准确、及时地

传递气象情报、气象预报和灾害性天气警报。气象无线电专用频道和信道受国家保护，任何组织或者个人不得挤占和干扰。”防洪法第 43 条规定，电信部门应当优先提供防汛抗洪通信的服务。为确保突发事件应对工作的通信畅通，国家建立有线与无线相结合、基础电信网络与机动通信系统相配套的应急通信系统，并加强应急通信抢修队伍建设，保障重要通信设施、线路及装备的完好，建立备份和应急保障措施。《国家通信保障应急预案》指出，信息产业部设立国家通信保障应急领导小组，负责领导、组织和协调全国的通信保障和通信恢复应急工作。国家建立健全通信保障和通信恢复应急工作机制，提高应对突发事件的组织指挥能力和应急处置能力，保证应急通信指挥调度工作迅速、高效、有序地进行，满足突发情况下通信保障和通信恢复工作的需要，确保通信的安全畅通。

第三十四条　国家鼓励公民、法人和其他组织为人民政府应对突发事件工作提供物资、资金、技术支持和捐赠。

【释义】　本条是关于国家鼓励对突发事件应对提供物资、资金、技术支持和捐赠的规定。

突发事件的应对，不能只依靠各级政府的力量，历史的经验证明，广泛的公众支持和捐赠对有效应对突发事件是非常重要的。尤其是在应对重大、特别重大突发事件时，需要大量的物力、财力的投入，没有强大的社会支持是很难有效应对的。本法第 11 条第 2 款规定：“公民、法人和其他组织有义务参与突发事件应对工作。”本条规定，国家鼓励公民、法人和其他组织为应对突发事件工作提供物资、资金、技术支持和捐赠。我国来自民间捐助的资金和物资在突发事件的应对中发挥了重要作用。尤其在 2003 年，在应对非典型肺炎过程中，社会捐赠大幅增加，全国民政系统累计接收捐赠 30.1 亿元，全年累计接收捐赠衣被物资 1.4 亿件，共有

3692.1 万人次受益，全国共建立起社会捐赠接收站、点 27356 个。为做好捐赠款物的管理工作，国务院办公厅专门发布了通知，要求有关部门，既要各司其职又要相互配合，切实加强对社会捐赠款物管理情况的监督检察，保证捐赠工作规范有序的进行。

调查表明，我国都市地区普通公众目前和未来参与社会捐赠活动意愿都是相当高的。国家也积极倡导公民、法人和其他组织为人民政府应对突发事件工作提供物资、资金、技术支持和捐赠。个人所得税法第 6 条第 2 款规定："个人将其所得对教育事业和其他公益事业捐赠的部分，按照国务院有关规定从应纳税所得中扣除。"只要国家给予正确的鼓励和引导，采取措施扩宽捐赠的渠道，加强对捐赠款物的监管，实行捐赠款物的使用的信息公开，加强对捐赠的宣传倡导等，社会捐赠将在突发事件应对中发挥更大的作用。

第三十五条　国家发展保险事业，建立国家财政支持的巨灾风险保险体系，并鼓励单位和公民参加保险。

【释义】　本条是关于国家发展保险事业，建立巨灾风险保险体系并鼓励单位和公民参保的规定。

保险业是与突发事件关系密切的产业。我国每年因自然灾害和交通、生产等各类事故造成的人民生命财产损失巨大。由于我国保险业起步晚、基础薄弱、覆盖面不宽，因此保险业的功能和作用没有充分发挥。加快保险业改革发展，建立市场化的灾害、事故补偿机制，对完善灾害防范和救助体系，增强全社会抵御风险的能力，具有不可替代的重要作用。发达的商业保险和政策保险可以使应对突发事件的资金更加充足，因此加快发展保险业，有利于应对灾害事故风险，保障人民生命财产安全和经济稳定运行。

在突发事件的威胁逐渐增加的当前，要对突发事件进行及时有效的事后恢复与重建，不但要依靠政府的财政支持和社会的捐赠救助,还要依靠保险这个手段。目前我国在突发事件的事后恢复与重建阶段,所需的经费主要依靠财政拨款和社会捐助,保险发挥的作用并不明显。发展保险事业,建立国家财政支持的巨灾风险保险体系,将有利于解决突发事件事后恢复与重建阶段经费的问题。《国务院关于保险业改革发展的若干意见》指出:“充分发挥保险在防损减灾和灾害事故处置中的重要作用,将保险纳入灾害事故防范救助体系。不断提高保险机构风险管理能力,利用保险事前防范与事后补偿相统一的机制,充分发挥保险费率杠杆的激励约束作用,强化事前风险防范,减少灾害事故发生,促进安全生产和突发事件应急管理。”“建立国家财政支持的巨灾风险保险体系。”我国有关突发事件的法律也对巨灾风险保险作出了规定。如防震减灾法第 25 条规定:“国家鼓励单位和个人参加地震灾害保险。”防洪法第 47 条第 2 款规定:“国家鼓励、扶持开展洪水保险。”农业保险是农业生产应对重大自然灾害的有效途径。由于农民参保意识不强,而赔付率较高,近年来农业保险业务逐渐萎缩,很多保险公司退出农业保险领域。为改变农业保险参保率过低的现象,国家进一步明确政策性农业保险的业务范围,并给予了政策支持,改变单一、事后财政补助的农业灾害救助模式,逐步建立政策性农业保险与财政补助相结合的农业风险防范与救助机制,并积极探索中央和地方财政对农户投保给予补贴的方式、品种和比例,对保险公司经营的政策性农业保险适当给予经营管理费补贴,逐步建立农业保险发展的长效机制。

要完善针对突发事件的各项保险措施,国家既要发展保险事业,完善我国的保险体系,也要增强全社会的保险意识,鼓励单位和公民参加保险。由于受体制机制等因素制约,我国单位和个人参加保险的比例过低,因此,突发事件发生后,仅有少部分灾害事故损失能够通过保险获得补偿,这样既不利于及时恢复生产生活秩序,又增加了政府财政和事务负担。针对这种情况,我国政府根据不同险种的性质，按照区别对待的原则，积极探索对涉及国计民生的政策性保险业务给予适当的税收优惠，并鼓励单位和个人积极参加保险。

第三十六条　国家鼓励、扶持具备相应条件的教学科研机构培养应急管理专门人才，鼓励、扶持教学科研机构和有关企业研究开发用于突发事件预防、监测、预警、应急处置与救援的新技术、新设备和新工具。

【释义】　本条是关于国家鼓励扶持培养危机管理专门人才和应对突发事件的新技术、新设备和新工具的研究开发的规定。

危机管理是指通过对危机的检测、防范、决策和对危机的处置应对，达到避免和减少危机产生的危害的管理过程。在突发事件应对中，危机管理专业人才发挥着重要的作用。但我国目前这方面的人才培养并未得到应有的重视，因此国家鼓励、扶持具备相应条件的教学科研机构培养危机管理专门人才，加强人力资源的培养和训练，为危机管理提供充足的人力资源。

新技术、新设备和新工具的应用能够大幅度提高突发事件预防、监测、预警、应急处置与救援的水平和效率。我国有关的专门法律也规定了鼓励、扶持关于应对突发事件的科学技术研究的条款。如防震减灾法第 5 条规定："国家鼓励和支持防震减灾的科学技术研究，推广先进的科学研究成果，提高防震减灾工作水平。"第 27 条第 1 款规定："国家鼓励、扶持地震应急、救助技术和装备的研究开发工作。"《国务院关于全面加强应急管理工作的意见》指出，我国将按照《国家中长期科学和技术发展规划纲要》的要求，高度重视利用科技手段提高应对突发公共事件的能力，通过国家科技计划和科学基金等，对突发公共事件应急管理的基础理论、应用和关键技术研究给予支持，并在大专院校、科研院所加强公共安全与应急管理学科、专业建设，大力培养公共安全科技人才。坚持自主创新和引进消化吸收相结合,形成公共安全科技创新机制和应急管理技术支撑体系。扶持一批在公共安全领域拥有自主知识产权和核心技术的重点企业,实现成套核心技术与重大装备的突破,增强安全技术保障能力。

第三章　监测与预警

突发事件在发生之前有一个孕育的过程，且这个往往都表现出一定的征兆，如果能在突发事件还在萌芽状态或初起时及时发现这些征兆，可以对其加以控制，避免连锁反应的发生，抑祸于开端之际，防患于未然之间。对突发事件的发生发展作出准确的预测和判断，及时采取有针对性的措施，或能防止突发事件的形成和升级，有效地控制事态发展；或能提高应对的针对性和有效性，减轻应对压力，减少损失。加强监测和预警，不仅是应对突发事件本身的要求，也是政府管理目标的要求，政府管理的目的应是使用较低的成本来预防，而不是花高额的成本来抢救和重建。本章对监测和预警的制度和措施作出了规定，其中第 37 条至第 40 条规定了统一的信息系统的建立和运作，第 41 条规定了监测制度，第 42 条至第 47 条规定了预警制度。

第三十七条　国务院建立全国统一的突发事件信息系统。

县级以上地方各级人民政府应当建立或者确定本地区统一的突发事件信息系统，汇集、储存、分析、传输有关突发事件的信息，并与上级人民政府及其有关部门、下级人民政府及其有关部门、专业机构和监测网点的突发事件信息系统实现互联互通，加强跨部门、跨地区的信息交流与情报合作。

【释义】　本条是关于建立统一的突发事件信息系统的规定。

建立统一的突发事件信息系统对突发事件的应对工作具有重要意义。突发事件来势凶猛，常使情势处在千钧一发的紧要关头，及时掌控与了解突发事件的真实信息，是正确、及时进行预测、预警，快速进行处置和救援的基本前提。因此，每个地区，以至整个国家的层面，都应当充分利用现代化的科学技术，整合现有的信息汇集途径和传输渠道，建立高效统一、安全可靠、反应迅速的信息平台。这些信息平台并不是各自为政、孤立静止的，而相互连接，沟通顺畅的，最终形成了一个统一的、覆盖全国的突发事件信息系统。信息报告的渠道畅通与否和传递效率的高低，不仅对监测与预警有决定性的意义，并且直接影响到应急处置与救援、善后恢复与重建等各项工作。及时、准确地汇集、储存、分析和传输相关信息，是风险防范体系的基础，有利于掌握突发事件的动态和发展趋势，有利于政府及有关部门采取积极有效的措施，最大限度地减少各类突发事件的发生以及造成的损失，保护人民群众的生命和财产安全，为积极有效应对突发事件创造条件。统一的信息系统不仅是监测和预警的综合信息中心，而且是突发事件处置和救援、恢复与重建的指挥联动系统。它有利于掌握突发事件的具体地点、危害程度、扩散状况、所需资源等，能有效减少危机来临时的破坏程度；有助于做好评估工作，总结经验教训，做好恢复与重建。

目前，除了突发事件应对法对统一的信息系统作出规定之外，其他一些法律、行政法规和有关应急预案也对相关的信息系统作出了规定，如防震减灾法、气象法、消防法、防洪法、传染病防治法、《突发公共卫生事件应急条例》、《国家自然灾害救助应急预案》、《国家防汛抗旱应急预案》、《国家突发公共卫生事件应急预案》等。但这些单行的法律法规以及预案都只从某个特定的专业领域或者部门的角度对信息系统作出要求，各级政府制定的预案也往往囿于本地区的范围之内，缺乏整体性和关联性。根据本法第4条的规定，“统一领导、综合协调”是建立应急管理体制的原则，因此，本条在有关法律、行政法规和相关应急预案的基础上，对各个领域内、各个部门内的信息系统提出了互联互通的要求，以形成一个全国性的网络,实现跨领域、跨地区的信息交流与情报合作。

统一的信息系统是一个多层次的、立体的信息系统,包含的主体有:国务院及其有关部门、县级以上地方各级人民政府及其有关部门、专业机构和监测网点。监测网点是信息系统的第一个环节,负责汇集各类原始的相关信息,根据不同的突发事件的性质,由相关的政府部门或者专业机构设立。如在自然灾害中,有各级气象主管机构所属的气象台站、地震监测台网;在事故灾难中,根据安全生产法的要求,由各生产经营单位对重大危险源进行定期监测、评估和监控;矿山、建筑施工单位和危险物品的生产、经营、储存单位,应当设置安全生产管理机构或者配备专职安全生产管理人员;在公共卫生事件中,有各级各类医疗机构、疾病预防控制机构等。这些监测网点对原始信息作出初步分析、储存后,将其报告(传输)相关专业机构和政府的有关部门。

对收集的信息进行分析是信息系统中的关键环节,因为汇集而来的信息是孤立的、静止的,需要由专业机构和政府的相关部门运用专业知识对其进行分析,去伪存真、去粗取精后,才能对客观局势进行科学判断和预测。因此,分析是连接监测和预警的桥梁,对突发事件的救援和处置具有重大意义。

信息传输是连接信息系统内各主体的通道,包括下级人民政府向上级人民政府报送信息,上级人民政府向下级人民政府通报信息,专业机构、监测网点和信息报告员向所在地人民政府及其有关主管部门报告信息。各主体应当在系统中互通有无,形成信息交流与情报合作的机制。

第三十八条　县级以上人民政府及其有关部门、专业机构应当通过多种途径收集突发事件信息。

县级人民政府应当在居民委员会、村民委员会和有关单位建立专职或者兼职信息报告员制度。

获悉突发事件信息的公民、法人或者其他组织，应当立即向所在地人民政府、有关主管部门或者指定的专业机构报告。

【释义】 本条是关于信息的收集和报告的途径的规定。

(一)收集信息

本条第1款是对县级以上人民政府及其有关部门、专业机构收集突发事件信息的要求。本法强调政府收集突发事件信息的途径应当多样化。从实际情况看，主要是通过县级以上各级人民政府及其有关部门、专业机构自身的监测网点、仪器、手段等获取信息。突发事件从大类上分为自然灾害、事故灾难、公共卫生事件和社会安全事件四类，每一大类中又分为若干子类。比如自然灾害，常见的有台风、龙卷风、洪水、泥石流、山体滑坡、地震、海啸、森林草原火灾、火山喷发、沙尘暴等；事故灾难包括矿难、火灾、核事故、道路交通事故、铁路交通事故、水上交通事故、航空安全事故等；公共卫生事件有传染病事件、水污染事件、食品污染事件等。各种各类突发事件，其产生原因和表现形式各不相同，必须建立多种收集信息的途径，才能有效监测各类突发事件，在其发展初期监测其苗头，在其发展过程中及时掌握其趋势，以及时掌控局势，在应对工作中占据主动。

我国现在已经建立起了比较完善的监测网络，政府和专业机构已有较多的途径收集各类突发事件信息。比如，气象法第15条规定，各级气象主管机构所属的气象台站，应当按照国务院气象主管机构的规定，进行气象探测并向有关气象主管机构汇交气象探测资料。未经上级气象主管机构批准，不得中止气象探测。国务院气象主管机构及有关地方气象主管机构应当按照国家规定适时发布基本气象探测资料。国务院其他有关部门和省、自治区、直辖市人民政府其他有关部门所属的气象台站及其他从事气象探测的组织和个人，应当按照国家有关规定向国务院气象主管机构或者省、自治区、直辖市气象主管机构汇交所获得的气象探测资料。各级气象主管机构应当按照气象资料共享、共用的原则,根据国家有关规定,与其他从事气象工作的机构交换有关气象信息资料。在中华人民共和国内水、领海和中华人民共和国管辖的其他海域的海上钻井平台和具有中华人民共和国国籍的在国际航线上飞行的航空器、远洋航行的船舶,应当按照国家有关规定进行气象探测并报告气象探测信息。

防震减灾法规定,国务院地震行政主管部门和县级以上地方人民政府负责管理地震工作的部门或者机构,应当加强对地震活动与地震前兆的信息监测、传递、分析、处理和对可能发生地震的地点、时间和震级的预测。所谓地震监测设施,是指地震监测台网的监测设施、设备、仪器和其他依照国务院地震行政主管部门的规定设立的地震监测设施、设备、仪器。

传染病防治法规定,国家建立传染病监测制度。各级疾病预防控制机构对传染病的发生、流行以及影响其发生、流行的因素,进行监测;对国外发生、国内尚未发生的传染病或者国内新发生的传染病,进行监测。国家、省级疾病预防控制机构负责对传染病发生、流行以及分布进行监测;设区的市和县级疾病预防控制机构负责本地区疫情和突发公共卫生事件监测、报告。《突发公共卫生事件与传染病疫情监测信息报告管理办法》规定,各级各类医疗机构、疾病预防控制机构、采供血机构均为责任报告单位;其执行职务的人员和乡村医生、个体开业医生均为责任疫情报告人,必须按照传染病防治法的规定进行疫情报告,履行法律规定的义务。

食品卫生法规定,县级以上人民政府卫生行政部门设立食品卫生监督员。食品卫生监督员在执行任务时,可以向食品生产经营者了解情况,索取必要的资料,进入生产经营场所检查,按照规定无偿采样。

(二)报告信息

本条第 2 款规定了在居民委员会、村民委员会中建立信息报告员制度。居民委员会、村民委员会是居民、村民自我管理、自我教育、自我服务的基层群众性自治组织。居民委员会、村民委员会办理本居住地、本村的公共事务和公益事业，调解民间纠纷，协助维护社会治安，向人民政府反映村民的意见、要求和提出建议。居民委员会协助人民政府或者它的派出机关做好与居民利益有关的工作；村民委员会协助乡、民族乡、镇的人民政府开展工作。虽然政府和有关机构已经建立了对突发事件的信息收集系统，但是由于突发事件种类繁多，表现形式多样，发展趋势复杂，仅仅依靠政府和相关专业机构的途径是不够的。居民委员会、村民委员会作为基层群众性自治组织，与群众的联系最为密切，而且两委都有义务协助基层政府开展工作，本法规定县级人民政府在两委中建立信息报告员制度也就顺理成章。但是两委也有一定的局限性，对一些专业性、技术性较强的问题把握不准，并且对有关单位的事务不宜干预，所以基层人民政府同时在有关单位建立信息报告员制度也是很有必要的。"有关单位"包括容易发生事故灾难的单位，如矿山、建筑施工单位和危险物品的生产、经营、储存单位等，还包括高等院校以及银行等金融机构。这些单位需要建立信息报告员及时收集相关突发事件的信息。

信息报告员分为专职和兼职两类。专职信息报告员制度主要在技术性和专业性较强的领域建立。在其他领域，可设立兼职信息报告员。例如，按照安全生产法的要求，矿山、建筑施工单位和危险物品的生产、经营、储存单位，应当设置安全生产管理机构或者配备专职安全生产管理人员。其他生产经营单位，从业人员超过 300 人的，应当设置安全生产管理机构或者配备专职安全生产管理人员；从业人员在 300 人以下的，应当配备专职或者兼职的安全生产管理人员，或者委托具有国家规定的相关专业技术资格的工程技术人员提供安全生产管理服务。在村民委员会和居民委员会中，信息报告员应该由一些具有专业知识、经验较为丰富的同志担任，报告员可以是两委的工作人员，也可以是受两委委托的村民和居民。

本条第 3 款规定了公民、法人和其他组织的报告义务，体现了信息报告义务主体的广泛性，是社会动员和参与机制在突发事件信息报告制度中的具体表现。在政府管治中，广泛的公民参与可以丰富和充实公共管理的内容，强化政府的公共责任，提升政府工作和服务的质量，推进和保证公共利益的实现。突发事件的信息报告，更需要群众的参与，许多突发事件苗头，都是通过群众的细心观察而发现的。因此，必须发挥人民群众的作用，拓宽收集突发事件信息的渠道。

第三十九条　地方各级人民政府应当按照国家有关规定向上级人民政府报送突发事件信息。县级以上人民政府有关主管部门应当向本级人民政府相关部门通报突发事件信息。专业机构、监测网点和信息报告员应当及时向所在地人民政府及其有关主管部门报告突发事件信息。

有关单位和人员报送、报告突发事件信息，应当做到及时、客观、真实，不得迟报、谎报、瞒报、漏报。

【释义】　本条是关于信息报告的责任主体和信息传输途径的规定。

（一）信息报送的主体和途径

专业机构、监测网点和信息报告员应向所在地人民政府及其有关部门报告突发事件信息。专业机构、监测网点和信息报告员是最早接触、收集到相关信息的，因此他们负有把这些信息传递给当地政府及其有关部门的义务，为政府分析、决策提供充分的原始资料和客观依据。

地方人民政府在接收到专业机构、监测网点、信息报告员等各方面报告的信息后，对这些信息进行汇总整理，并及时向上级人民政府报送。同时,政府中主管该突发事件的有关部门,也应当及时将各自部门收集到的信息通报其他有关部门,以便各部门在信息共享的基础上,在突发事件应对工作的各个环节中更好地协作配合。

(二)对信息报送的要求

本条第2款规定的是有关单位和人员报送、报告突发事件信息的要求。这里的有关单位和人员,包括所有负有报送、报告义务的单位和个人,具体而言包括地方各级人民政府、专业机构、监测网点和信息报告员。报送、报告的要求是:

(1)报送信息必须及时,不得迟报。突发事件往往事发紧急,信息报送容不得半点延迟。迟报是指不按照规定的时限报告有关突发事件的信息。相关法律、法规都规定了有情况必须及时上报,各类突发事件应急预案还规定了相关时限和上报方式。如突发公共卫生事件与传染病疫情监测信息报告管理办法规定,责任报告单位和责任疫情报告人发现甲类传染病和乙类传染病中的肺炭疽、传染性非典型肺炎、脊髓灰质炎、人感染高致病性禽流感病人或疑似病人时,或发现其他传染病和不明原因疾病暴发时,应于2小时内将传染病报告卡通过网络报告;未实行网络直报的责任报告单位应于2小时内以最快的通讯方式(电话、传真)向当地县级疾病预防控制机构报告,并于2小时内寄送出传染病报告卡。对其他乙、丙类传染病病人、疑似病人和规定报告的传染病病原携带者在诊断后,实行网络直报的责任报告单位应于24小时内进行网络报告;未实行网络直报的责任报告单位应于24小时内寄送出传染病报告卡。县级疾病预防控制机构收到无网络直报条件责任报告单位报送的传染病报告卡后,应于2小时内通过网络进行直报。

(2)信息必须准确、客观、真实,不得谎报、瞒报、漏报。按照国家有关规定实事求是地报告突发事件信息,是负有报送、报告责任的相关单位和人员必须履行的职责。真实、准确的信息,是政府作出决策的客观依据。有关突发事件的信息是否真实、准确，直接影响突发事件处置工作的成效。突发事件发生后，如果有关人民政府不能及时获得真实、准确的信息，就不能采取相应的有效措施予以应对和处置。因此，及时、准确地报送信息，对于突发事件应对工作是非常重要的。

第四十条　县级以上地方各级人民政府应当及时汇总分析突发事件隐患和预警信息，必要时组织相关部门、专业技术人员、专家学者进行会商，对发生突发事件的可能性及其可能造成的影响进行评估；认为可能发生重大或者特别重大突发事件的，应当立即向上级人民政府报告，并向上级人民政府有关部门、当地驻军和可能受到危害的毗邻或者相关地区的人民政府通报。

【释义】　本条是关于县级以上地方各级人民政府对突发事件信息进行汇总、分析、评估、报告和通报的职责的规定。

县级以上地方人民政府应当对收集到的有关突发事件隐患和预警的信息及时进行汇总，并对这些信息进行分析，在汇总分析的基础上，对发生突发事件的可能性及其可能造成的影响进行评估。在分析评估过程中，必要时组织相关部门、专业技术人员、专家学者进行会商。相关政府部门以及相关专业人员、技术人员可以通过自身专业方面的知识和经验，对突发事件的可能性及突发事件如果发生可能造成的影响提供专业性意见，供政府决策时考虑。

通过分析和评估，县级以上地方人民政府认为可能发生重大或者特别重大突发事件的，应当立即向上级人民政府报告，并向上级人民政府相关部门、当地驻军和可能受到危害的毗邻或者相关地区的人民政府通报。本条规定，当认为可能发生重大或者特别重大突发事件的，应当报告和通报；但如果认为可能发生一般和较大的突发事件的，不必立即报告和通报。这是因为，在汇总分析阶段得出的结论，只是认为有发生突发事件的可能性，而突发事件尚未发生,因此如果认为可能发生一般和较大的突发事件,且本级人民政府就有能力做好预防工作,影响范围不大的,就不必立即向上级人民政府报告。但是如果认为有可能发生的是重大或者特别重大的突发事件,就意味着其发展态势将会迅猛,可能会造成严重的危害,在应急准备和处置救援方面需要在较大范围内由上级政府予以协调、支持,需要当地驻军的支援,因此必须立即向上级人民政府报告,并向当地驻军通报。另外,重大和特别重大的突发事件,其影响范围往往超出某一级别政府的管辖范围,因此必须立即向可能受到危害的毗邻或者相关地区的人民政府通报,提早加强监测,并做好应对准备工作。需要注意的是,如果可以预警的自然灾害、事故灾难或者公共卫生事件即将发生或者发生的可能性增大时,就意味着具有现实的紧迫性,有关政府就应当根据本法第43条的规定发布警报,上报和通报有关信息。

第四十一条　国家建立健全突发事件监测制度。

县级以上人民政府及其有关部门应当根据自然灾害、事故灾难和公共卫生事件的种类和特点,建立健全基础信息数据库,完善监测网络,划分监测区域,确定监测点,明确监测项目,提供必要的设备、设施,配备专职或者兼职人员,对可能发生的突发事件进行监测。

【释义】 本条是关于对自然灾害、事故灾难和公共卫生事件建立健全监测制度的规定。

监测是预警和应急的基础。为了有效地应对自然灾害、事故灾难、公共卫生事件等突发事件,必须及时掌握有关信息,对可能发生自然灾害、事故灾难、公共卫生事件的各种现象进行监测。

1. 建立健全基础信息数据库,就是要把根据本法第38、39和40条规定收集上来的数据分门别类,科学储存。

2. 完善监测网络,划分监测区域,确定监测点,就是要明确机构、明确人员、明确分工、明确责任和义务，分工负责，实行常规和动态的监测，形成上下结合、分工协作、效能统一的监测体系。各级人民政府要按照自己的责任区域，制定监测计划，在易发地区确定固定的监测点。县级以上各级人民政府要在各自范围内，做到监测的范围与危机风险源存在的范围一致，对不同种类的突发事件的监测做到从时间和空间上全覆盖。

3. 监测项目根据所要监测的突发事件的具体性质，由县级以上各级人民政府的有关部门确定。

4. 县级以上人民政府及其有关部门还要为监测提供设备设施和人员支持，在财政预算和人员编制上要给予大力支持。专职人员，是指政府有关部门中专门负责监测的人员，相关专业机构中的工作人员以及本法第 38 条第 2 款规定的专职信息报告员；兼职人员，包括本法第 38 条第 2 款规定的兼职信息报告员和政府委托的其他从事监测工作的有关单位中的工作人员。

除了监测本身之外，监测制度还要求，根据监测到的数据对各类突发事件发生、发展规律进行研究，做到科学监测和预报。以自然灾害监测制度为例，《国家综合减灾“十一五”规划》中规定，加强自然灾害监测预警预报能力建设。逐步完善各类自然灾害的监测预警预报网络系统。在完善现有气象、水文、地震、地质、海洋和环境等监测站网的基础上，适当增加监测密度；提高遥感数据获取和应用能力，建设卫星遥感灾害监测系统；构建包括地面监测、海洋海底观测和空－天对地观测在内的自然灾害立体监测体系。推进监测预警基础设施的综合运用与集成开发，加强预警预报模型、模式和高新技术运用，完善灾害预警预报决策支持系统。注重加强洪涝、干旱、台风、风雹、沙尘暴、地震、滑坡、泥石流、风暴潮、赤潮、林业有害生物灾害等频发易发灾害，以及高温热浪等极端天气气候事件的监测预警预报能力建设。

第四十二条　国家建立健全突发事件预警制度。

可以预警的自然灾害、事故灾难和公共卫生事件的预警级别，按照突发事件发生的紧急程度、发展势态和可能造成的危害程度分为一级、二级、三级和四级，分别用红色、橙色、黄色和蓝色标示，一级为最高级别。

预警级别的划分标准由国务院或者国务院确定的部门制定。

【释义】　本条是关于对自然灾害、事故灾难和公共卫生事件预警的规定。

所谓预警，是指在已经发现可能引发突发事件的某些征兆，但突发事件仍未发生前所采取的管理措施。建立健全预警制度的目的在于及时向公众发布突发事件即将发生的信息，使公众为应对突发事件做好准备。

预警级别分为一级、二级、三级和四级，分别用红色、橙色、黄色和蓝色标示，一级为最高级别。划分的依据是：突发事件发生的紧急程度、发展态势和可能造成的危害。但本法没有规定预警级别的具体划分标准。这是因为可以预警的突发事件因种类不同而具有不同的特点，各种不同的突发事件的预警级别标准都是有所区别的，具有较强的专业性。

本法授权由国务院或者国务院规定的部门制定预警级别的划分标准。以台风预警发布为例，根据《气象灾害预警信号发布与传播办法》的规定，台风预警信号分四级，分别以蓝色、黄色、橙色和红色标示。发布台风蓝色预警信号的条件是，24 小时内可能或者已经受热带气旋影响，沿海或者陆地平均风力达 6 级以上，或者阵风 8 级以上并可能持续的。发布台风黄色预警信号的条件是，24 小时内可能或者已经受热带气旋影响，沿海或者陆地平均风力达 8 级以上，或者阵风 10 级以上并可能持续的。发布台风橙色预警信号的条件是，12 小时内可能或者已经受热带气旋影响，沿海或者陆地平均风力达 10 级以上，或者阵风 12 级以上并可能持续的。发布台风红色预警信号的条件是,6小时内可能或者已经受热带气旋影响,沿海或者陆地平均风力达12级以上,或者阵风达14级以上并可能持续的。在发出预警信号后,有关政府及其相关部门应当根据本法第44、45条和其他法律、行政法规和国务院的有关规定,启动相对应的预警措施。

第四十三条　可以预警的自然灾害、事故灾难或者公共卫生事件即将发生或者发生的可能性增大时,县级以上地方各级人民政府应当根据有关法律、行政法规和国务院规定的权限和程序,发布相应级别的警报,决定并宣布有关地区进入预警期,同时向上一级人民政府报告,必要时可以越级上报,并向当地驻军和可能受到危害的毗邻或者相关地区的人民政府通报。

【释义】　本条是关于预警的发布和报告、通报制度的规定。

当可以预警的自然灾害、事故灾难或者公共卫生事件即将发生或者发生的可能性增大时,县级以上地方各级人民政府应当发布相应级别的警报,并宣布有关地区进入预警期。发布警报须根据有关的法律、行政法规和国务院规定的权限和程序。如传染病防治法第19条第2款规定:"国务院卫生行政部门和省、自治区、直辖市人民政府根据传染病发生、流行趋势的预测,及时发出传染病预警,根据情况予以公布。"防洪法第41条第2款规定:"当江河、湖泊的水情接近保证水位或者安全流量,水库水位接近设计洪水位,或者防洪工程设施发生重大险情时,有关县级以上人民政府防汛指挥机构可以宣布进入紧急防汛期。"

县级以上人民政府在宣布有关地区进入预警期时,必须同时报告上一级人民政府。这一是因为有些突发事件并非某一级的地方政府能够单独应对的,需要上级政府在人力、财力和物力上的支持;二是因为统一的信息系统要求下级人民政府必须向上级人民政府及时报告与突发事件相关的信息,使上级人民政府及时了解有关情况,以便在其职责范围内统筹计划,必要时统一领导应对工作。必要时,宣布有关地区进入预警期的县级以上地方人民政府,可以越级上报有关预警信息。“必要时”,是指可能会发生特别重大突发事件的时候,在这种情况下,县级以上地方人民政府可以越级上报,这对有效地应对突发事件是非常必要的。

宣布有关地区进入预警期的县级以上地方人民政府,应当向当地驻军通报相关预警信息。本法第 14 条规定:“中国人民解放军、中国人民武装警察部队和民兵组织依照本法和其他有关法律、行政法规、军事法规的规定以及国务院、中央军事委员会的命令,参加突发事件的应急救援和处置工作。”本法第 8 条规定:“县级以上地方人民政府设立由本级人民政府主要负责人、相关部门负责人、驻当地中国人民解放军和中国人民武装警察部队有关负责人组成的突发事件应急指挥机构,统一领导、协调本级人民政府各有关部门和下级人民政府开展突发事件应对工作。”县级以上地方人民政府向当地驻军通报预警信息,是应对突发事件所必需的。

宣布有关地区进入预警期的县级以上地方人民政府,应当向可能受到危害的毗邻或者相关地区人民政府通报相关预警信息。突发事件的影响有可能突破发生地人民政府的管辖范围,影响到毗邻或者其他相关地区,如洪水、台风、传染病所造成的影响都有可能造成跨县、市,甚至跨省的影响。在预警期就通报这些地区,以便早预防、早准备,提高应对的主动性和有效性。

第四十四条　发布三级、四级警报,宣布进入预警期后,县级以上地方各级人民政府应当根据即将发生的突发事件的特点和可能造成的危害,采取下列措施:

(一)启动应急预案;

(二)责令有关部门、专业机构、监测网点和负有特定职责的

人员及时收集、报告有关信息，向社会公布反映突发事件信息的渠道，加强对突发事件发生、发展情况的监测、预报和预警工作；

（三）组织有关部门和机构、专业技术人员、有关专家学者，随时对突发事件信息进行分析评估，预测发生突发事件可能性的大小、影响范围和强度以及可能发生的突发事件的级别；

（四）定时向社会发布与公众有关的突发事件预测信息和分析评估结果，并对相关信息的报道工作进行管理；

（五）及时按照有关规定向社会发布可能受到突发事件危害的警告，宣传避免、减轻危害的常识，公布咨询电话。

【释义】 本条是关于在发布三级、四级警报后，县级以上地方各级人民政府应当采取的措施的规定。

三级、四级警报是预警当中级别相对较低的，本法根据三级、四级警报所预警的突发事件的紧急程度、发展态势和可能造成的危害，规定了五项措施：

1. 启动应急预案。应急预案是经过科学论证的，各级政府及其有关部门、各单位对各自辖区、领域或单位内各类突发事件处置经验的总结。预案一般包含有突发事件预防、预警、处置、救援和恢复等内容。我国目前已经形成了由国家突发公共事件总体应急预案、国家专项应急预案、国务院各部门应急预案和地方应急预案组成的国家突发公共事件应急预案的体系。在三级、四级警报发出后，应启动应急预案，进行应对突发事件的准备工作。

2. 责令政府有关部门、专业机构、监测网点和负有特定职责的人员收集、报告有关信息，向社会公布反映突发事件信息的渠道，加强对突发事件发生、发展情况的监测、预报和预警工作。

本法第38、41条规定了平时突发事件相关信息的收集与监测工作。在突发事件的警报发出之后，进入预警期，对突发事件有关信息收集和报告的要求，比平时更加严格，县级以上地方人民政府应当责令有关部门、单位和人员收集、报告有关信息。政府还应通向社会公布反映突发事件信息的渠道。反映渠道主要包括电话和网络，政府要保证渠道畅通。政府有关部门、专业机构和检测网点，应当加大监测力度，为预报、预警和决策工作提供更加翔实、准确和具体的基础性材料。

3. 组织有关部门和机构、专业技术人员、有关专家学者，随时对突发事件信息进行分析评估，预测发生突发事件可能性的大小、影响范围和强度以及可能发生的突发事件的级别。

进入预警期后，县级以上地方人民政府在分析、评估、预测突发事件信息时，更应注重发挥有关部门、专业机构、专业技术人员和有关专家学者的作用，随时组织他们进行会商。随时会商可以保证决策的及时性、科学性和准确性。

4. 定时向社会发布与公众有关的突发事件预测信息和分析评估结果，并对相关信息的报道工作进行管理。

警报发出后，要迅速启动信息发布工作。信息发布工作应及时、准确。履行统一领导职责的人民政府应当在预警期内，定时发布与公众有关的突发事件发展情况的信息和政府的分析评估结果，并对相关信息的报道工作进行管理，对舆论进行引导，防止虚假信息的传播。

5. 及时按照有关规定向社会发布可能受到突发事件危害的警告，宣传避免、减轻危害的常识，公布咨询电话。

发布警告、宣传常识，是为了让人民群众了解应对要点，掌握必要的应对方法和技巧，提高各类人员的自救与互救能力，尽量避免、减少突发事件发生时带来的危险，减少损失。人民政府还应设立并公布专门的咨询电话，负责解答群众提出的与应对突发事件有关的问题。

第四十五条　发布一级、二级警报，宣布进入预警期后，县级以上地方各级人民政府除采取本法第四十四条规定的措施外，还应当针对即将发生的突发事件的特点和可能造成的危害，采取下列一项或者多项措施：

（一）责令应急救援队伍、负有特定职责的人员进入待命状态，并动员后备人员做好参加应急救援和处置工作的准备；

（二）调集应急救援所需物资、设备、工具，准备应急设施和避难场所，并确保其处于良好状态、随时可以投入正常使用；

（三）加强对重点单位、重要部位和重要基础设施的安全保卫，维护社会治安秩序；

（四）采取必要措施，确保交通、通信、供水、排水、供电、供气、供热等公共设施的安全和正常运行；

（五）及时向社会发布有关采取特定措施避免或者减轻危害的建议、劝告；

（六）转移、疏散或者撤离易受突发事件危害的人员并予以妥善安置，转移重要财产；

（七）关闭或者限制使用易受突发事件危害的场所，控制或者限制容易导致危害扩大的公共场所的活动；

（八）法律、法规、规章规定的其他必要的防范性、保护性措施。

【释义】　本条是关于发布一级、二级警报进入预警期后县级以上地方各级人民政府应当采取的措施的规定。

发布一级、二级警报，宣布进入预警期，此时已处于突发事件可能发生的临界点。特别是发布一级警报，意味着应对突发事件进入最高警戒级别。县级以上地方人民政府除采取本法第44条规定的措施外，还应当针对即将发生的突发事件的特点和可能产生的危害，采取相应的措施，做好应急救援与处置的前期准备工作。这些可采取的措施主要有八种，包括：

1. 责令应急救援队伍、负有特定职责的人员进入待命状态，并动员后备人员做好参加应急救援和处置工作的准备。

当前，我国县级以上人民政府及其有关部门已经建立起了综合性应急救援队伍、专业应急救援队伍以及成年志愿者应急救援队伍，企事业单位建立了本单位职工组成的专职或兼职应急救援队伍。中国人民解放军、中国人民武装警察部队和民兵组织是应急救援体系中的重要组成部分，在各类突发事件处应急救援与处置中担负着突击骨干作用。公安（消防）、医疗卫生、地震救援、海上搜救、矿山救护、森林消防、防洪抢险、核与辐射、环境监控、危险化学品事故救援、铁路事故、民航事故、基础信息网络和重要信息系统事故处置，以及水、电、油、气等工程抢险救援队伍是应急救援的专业队伍和骨干力量。社会团体、企事业单位以及志愿者等各种社会力量是应急救援与处置的参与力量。在应急救援体系中，上述各种救援力量各负其责、互为补充，县级以上人民政府可以根据突发事件应急救援与处置的需要，将应急救援队伍划分为先期处置队伍、第二处置队伍和增援队伍，并做好他们参加应急救援和处置工作的分工和组织准备。

发布一级、二级预警进入预警期后，县级以上人民政府可以责令应急救援队伍，负有特定职责的人员如突发事件应急救援与处置指挥人员、值班人员、专家学者、技术骨干等进入待命状态，随时参与突发事件应急救援与处置工作。在待命期间，主要任务是检查落实突发事件应急预案执行情况，检查应急救援队伍装备落实情况，确保指挥机构与工作人员通讯联络畅通，做好值班和备勤工作，确保信息畅通和命令下达无误等。

2. 调集应急救援所需物资、设备、工具，准备应急设施和避难场所，并确保其处于良好状态、随时可以投入正常使用。

应急救援与处置需要大量的物资、设备和工具，必须在突发事件发生之前做好充分的准备，这些物资、设备和工具包括了防护设施、抢险装备、特种救援设备、通讯设备、检测设备、运输车辆、生活物资、医疗物资和装备等，对它们的类型、性能、数量、存贮位置、备用措施等要做到心中有数，要保证相关物资、设备和工具要随时处于备用状态，做到随时应急，随时使用。调集应急救援所需物资、设备、工具，要首先动用地方储备物资，当地方储备物资不足时，再按规定权限组织动用中央储备物资。必要时，进行社会动员，临时征用社会物资、设备和工具。

加强应急设施和避难场所的维护、建设，使之处于随时可以启用的状态。要在人口较密集的地区，按照有关规划和相关标准，指定或建设应急避难场所和紧急疏散通道；拓展广场、绿地、公园、学校操场、体育场馆、停车场等公共场所的应急避难功能；设置必要的基本生活设施，储备一定数量的食品、帐篷、移动厕所等；公共场所和家庭配置避险救生设施和应急物品；落实台风、地震、地质灾害、洪涝等多灾、易灾的农村地区，以及国家规划的防洪保护区和蓄滞洪区等区域的避难场所基础设施建设。

3. 加强对重点单位、重要部位和重要基础设施的安全保卫，维护社会治安秩序。

重点单位一般包括：(1)首脑机关、军事机关、国家新闻媒体单位、外国驻华使领馆；(2)爆炸性、易燃性、放射性、毒害性、腐蚀性物品的生产、经营、储存、运输、使用单位。重点部位一般包括重要工程、重点设施、防汛抢险物资和重要抢险救灾料物仓库、抢险救灾通信设施、重要监测站(点)等要害部位。重要基础设施一般包括对社会生活、生产有重大影响的交通、通信、供水、排水、供电、供气、供热、输油等公共设施。重点单位、重要部位和重要基础设施，涉及突发事件应对指挥机关、通讯机关以及抢险救灾所需重要物资、设备和保证社会秩序、正常生产生活的设施，对突发事件应急救援与处置的成败起着至关重要的作用。公安部门、武警部队协助突发事件发生地区加强治安管理和安全保卫工作，预防和打击各种违法犯罪活动,维护社会治安,维护道路交通秩序,保证抢险救灾工作顺利进行。

4. 采取必要措施,确保交通、通信、供水、排水、供电、供气、供热等公共设施的安全和正常运行。

交通、通信、供水、排水、供电、供气、供热等公共设施是"生命线工程",保证这些公共设施的安全和正常运行不仅是应急救援与处置的需要,而且也是被破坏后需要事后恢复与重建的重点工程。各相关单位在突发事件进入一级、二级预警期后,要按照本行业、本系统、本单位的应急预案要求,做好抢险工程队伍的准备;加强相关设施的安全巡查和检查,对存在安全和运行隐患部位采取加固、抢修、更换等措施或准备备用系统;调集抢险工程所需物资、设备、运力,随时处于应急处置的警戒状态。

5. 及时向社会发布有关采取特定措施避免或者减轻危害的建议、劝告。

进入一级、二级预警期后,县级以上人民政府应当及时向社会发布有关采取特定措施避免或者减轻危害的建议、劝告,这对于提高突发事件可能影响区域内的社会公众公共安全意识和避灾风险意识,及时采取针对性、有效性的避险措施,减少损失,具有极其关键作用。各类突发事件的性质、危害、发展机理、演变过程各不相同,应急救援与处置措施必须得当和有效。政府建议和劝告社会公众采取的特定措施是有效避险的重要手段,它有利于社会公众做好自救和互救的准备工作。如《国务院批转水利部关于蓄滞洪区安全与建设指导纲要的通知》在指导蓄滞洪区内居民就地避洪措施中,就非常有针对性地建议修建围村埝、庄台、避水台、避水楼、城墙等设施,并提出了建设指导意见;在其他就地避洪措施中还提出大堤堤顶避洪措施和利用高杆树木避洪的措施。这些措施简洁、实用,容易为群众所接受,有利于减少突发事件所带来的损害。

6. 转移、疏散或者撤离易受突发事件危害的人员并予以妥善安置,转移重要财产。

进入一级、二级警报预警期后,有关地方人民政府应当根据实际情况,启用避难场所,向预报区内易受突发事件危害的居民以及其他人员提出转移、撤离或者疏散的劝告;情况紧急时,可以强行组织避灾疏散。在转移、撤离或者疏散过程中,要坚持"先救人,再救物"的原则进行,对于必须转移的重要财产要组织人力进行转移。要妥善安置被转移、撤离或者疏散的人员,确保吃饭、喝水、穿衣、住房、医疗、上学等基本生活需要,维护灾区的社会稳定。启动社会动员机制,广泛开展对口支援活动。

7. 关闭或者限制使用易受突发事件危害的场所,控制或者限制容易导致危害扩大的公共场所的活动。

体育场馆、影剧院、娱乐场、展览馆或者其他供社会公众活动的场所,人员比较密集,一旦发生突发事件,将会给人民群众的生命和财产造成巨大的损失,也会对社会秩序造成严重的冲击,必须依法加强管理。进入一级、二级警报预警期后,受到突发事件威胁的上述场所面临的风险日益加大,为有效避免和减少伤亡和财产损失,对其进行关闭或者限制使用,对容易导致危害扩大的公共场所的活动加以控制或者限制是十分必要的。这些措施包括控制人员数量、加强安全警戒、保证安全通道畅通、及时制止不稳定因素等。

8. 法律、法规、规章规定的其他必要的防范性、保护性措施。

应对突发事件的措施必须高效、有力、得当。由于各类突发事件都有特殊性,仅仅采取本条所列举的七种防范性、保护性措施是不足以消除、减轻突发事件的危害的。许多法律、法规和规章中都有关于突发事件预警期内各种防范性、保护性措施的规定,对于应对特定种类的突发事件起到了十分重要的作用。本法规定县级以上人民政府根据应对突发事件工作的需要,依法采取本法之外的法律、法规、规章规定的其他必要的防范性、保护性措施,更有利于突发事件的应急救援与处置工作的开展。

第四十六条　对即将发生或者已经发生的社会安全事件,县级以上地方各级人民政府及其有关主管部门应当按照规定向上一级人民政府及其有关主管部门报告,必要时可以越级上报。

【释义】 本条是关于社会安全事件上报制度的规定。

国家建立统一领导、综合协调、分类管理、分级负责、属地管理为主的应急管理体制。社会安全事件一般由事发地的县级以上人民政府负责组织处置,政府有关主要部门主要是公安部门具体承办,其他部门配合。按照宪法和人民警察法的规定,公安机关接受同级人民政府和上级公安机关的双重领导。按照统一领导、分级负责的工作要求,县级以上人民政府对即将发生或者已经发生的社会安全事件,应当立即向上一级人民政府报告,必要时可以越级上报。

本法所调整的社会安全事件主要是严重危害社会治安秩序的突发事件,有关它的信息都属于重大紧急信息。按照公安机关信息报告制度的有关规定,重大紧急信息必须随时逐级报告上级公安机关;特别紧急情况下可越级报告。做到大事不过时,小事不过夜,严禁迟报、漏报、瞒报。及时上报社会安全事件的有关信息,便于上级机关对社会安全事件的发展态势、影响、可能造成的后果有一个准确的判断,起到事先预警的作用,便于上级机关作出相应的处置决策,为应对社会安全事件做好充分的准备。

社会安全事件报告的主要内容包括:(1)事件的性质、起因、规模、危害程度和发展态势;(2)拟采取的处置方案,请求上级人民政府及其公安部门决断;(3)已经采取的先期处置措施的情况;(4)现有拟使用的处置社会安全事件的各种警种警力、装备和调用的人员、器械、救护器材、交通工具、通讯工具以及其他物资的准备情况；（5）请求上级批准的重大事项。

对于已经发生的情况特别紧急的社会安全事件，不及时调动警力采取果断措施难以控制事态的，组织处置工作的人民政府及其公安部门可以边出警处置，边迅速向上级人民政府和上级公安机关报告。必要时，县级以上地方人民政府及其有关主管部门可以越级上报有关即将发生或已经发生的社会安全事件。所谓必要时，是指事态发展非常严重的时候，在这种情况下，地方政府及其主管部门可以越级上报，以利于有效地对突发事件进行处置。

第四十七条　发布突发事件警报的人民政府应当根据事态的发展，按照有关规定适时调整预警级别并重新发布。

有事实证明不可能发生突发事件或者危险已经解除的，发布警报的人民政府应当立即宣布解除警报，终止预警期，并解除已经采取的有关措施。

【释义】　本条是关于预警级别调整和预警的解除的规定。

突发事件从孕育到发生有一个过程。县级以上地方人民政府在对有关突发事件隐患和预警信息进行汇总分析和评估之后，如果认为突发事件很有可能发生，应当依法发布警报，宣布有关地区进入预警期。但是，事态总是处于发展变化之中。因此，发布突发事件警报的人民政府应当根据事态的发展适时调整预警级别并重新发布。有的时候，预警级别可能从较低级别转变为较高级别；也有的时候，预警级别也可能从较高级别转变为较低级别；还有的时候，可能会出现突发事件已经不可能发生的情形。如果有事实证明不可能发生突发事件或者危险已经解除的，发布警报的人民政府应当立即宣布解除警报，终止预警期，并解除已经采取的有关措施。这里，必须强调有事实证明，而不能仅凭主观经验判断。因为警报的解除，就意味着生产生活恢复常态,政府对突发事件的应对较低程度的戒备状态,人民群众对突发事件的防范意识处于较弱的状态,突发事件一旦发生,将造成严重的后果。

第四章　应急处置与救援

本章是关于应急处置与救援的规定。突发事件发生后，政府必须在第一时间组织各方面力量，依法及时采取有力措施控制事态发展，开展应急救援工作，避免其发展为特别严重的事件，努力减轻和消除其对人民生命财产造成的损害。不同的突发事件发生后，应当根据其实际情况采取相应的应急处置措施。本章与现行法律、行政法规作了衔接，并根据应急处置工作的实际需要，规定了一些必要措施。同时，规定了有关组织、单位、公民在应急处置中的义务。

第四十八条　突发事件发生后，履行统一领导职责或者组织处置突发事件的人民政府应当针对其性质、特点和危害程度，立即组织有关部门，调动应急救援队伍和社会力量，依照本章的规定和有关法律、法规、规章的规定采取应急处置措施。

【释义】　本条是关于突发事件发生后对履行统一领导职责或者组织处置工作的人民政府采取应急处置措施总体要求的规定。

本条规定了采取应急处置措施的法定条件、主体、要求和依据，有以下几个问题需要明确：

1. 立法对应急处置措施作出规定是十分必要的。

突发事件发生后，往往造成人民生命财产和国家财产的巨大损失，正常的社会功能受到破坏，人们的心理也受到损伤。在这种情况下，突发事件发生地的人民政府有必要实行应急处置措施，以使各种抢险救援工作得到有力的组织并有序的开展。

2. 规定采取应急处置措施的总体要求,是保护公民权利和应急处置的需要。

本条之所以对采取应急处置措施的法定条件、主体、要求和依据作出规定,是因为应急处置措施属于一种紧急国家权力,这种紧急国家权力是与限制公民相应的权利相联系的。为了保护公民的权利不因国家机关滥用权力而被侵犯,必须对采取应急处置措施的法定条件、主体、要求和依据作出规定。这样的规定既有利于保护公民权利,又能够保证国家机关在突发事件发生后,及时采取应急处置措施,有效地组织应急处置与救援,保护人民生命财产安全,维护国家安全、公共安全、环境安全和社会秩序。

3. 应急处置措施是一种暂时的强制性行政应急措施。

为了应对突发事件,政府可以依法采取各种应急措施,虽然有些应急处置措施带有强制性,在形式上可能有限制公民权利的特征,但其性质是国家行政机关采取的强制性的行政手段,是一种行政行为,其根本目的是保护人民生命财产安全,维护国家安全、公共安全、环境安全和社会秩序,为顺利开展处置与救援服务。应急处置措施限制的是公民或组织的部分权利,是为了更有效地保护全体公民和社会整体的利益。应急处置措施是一种暂时的强制性行政应急措施,当突发事件的威胁和危害得控制或者消除后,履行统一领导职责或者组织处置工作的人民政府应当停止相关的应急处置措施。

4. 本条规定的采取应急处置措施的法定条件是突发事件发生;实施的主体是履行统一领导职责或者组织处置突发事件的人民政府;具体要求是应当针对突发事件的性质、特点和危害程度;途径是组织有关部门,调动应急救援队伍和社会力量;依据是本章的规定和有关法律、法规、规章的规定。

关于履行统一领导职责的人民政府,是指自然灾害、事故灾难、公共卫生事件发生后，统一领导应急处置工作的人民政府。根据本法第3条对突发事件分级的规定和第4条关于统一领导、综合协调、分类管理、分级负责、属地管理为主的应急管理体制的规定，一般和较大自然灾害、事故灾难、公共卫生事件的应急处置工作分别由发生地县级和设区的市级人民政府统一领导；重大和特别重大自然灾害、事故灾难、公共卫生事件的应急处置工作由发生地省级人民政府统一领导，其中影响全国、跨省级行政区域或者超出省级政府处置能力的特别重大自然灾害、事故灾难、公共卫生事件的应急处置工作由国务院统一领导。

关于组织处置突发事件的人民政府，是指处置社会安全事件的人民政府。社会安全事件由发生地县级人民政府组织处置，必要时上级人民政府可以直接组织处置。

5. 关于本法规定的应急处置措施与其他法律、法规、规章规定的应急处置措施的关系问题。突发事件发生后，有关人民政府应当针对突发事件的性质、特点和危害程度，依照有关法律、法规、规章的规定采取应急处置措施，采取有关法律、法规、规章规定的应急处置措施不足以有效处置的，依照本章的规定采取应急处置措施。

近年来，为应对各类突发事件，我国已先后制定了40余件单行法律，包括防震减灾法、防洪法、气象法、安全生产法、矿山安全法、消防法、传染病防治法、动物防疫法等；40余件行政法规，包括《重大动物疫情应急条例》《核电厂核事故应急管理条例》《突发公共卫生事件应急条例》《信访条例》等；60余件部门规章，包括《铁路行车事故处理规则》、民航总局《重大飞行事故应急处理程序》等。一些地方人大和政府也结合实际，制定了相关地方法规和规章，为预防和处置相关突发公共事件提供了法律依据和法治保障。这些法律、法规、规章对不同领域的突发事件都规定了相应的应急处置措施。突发事件应对法在有关单行法规定的应急处置措施的基础上，总结经验，对各类不同的突发事件，主要从救助、保护人民群众生命财产安全的角度规定了一些共性的应急处置措施。出现相关突发事件时,应当首先适用单行立法规定的措施,如果单行立法规定的措施不能克服危机,再考虑使用本法规定的应急措施。

第四十九条　自然灾害、事故灾难或者公共卫生事件发生后,履行统一领导职责的人民政府可以采取下列一项或者多项应急处置措施:

(一)组织营救和救治受害人员,疏散、撤离并妥善安置受到威胁的人员以及采取其他救助措施;

(二)迅速控制危险源,标明危险区域,封锁危险场所,划定警戒区,实行交通管制以及其他控制措施;

(三)立即抢修被损坏的交通、通信、供水、排水、供电、供气、供热等公共设施,向受到危害的人员提供避难场所和生活必需品,实施医疗救护和卫生防疫以及其他保障措施;

(四)禁止或者限制使用有关设备、设施,关闭或者限制使用有关场所,中止人员密集的活动或者可能导致危害扩大的生产经营活动以及采取其他保护措施;

(五)启用本级人民政府设置的财政预备费和储备的应急救援物资,必要时调用其他急需物资、设备、设施、工具;

(六)组织公民参加应急救援和处置工作,要求具有特定专长的人员提供服务;

(七)保障食品、饮用水、燃料等基本生活必需品的供应;

(八)依法从严惩处囤积居奇、哄抬物价、制假售假等扰乱市场秩序的行为,稳定市场价格,维护市场秩序;

(九)依法从严惩处哄抢财物、干扰破坏应急处置工作等扰乱社会秩序的行为,维护社会治安;

(十)采取防止发生次生、衍生事件的必要措施。

【释义】　本条是关于自然灾害、事故灾难或者公共卫生事件发生后应急处置措施的规定。

自然灾害、事故灾难或者公共卫生事件发生后，由履行统一领导职责的人民政府负责应急处置工作。一项突发事件发生后，究竟采取哪些应急措施，应当视具体情况而定。

第一项措施是救助性措施。主要是对公民人身的救助。在危机已经来临可能危及公民生命、健康时，对处于洪区、疫区、火灾区、放射区、地震区等灾区的公民，行政机关通过营救、疏散、撤离等方式，将在危险区域内受到威胁的人员转移到安全地带，并妥善安置，解决受到威胁人员急需的衣、食、住等问题。这里的"疏散"是应急疏散，具有以下特征：一是应急疏散的时间是在危机已经来临时，这与危机爆发前的紧急疏散是有区别的。危机爆发前的紧急疏散属于在预警期内的危机预控，而危机已经爆发后的应急疏散属于危机应急管理。二是应急疏散的依据是被疏散的人员将面临巨大的危险，如果不紧急疏散很可能造成人员重大伤亡，当然，没有危险的群众就不必疏散，不然就会造成不必要的损失。三是应急疏散的内容是指导安全受到威胁的民众紧急转移到安全地带。四是应急疏散的目的是最大限度地减少人员伤亡。应急疏散在危机管理中意义重大，它是危机管理的一项行之有效的紧急措施，因为它可以以较小的代价最大限度地减少人员伤亡。

第二项措施是控制性措施。主要是针对场所的强制。其中，"危险源"是危险物品大量聚集的地方，如被传染病病原体污染的公共饮用水源，易燃易爆物品、危险化学品、放射性物品存放地，这些危险源具有较大的危险性，在自然灾害、事故灾难、公共卫生事件发生后，负责应急处置工作的人民政府应当及时予以控制。"标明危险区域"，目的是起到警示作用。"封闭危险场所"，如封闭可能造成传染病扩散的场所，对传染病疫区实行封锁。"划定警戒区"，是指公安机关在一些特定地方，划定一定的区域限定部分人员出入。"实行交通管制"，在应急处置中经常具有特别的意义,这种社会性管制也是一种常用的应急措施。通过实行交通管制,对管制地区的交通实施严格控制,对交通工具以及人员、物品进出进行特别管理。必要时开辟救援专用路线,保证现场的交通快速畅通,使救援人员、物资能够及时到位。管制的目的可以是为减灾、救灾而疏导交通,也可以是为避免危险的发生等。

第三项措施是保障性措施。“立即抢修被损坏的交通、通信、供水、排水、供电、供气、供热等公共设施”,不仅对减少灾害损失很重要,而且对生活恢复、生产恢复以及整个社会恢复都是十分重要的。因为,“交通、通信、供水、排水、供电、供气、供热”等公共设施,均属于生命线工程系统,一般可以分为:交通运输系统(铁路、公路、水路、航空等);通信传播系统(电话、电信、广播、电视等);供排水系统;能源供应系统(电力、煤气、热力等)。各系统相互联系、相互制约,以网络的形式发挥其社会功能,某一系统功能失效都有可能迅速扩大灾情,造成难以估量的损失。生命线工程联结千家万户,辐射城乡,尽快恢复并控制其次生灾害发生,各有关部门和单位都有义不容辞的责任。“立即抢修”是国家对恢复生命线工程的时效要求。抢修行动越快,得救的人就越多,对次生灾害的控制和社会功能的恢复也就越有成效。

“向受到危害的人员提供避难场所和生活必需品”,这是给受灾人员的生活帮助和物质帮助。遭受灾害的人员,正常的生产、工作可能因灾害被迫停止,生活受到影响。为使灾民的基本生活不致失去保障,履行统一领导职责的人民政府组织民政和其他有关部门和单位,通过各种途径给他们提供必要的帮助。临时搭建帐篷、简易房等避难场所,解决受灾人员的安身问题;并提供救济物,解决吃饭、喝水、穿衣等问题,满足灾民最基本的生活需要。这些都是临时供给。随着社会功能的恢复,再逐步恢复受灾人员的基本生活秩序。

“实施医疗救护和卫生防疫”,包括医疗救护和卫生防疫两个方面。医疗救护是抢救生命的一个关键;卫生防疫是公民健康安全的必要保障。履行统一领导职责的人民政府应当组织卫生、医疗、医药、防疫等部门和单位，向灾区调运药品，派出医疗队伍，对有生命健康危险的灾民予以救治；加强疫病监测，及时扑灭疫情，控制流行病、传染病的暴发和流行，确保大灾之后无大疫。

第四项措施是保护性措施。火灾发生后要截断电力、可燃气体和液体的输送，限制用火用电；传染病发生后，为防止疫情的传播，限制或停止集市、集会、影剧院演出或者其他人群聚集的活动以及停工、停业、停课等。如 2003 年“非典”期间，为防止疫情扩散，国务院果断地取消了“五一”长假，全国性比赛暂停，一些地方的学校停课，有的地方关闭了娱乐场所。这些措施对保护人民的生命健康是完全必要的。

第五项措施是“启用本级人民政府设置的财政预备费和储备的应急救援物资，必要时调用其他急需物资、设备、设施、工具”。关于启用财政预备费的问题，预备费是最常规的应急手段，预算法第 32 条规定，各级政府预算应当按照本级政府预算支出的 1% 至 3% 设置预备费，用于当年预算执行中的自然灾害救灾开支及其他难以预见的特殊开支。防震减灾法、《突发公共卫生事件应急条例》、《核电厂核事故应急管理条例》等，都规定了用于突发事件的预防与应急准备、监测与预警等方面的应急管理费用。一旦发生突发事件，政府可以启用这些预备费。一般在突发事件的初始阶段，预备费是首位的应急手段，只有当危急状态超出了预备费的能力时才需要动用其他的财政应急手段，如在抗击“非典”过程中，财政部就选择使用了预备费、税费、转移支付等应急工具，取得了良好效果。

我国建立了应急物资储备保障制度，设区的市级以上人民政府和突发事件易发、多发地区的县级人民政府都有应急救援物资、生活必需品和应急处置装备的储备。我国“十一五”规划中还明确要建立应急储备库。突发事件发生后，负责应急处置的人民政府可以启用这些储备的物资和生活必需品。不足或缺乏时,负责应急处置工作的人民政府有权调动应急救援所需要的其他物资、设备、设施、工具。

第六项措施是"组织公民参加应急救援和处置工作,要求具有特定专长的人员提供服务"。公民有义务参与突发事件的应对工作,尤其是具有特定专长的人员,比如,在物理、化学、地理、测量、气象、能源或通信等某一方面有专业技术的人才,他们在应急处置和救援中可以发挥重要的作用。

第七项措施是"保障食品、饮用水、燃料等基本生活必需品的供应"。自然灾害、公共卫生事件或其他事件突然发生后,生活必需品市场可能会出现异常波动,导致价格异常波动或商品脱销的状态。因此,需要采取措施,保障食品、饮用水、燃料等基本生活必需品的供应。国家商务部于 2003 年 11 月公布了《突发事件生活必需品应急管理暂行办法》,规定了在生活必需品市场发生异常波动时应该采取的五项具体措施:一是通过及时向社会发布市场供求信息引导消费;二是通过大型流通企业已建立起来的供应链、连锁网络组织应急商品投放市场;三是区域之间进行应急商品余缺调剂;四是动用国家和地方应急商品储备;五是在国内资源不足时迅速组织进口等。

第八项措施是"依法从严惩处囤积居奇、哄抬物价、制假售假等扰乱市场秩序的行为,稳定市场价格,维护市场秩序"。这是一种经济性管制应急措施,其目的是稳定市场价格,维护市场秩序。价格法第 30 条规定:"当重要商品和服务价格显著上涨或者有可能显著上涨,国务院和省、自治区、直辖市人民政府可以对部分价格采取限定差价率或者利润率、规定限价、实行提价申报制度和调价备案制度等干预措施。省、自治区、直辖市人民政府采取前款规定的干预措施,应当报国务院备案。"第 31 条规定:"当市场价格总水平出现剧烈波动等异常状态时,国务院可以在全国范围内或者部分区域内采取临时集中定价权限、部分或者全部冻结价格的紧急措施。”自然灾害、事故灾难、公共卫生事件发生后，除了给国家和人民群众的生命财产造成较大损失外，往往会由于商品供应不及时等原因打乱正常的市场秩序，甚至出现垄断资源、欺行霸市、囤积居奇、哄抬物价、制假售假等扰乱市场秩序的行为，不仅不利于应急处置，而且会造成不必要社会混乱。因此，有必要赋予政府这样一种职权，稳定价格、稳定市场。2003 年非典型肺炎流行时，公众对于防治“非典”的药品的需求增长，甚至出现抢购风潮。一些药贩乘机涨价牟利，一些不法商人也乘虚而入，哄抬物价，完全不顾整体的公共安全和公共利益。这时，政府采取了控制药品价格、调控市场的措施，维护了正常的生产、生活秩序，抢购风得以平息。

第九项措施是“依法从严惩处哄抢财物、干扰破坏应急处置工作等扰乱社会秩序的行为，维护社会治安”。突发事件发生后，履行统一领导职责的人民政府应当组织公安机关和其他有关部门加强治安管理和安全保卫工作，采取坚决、有效的措施，防止有人利用现场混乱之机趁火打劫、哄抢财物，维护社会治安，稳定社会秩序。

第十项措施是“采取防止发生次生、衍生事件的必要措施”。“次生事件”，是指在突发事件的灾害链中由原生事件诱导的、第二次生成的、间接造成的事件。“衍生事件”，是指由原生事件派生出来的、第三次生成的、因繁衍变化而发生的一系列事件。两者的主要区别在于，与原生事件相比，衍生事件的发生机理有明显变化，而次生事件没有明显变化。例如，从后果及致灾过程上分析地震灾害，地震原生灾害是指地震时由于地震动或地壳断层的作用，造成建(构)筑物的破坏、倒塌及由此引起的人员伤亡及财产损失。地震次生灾害是指因地震诱发导致的其他灾害，如地震时大坝溃裂，酿成水灾；炉火倾覆，火种撒出，引起火灾；引发滑坡、海啸、泥石流等。地震衍生灾害是指因地震灾害繁衍派生造成社会秩序混乱、治安恶化等。在处置突发事件过程中，人民政府必须采取措施防止次生、衍生事件的发生。

第五十条　社会安全事件发生后，组织处置工作的人民政府应当立即组织有关部门并由公安机关针对事件的性质和特点，依照有关法律、行政法规和国家其他有关规定，采取下列一项或者多项应急处置措施：

（一）强制隔离使用器械相互对抗或者以暴力行为参与冲突的当事人，妥善解决现场纠纷和争端，控制事态发展；

（二）对特定区域内的建筑物、交通工具、设备、设施以及燃料、燃气、电力、水的供应进行控制；

（三）封锁有关场所、道路，查验现场人员的身份证件，限制有关公共场所内的活动；

（四）加强对易受冲击的核心机关和单位的警卫，在国家机关、军事机关、国家通讯社、广播电台、电视台、外国驻华使领馆等单位附近设置临时警戒线；

（五）法律、行政法规和国务院规定的其他必要措施。

严重危害社会治安秩序的事件发生时，公安机关应当立即依法出动警力，根据现场情况依法采取相应的强制性措施，尽快使社会秩序恢复正常。

【释义】　本条是关于社会安全事件发生后应急处置措施的规定。

社会安全事件发生后，组织处置工作的人民政府应当立即组织有关部门并由公安机关针对事件的性质和特点，依照有关法律、行政法规和国务院其他有关规定，采取相应的处置措施。

第一项措施是“强制隔离使用器械相互对抗或者以暴力行为参与冲突的当事人，妥善解决现场纠纷和争端，控制事态发展”。

这是针对群体性事件等社会安全事件采取的措施。隔离，就是要使相互冲突和对抗的当事人置于不可能再发生冲突的地方。当突发群体性事件等社会安全事件发生时，对于冲突的当事人，公安机关要依法律赋予的职权，采取相应的措施，进行强制干预，隔离冲突双方，控制局势，平息事态，恢复正常秩序。

第二项措施是“对特定区域内的建筑物、交通工具、设备、设施以及燃料、燃气、电力、水的供应进行控制”。这是对重点设备设施的安全保护措施。在社会安全事件发生后，在特定区域内的一些建筑物、交通工具、设备、设施等可能会受到威胁；燃料、燃气、电力、水等能源供应系统也可能受到威胁。所以组织处置工作的人民政府应当组织政府有关部门对这些特定建筑物、设备、设施和能源供应系统进行必要的控制，予以安全保障，防止因社会安全事件的发生造成不必要的破坏。

第三项措施是“封锁有关场所、道路，查验现场人员的身份证件，限制有关公共场所内的活动”。在社会安全事件发生后，为了维护社会治安秩序，必要的时候需要实行现场管制，限制人员进出被封锁管制的场所、道路，对出入封锁区域人员的证件、车辆、物品进行检查，禁止或者限制有关公共场所内的聚众等活动。

第四项措施是“加强对易受冲击的核心机关和单位的警卫，在国家机关、军事机关、国家通讯社、广播电台、电视台、外国驻华使领馆等单位附近设置临时警戒线”。这是对首脑要害部位加强保护的规定。在社会安全事件发生后，为了加强对首脑要害部位的保护，必要时候应当在国家机关、军事机关、国家通讯社、广播电台、电视台、外国驻华使领馆等单位附近设置临时警戒线，防止上述单位受到冲击。

第五项措施是“法律、行政法规和国务院规定的其他必要措施”。处置社会安全事件的措施是多种的，无法全部列出；有的措施在有关法律、行政法规中也有规定，不必一一列出。国家法律、行政法规和国务院规定中对应急措施作出的规定，在处置社会安全事件时可根据情况予以采取。

本条第2款规定："严重危害社会治安秩序的事件发生时，公安机关应当立即依法出动警力，根据现场情况依法采取相应的强制性措施，尽快使社会秩序恢复正常。"这里的强制性措施，根据人民警察法等法律的规定，包括可以采取强行带离现场、依法予以拘留、现场管制、强行驱散，限制人员、车辆的通行或者停留，必要时可以实行交通管制以及其他措施。遇有拒捕、暴乱、越狱、抢夺枪支或者其他暴力行为的紧急情况，公安机关的人民警察依照国家有关规定可以使用武器。为制止严重违法犯罪活动的需要，公安机关的人民警察依照国家有关规定可以使用警械。

第五十一条　发生突发事件，严重影响国民经济正常运行时，国务院或者国务院授权的有关主管部门可以采取保障、控制等必要的应急措施，保障人民群众的基本生活需要，最大限度地减轻突发事件的影响。

【释义】　本条是关于严重影响国民经济事件的应急处置措施的规定。

国家经济安全是现代公共安全中的核心内容。我国确立以经济建设为中心的发展战略，经济安全当然也就成为国家安全的重点，具有相当重要的战略地位，它是国家安全的基础，是实现和确保国家军事安全、政治安全、社会安全、文化和科技安全等安全的物质前提。在经济全球化趋势不断发展的今天，经济安全是世界各国都面临的重大课题。我国必须根据国情和世界格局的变化，按照我国的战略利益要求，采取相应措施，加强经济安全管理，做好经济安全的防范，避免或化解可能发生的局部或全局性危机，使经济运行健康稳步持续发展。

这些年来，为适应建立社会主义市场经济体制的需要，我国制定了银行、证券、保险、税收、外汇等经济方面的法律、法规，建立了各种经济调控措施和监管制度，规定了各种宏观调控时采取的措施。如调整税目税率，对金融机构提供流动性资金支持，启动支付系统的灾难备份系统，保证清算支付系统的正常运行，维护国际收支平衡等。发生突发事件时，可以依法采取这些措施。本条对关于影响国民经济事件的应急处置措施做了授权性规定，主要考虑因突发事件的发生可能会影响到国民经济的正常运行，如引起股市崩盘、资金挤兑等经济风险。而有时这种风险的来势又是异常的突然、紧急，危害性可能极大，需要采取的应急措施可能法律上还暂时没有规定。在没有法律、行政法规规定的情况下，为了保障人民群众的基本生活需要，最大限度地减轻突发事件的影响，规定了国务院或者国务院授权的有关主管部门可以采取保障、控制等必要的应急措施。这是根据我国的实际情况作出的规定，以做好经济领域的预防和应急机制，增加国民经济体系的抗外部冲击能力。

第五十二条　履行统一领导职责或者组织处置突发事件的人民政府，必要时可以向单位和个人征用应急救援所需设备、设施、场地、交通工具和其他物资，请求其他地方人民政府提供人力、物力、财力或者技术支援，要求生产、供应生活必需品和应急救援物资的企业组织生产、保证供给，要求提供医疗、交通等公共服务的组织提供相应的服务。

履行统一领导职责或者组织处置突发事件的人民政府，应当组织协调运输经营单位，优先运送处置突发事件所需物资、设备、工具、应急救援人员和受到突发事件危害的人员。

【释义】　本条是关于政府在应急处置中征用、征集和组织生产、运输应急物资的规定。

突发事件有可能涉及公共秩序的方方面面，应急处置因此就是个系统工程。只有当不同的主体在应急处置过程中各司其职时,才有助于突发事件的解决。在应急处置机制中,政府的职能主要被定位为组织、指挥、协调、监管,确保整个应急处置过程的有序进行。

政府在必要时可以向单位和个人征用应急救援所需设备、设施、场地、交通工具和其他物资。征用是负责突发事件应急处置工作的人民政府在突发事件应急处置与救援过程中,通过行使行政权,强制使用单位、个人的财产。这种强制征用采取的是通过给行政管理相对人设定一项法律义务的方式实现的,被征用的单位、个人必须服从。但是,为了保障行政管理相对人的合法权益不受行政机关的非法侵犯,人民政府在对行政管理相对人采取征用时又是受法律上的条件限制的。本条所规定的征用措施的采取,其成立的法定前提条件是应对突发事件的需要,没有这样的法定事由,人民政府不得随意采用。征用的对象是单位和个人。征用的财产包括应急救援所需设备、设施、场地、交通工具和其他物资。

当突发事件发生时,急需大量救援物资,履行统一领导职责或者组织处置突发事件的人民政府,可以请求其他地方人民政府提供人力、物力、财力或者技术支援,要求生产、供应生活必需品和应急救援物资的企业组织生产、保证供给,使救援物资的供给满足处置突发事件的需要。针对突发事件的具体情况人民政府应当要求提供医疗、交通等公共服务的组织提供相应的服务。

突发事件发生后,需要将救援物资及时运送到受灾地区,需要保证应急救援人员及时到达受灾地区,受到突发事件危害的人员需要及时得到解救。因此,履行统一领导职责或者组织处置突发事件的人民政府,应当组织协调运输经营单位,优先运送处置突发事件所需物资、设备、工具、应急救援人员和受到突发事件危害的人员;而铁路、交通、民航等经营单位及时运送应急所需物资和人员是其应尽的责任,应当保证应急处置的物资、人员用最快的速度送往目的地，保障应急处置的顺利开展。

第五十三条　履行统一领导职责或者组织处置突发事件的人民政府，应当按照有关规定统一、准确、及时发布有关突发事件事态发展和应急处置工作的信息。

【释义】　本条是关于突发事件事态发展和应急处置工作信息发布的规定。本条需要明确三个问题：

1. 人民政府负有发布突发事件信息的责任

统一、准确、及时发布突发事件信息，增加透明度，有利于社会公众全面、准确了解突发事件信息，协助和监督政府做好突发事件预防和应对工作。人民政府应当尊重公众的知情权，按照有关规定统一、准确、及时发布有关突发事件事态发展和应急处置工作的信息，让民众远离谣言，克服恐慌，减少不安定因素，形成政府与民众的良性互动，激发战胜危机的信心。

2. 人民政府发布信息必须做到统一、准确、及时

“统一”，就是信息发布的内容要按程序报批，统一口径，无权发布的部门不得擅自就突发事件事态发展和处置工作接受记者采访或发表谈话，以避免说法不一，造成信息混乱。负责信息发布的工作部门，应及时把信息发布的内容和有关答问口径向参与处置突发事件的其他部门通报。

“准确”，就是发布的信息必须客观、真实。发布信息之前，必须认真细致地核对事实。为确保发布信息的准确，一些尚未弄清楚全部情况、较为复杂的突发事件，可先公布简短消息，再作后续发布。不得把有分歧的，或未经证实的见解散布或传播出去。

“及时”，就是突发事件信息必须在第一时间进行发布。要及时地把准确的、最新的信息传递给新闻媒体，这样才能有效地引导舆论，最大限度地避免歪曲性报道，减少社会公众的各种猜测，并避免各种未经证实的小道消息的传播。

3. 履行统一领导职责或者组织处置突发事件的人民政府公布突发事件信息，应当通过便于公众知晓的方式进行

2007 年 4 月国务院公布的《政府信息公开条例》明确规定，行政机关应当将主动公开的政府信息，通过政府公报、政府网站、新闻发布会以及报刊、广播、电视等便于公众知晓的方式公开。其中，建立新闻发言人制度是十分重要的一种形式；其次政府要加强与新闻媒体的合作，推动信息快速准确传递。

第五十四条　任何单位和个人不得编造、传播有关突发事件事态发展或者应急处置工作的虚假信息。

【释义】　本条是关于禁止编造、传播虚假信息的规定。

虚假信息，是编造者利用人们急于想了解某事，或对某事的好奇心理，在一定的危机事件背景之下，捏造出不符合实际，或纯属无中生有的事件，编造的目的在于传播并引起一定的社会效应。

虚假信息的危害在某些特定的情况下是比较严重的。首先，虚假信息可能会引发局部的社会动荡，影响社会秩序的稳定；其次，使人们对政府应对危机的能力，甚至对政府的诚信产生怀疑。在传播媒介日益发达的时代，虚假信息一旦传播，则其传播的途径、速度、影响范围就会很多、很快、很广。所以，对编造、传播虚假信息的行为，应当坚决予以禁止。

本条规定禁止的行为包括：一是编造有关突发事件事态发展或者应急处置工作的虚假信息的；二是传播突发事件事态发展或者应急处置工作的虚假信息的；三是行为人有既编造又传播虚假信息的行为。这些行为都可能会造成社会危害，都是本法所要禁止的。

本条规定的主体是指任何单位和个人。一切国家机关、社会团体、企业事业单位和所有公民，都不得编造、传播有突发事件事态发展或者应急处置工作的虚假信息。

新闻媒介对信息传播发挥着极其重要的作用。电视、报纸、广播、互联网等大众传媒的信息传播活动，不仅普及到社会的每一个角落，而且渗透到人们生活的方方面面。在突发事件的应急处置工作中，新闻媒介的传播作用会对社会产生各个方面的影响。在应急处置中，如果新闻媒介发挥积极、正面的作用，可以与政府形成一种良好的互动，更好地配合应急处置工作；反之，则可能造成消极的影响。新闻媒介应当严格遵守有关法律、法规，在进行新闻报道时做到客观、公正。通过新闻媒介起到舆论监督、警示教育、社会沟通、引导激励、信息传播的积极作用。

第五十五条　突发事件发生地的居民委员会、村民委员会和其他组织应当按照当地人民政府的决定、命令，进行宣传动员，组织群众开展自救和互救，协助维护社会秩序。

【释义】 本条是关于居民委员会、村民委员会和其他组织在突发事件应急处置中义务的规定。

本条规定的居民委员会、村民委员会和其他组织的义务是：按照当地人民政府的决定、命令，进行宣传动员，组织群众开展自救和互救，协助维护社会秩序。

居民委员会、村民委员会是城市居民、农村村民自我管理、自我教育、自我服务的基层群众性自治组织。其他社会组织包括工会、共青团、妇联等群众团体。在突发事件应对中，充分发挥居民委员会、村民委员会和其他组织的作用，可以更好地把广大群众组织起来，在面对危机的情况下，有效地进行自救和互救，最大限度地减少损失。

第五十六条　受到自然灾害危害或者发生事故灾难、公共卫生事件的单位，应当立即组织本单位应急救援队伍和工作人员营救受害人员，疏散、撤离、安置受到威胁的人员，控制危险源，标明

危险区域，封锁危险场所，并采取其他防止危害扩大的必要措施，同时向所在地县级人民政府报告；对因本单位的问题引发的或者主体是本单位人员的社会安全事件，有关单位应当按照规定上报情况，并迅速派出负责人赶赴现场开展劝解、疏导工作。

突发事件发生地的其他单位应当服从人民政府发布的决定、命令，配合人民政府采取的应急处置措施，做好本单位的应急救援工作，并积极组织人员参加所在地的应急救援和处置工作。

【释义】 本条是关于有关单位在突发事件应急处置中义务的规定。

受到自然灾害危害或者发生事故灾难、公共卫生事件的单位，应当根据自然灾害或者事故灾难的具体情况，立即组织本单位应急救援队伍和工作人员营救受害人员，疏散、撤离、安置受到威胁的人员；排除造成人员受害的险情。对于仍在对人民生命财产安全造成威胁的危险源、危险场所，应采取必要措施予以控制或封锁，并采取措施防止危害扩大。上述单位应立即将事件发生和应急处置工作情况向所在地县级人民政府报告。

对因本单位的问题引发的或者主体是本单位人员的社会安全事件，有关单位应当按照规定上报情况，并迅速派出负责人员赶赴现场开展劝解、疏导工作，积极配合公安机关对事件进行妥善处理。

突发事件发生地的其他单位，在突发事件发生之后，应当服从人民政府发布的决定、命令，配合人民政府采取的各项应急处置措施；按照人民政府的要求，积极组织人员参加所在地的应急救援和处置工作；本单位受到突发事件影响的，应做好本单位的应急救援工作。

第五十七条　突发事件发生地的公民应当服从人民政府、居民委员会、村民委员会或者所属单位的指挥和安排，配合人民政府

采取的应急处置措施，积极参加应急救援工作，协助维护社会秩序。

【释义】 本条是关于公民在突发事件应急处置中所应履行义务的规定。

在突发事件应急处置中，公民的义务是：服从所在地人民政府、居民委员会、村民委员会或者所属单位的指挥和安排，配合人民政府采取的应急处置措施，积极参加应急救援工作，协助维护社会秩序。

为了防止、减轻突发事件引起的危害，人民政府需要采取必要的应急处置措施，如本法第 49 条第 1 项规定的疏散、撤离人员，第 49 条第 4 项规定的限制使用有关场所等。这些措施在一定程度上对公民权利有所限制，但其目的是避免突发事件所引起的对人民生命财产的危害。公民应服从人民政府的决定、命令，服从人民政府关于疏散、撤离的安排。为了有效地应对突发事件，公民还应在人民政府的领导下，积极参加应急救援工作，协助维护社会秩序。

第五章　事后恢复与重建

本章共5条,是关于突发事件发生后的恢复与重建的规定。主要内容包括:突发事件的威胁和危害得到控制或者消除后,履行统一领导职责或者组织处置突发事件的人民政府应当停止执行应急处置措施,并采取必要措施防止发生次生、衍生事件或者重新引发社会安全事件;突发事件应急处置工作结束后,政府在恢复与重建中的职责;受突发事件影响地区的人民政府请求上一级政府支持恢复重建工作;国务院制定扶持相关行业的优惠政策,受突发事件影响地区的人民政府对突发事件发生后制定善后工作计划并组织实施;查明突发事件的发生经过和原因,总结经验教训等。

第五十八条　突发事件的威胁和危害得到控制或者消除后,履行统一领导职责或者组织处置突发事件的人民政府应当停止执行依照本法规定采取的应急处置措施,同时采取或者继续实施必要措施,防止发生自然灾害、事故灾难、公共卫生事件的次生、衍生事件或者重新引发社会安全事件。

【释义】　本条是关于停止执行应急处置措施及防止发生次生、衍生事件和重新引发社会安全事件的规定。

(一)关于停止本法规定的相关应急处置措施

突发事件的发生具有社会危害性,为了及时有效地处置突发事件,控制、减轻和消除突发事件造成的社会危害,就需要赋予政府必要的处置权力,政府有权依法采取一些非常措施。这些措施可能会对公民、法人或者其他组织的人身权、财产权产生一定的影响。例如,本法第 49 条和第 50 条规定了政府采取的应急处置措施,其中,第 49 条第 2 项规定“封锁危险场所,划定警戒区,实行交通管制”和第 50 条第 3 项规定“封锁有关场所、道路,限制有关公共场所内的活动”,这两项措施使公民的自由受到了一定程度的限制;第 49 条第 4 项规定“关闭或者限制使用有关场所,中止人员密集的活动或者可能导致危害扩大的生产经营活动”,使公民、法人或者其他组织的社会活动或者经济活动也受到了不同程度的限制。

应急处置措施随着突发事件的发生而实施,应当随着威胁和危害得到控制和解除而停止。如果不停止,就会失去其正当性和合法性。因此,本条规定,突发事件的威胁和危害得到控制或者消除后,履行统一领导职责或者组织处置工作的人民政府停止执行应急处置措施。

(二)采取或者继续实施必要措施,防止发生自然灾害、事故灾难、公共卫生事件的次生、衍生事件或者重新引发社会安全事件

自然灾害、事故灾难、公共卫生事件发生后,有可能会引发次生、衍生事件。次生事件是指在突发事件的灾害链中,由原生事件诱导的、第二次生成的、间接造成的事件;衍生事件是指由原生事件派生出来的、第三次生成的、因繁衍变化而发生的一系列事件。在突发事件的威胁和危害得到控制或者消除后,原生型突发事件仍然有可能会转化为派生型突发事件。因此,人民政府必须采取或者继续实施防止发生次生、衍生事件的必要措施。比如,地震发生时可能会引起火灾、水灾、山体滑坡、放射性污染、疫情等次生灾害。在平时的预防工作中,有关人民政府就应当对地震可能引起的各种次生灾害源采取相应的有效防范措施。当地震发生后,人民政府除继续实施相应防范措施外,还应针对当时的实际情况采取必要措施防止各种次生灾害的发生。严重破坏性地震发生后,

在地震灾区应采取必要措施维护社会秩序，防止破坏社会治安秩序的事件发生。

社会安全事件基本平息以后，组织处置工作的人民政府也不能放松警惕，应当采取有效的措施，如加强巡逻警戒，对受伤人员及时进行救治、安抚工作，继续做好矛盾纠纷的化解调处工作等，以防止重新引发社会安全事件。

第五十九条　突发事件应急处置工作结束后，履行统一领导职责的人民政府应当立即组织对突发事件造成的损失进行评估，组织受影响地区尽快恢复生产、生活、工作和社会秩序，制定恢复重建计划，并向上一级人民政府报告。

受突发事件影响地区的人民政府应当及时组织和协调公安、交通、铁路、民航、邮电、建设等有关部门恢复社会治安秩序，尽快修复被损坏的交通、通信、供水、排水、供电、供气、供热等公共设施。

【释义】　本条是关于政府在恢复与重建中职责的规定。

突发事件具有很强的破坏性，往往会对正常的社会秩序造成极大的干扰和破坏。当突发事件消除或者被控制以后，政府应当运用强大的动员力和组织能力恢复与重建正常的生产、生活、工作和社会秩序。

（一）履行统一领导职责的人民政府在恢复与重建工作中的职责

1. 损失评估

对突发事件造成的损失进行评估，是恢复与重建工作的基础和前提，如果没有对损失进行评估，相关的补偿、救济和抚慰以及突发事件调查、总结等工作都将无法顺利开展。

损失评估包括：一是统计在突发事件中死亡和受伤的人数、需要救援和安置的人数，并对遇难者的安葬工作、受伤人员的救治工作以及受灾人员的安置工作等进行必要的分析和评价。二是统计突发事件中各种设施、设备的损失情况，并对各种设施的紧急抢修工作进行分析和评价，为紧急抢修的安排和布置提供依据。三是统计公私财物的损失情况，统计突发事件造成的直接损失和间接损失。

2. 恢复生产、生活、工作和社会秩序

突发事件发生后，可能会使生产条件遭到破坏，工厂停产，有的群众只能依靠政府或其他救援组织的救济生活；有的群众被紧急疏散，住在临时的救援场所，生活秩序被打乱；也可能会出现学校停课、医院停诊、社会治安混乱等情况。因此需要恢复正常的生产、生活、工作和社会秩序。如果在这个环节工作不力，就会使社会仍然处于混乱之中，难以摆脱突发事件造成的影响，甚至还会引发新的社会矛盾和问题。

3. 制定恢复重建计划

重建通常是指在突发事件发生后，重建灾区生活环境与社会环境并达到或者超过突发事件发生前的标准。事后重建是一个非常复杂、庞大的系统工程，需要制定相关的计划，并认真予以落实。

实践中，一般根据突发事件造成的损失情况，分别制定事后恢复重建的近期、中期和远期建设计划。近期建设计划首先应保障灾民的基本生活需求，修建居民住房和其他最基本的配套设施，以保证人民群众尽快得到妥善安置。同时，应为这些群众开辟生活来源和就业渠道，以保证人民群众尽快恢复正常生活。在制定事后恢复重建的中、远期建设计划时，要综合考虑受害地区经济、社会、资源、环境的特点和实际情况，为该地区可持续发展创造有利条件。

地方人民政府受上一级政府的直接领导，并对其负责。履行统一领导职责的人民政府应当将恢复与重建的情况以及重建计划，向上一级人民政府报告，接受上级政府的指导和监督。

（二）受突发事件影响地区的人民政府在恢复与重建工作中的职责

1. 恢复社会治安秩序

突发事件发生以后，社会治安秩序可能会受到一定的影响。因此，突发事件结束之后，公安机关应继续加强执法，采取有效措施，打击违法犯罪活动，维护社会治安秩序。

2. 修复被损坏的公共设施

“交通、通信、供水、排水、供电、供气、供热”等公共设施工程均属于生命线工程系统。生命线工程联结千家万户，辐射城乡。这些公共设施以网络的形式发挥其社会功能，某一方面功能的失效都有可能迅速扩大突发事件的消极影响，造成难以估量的损失。“尽快修复”是国家对恢复生命线工程的时效要求。修复工作进展越快，对社会功能的恢复也就越有成效。

生命线工程涉及的部门比较多，这就要求突发事件发生地人民政府及时组织和协调交通、铁路、民航、邮电、建设等有关部门，尽快修复各种与人民生活和生产活动密切相关的公共设施。

第六十条　受突发事件影响地区的人民政府开展恢复重建工作需要上一级人民政府支持的，可以向上一级人民政府提出请求。上一级人民政府应当根据受影响地区遭受的损失和实际情况，提供资金、物资支持和技术指导，组织其他地区提供资金、物资和人力支援。

【释义】　本条是关于请求上一级人民政府支持恢复重建工作的规定。

受突发事件影响地区是指突发事件发生地以及其他受突发事件影响的毗邻或者相关地区。我国实行的是属地管理为主的应急管理体制。之所以强调属地管理为主，是因为只有通过突发事件发生地政府的迅速反应、有效应对和及时处理，才能有效地遏制突发事件的发展。但是,强调“属地管理为主”,并不排除上级政府及其有关部门对受突发事件影响地区工作的支持和指导,也不免除发生地之外的其他地区的协同义务。受突发事件影响地区的人民政府应当首先进行自力更生,动员或者调集资源开展恢复重建工作。但由于我国地域广阔,经济发展不平衡,某些地区的经济比较落后,财政比较困难,而突发事件可能会造成重大的损失,因此仅依靠受突发事件影响地区的人民政府自身的资金、物资和技术能力,可能无法独立完成事后的恢复重建工作。此时,受突发事件影响地区的人民政府可以向上一级人民政府请求支持。

根据宪法规定,县级以上的地方各级人民政府领导所属各工作部门和下级人民政府的工作。地方各级人民政府对上一级国家行政机关负责并报告工作。全国地方各级人民政府都是国务院统一领导下的国家行政机关,都服从国务院。在我国整个国家行政机关系统中,地方各级人民政府必须接受上级国家行政机关的领导,执行上级国家行政机关的决定和命令,并服从国务院的统一领导。受突发事件影响地区的人民政府请求上一级人民政府支持恢复重建工作时,上一级人民政府应当根据受突发事件影响地区遭受的损失和实际情况,提供资金、物资支持和技术指导,以帮助受突发事件影响地区迅速、有效地开展事后恢复重建工作。2006 年 5 月,第 1 号强台风“珍珠”进入福建省,沿该省沿海地区北上,纵穿该省。此次台风风力强、降雨强度大、影响范围广,在福建省滞留时间长,全省有 60 个县(市、区)的 425 个乡镇受灾。从 5 月 21 日到 6 月 19 日,福建省又连续遭受三次暴雨洪水袭击,其中 6 月 4 日至 7 日的特大暴雨又使全省 35 个县受灾。为帮助灾区尽快做好灾后恢复重建工作,国务院紧急下达强降雨灾后恢复重建项目中央预算内投资计划,支持福建省乡镇供排水设施、中小学校舍、乡镇卫生院、农村水利设施等方面的恢复重建项目。

受突发事件影响地区的人民政府请求上一级人民政府支持恢

复重建工作,上一级人民政府除了自己提供资金、物资支持和技术指导外,还可以组织其他地区提供资金、物资和人力支援。"一方有难,八方支援"是我国应对突发事件过程中形成的优良传统,是社会主义优越性的体现。在历次突发事件应对中,其他地区人民政府为受突发事件影响地区的恢复重建工作提供了重要而无私的帮助。有关的行政法规也规定了受突发事件影响地区外的其他地区的支援义务。根据《国家突发公共卫生事件应急预案》,事发地之外的地方各级人民政府卫生行政部门要服从上一级人民政府卫生行政部门的统一指挥和调度,支援突发公共卫生事件发生地区的应急处理工作。

第六十一条　国务院根据受突发事件影响地区遭受损失的情况,制定扶持该地区有关行业发展的优惠政策。

受突发事件影响地区的人民政府应当根据本地区遭受损失的情况,制定救助、补偿、抚慰、抚恤、安置等善后工作计划并组织实施,妥善解决因处置突发事件引发的矛盾和纠纷。

公民参加应急救援工作或者协助维护社会秩序期间,其在本单位的工资待遇和福利不变;表现突出、成绩显著的,由县级以上人民政府给予表彰或者奖励。

县级以上人民政府对在应急救援工作中伤亡的人员依法给予抚恤。

【释义】　本条是关于国务院制定有关优惠政策,受突发事件影响地区的人民政府制定善后工作计划并组织实施以及奖励和抚恤的规定。

(一)国务院对受突发事件影响地区制定有关优惠政策

受突发事件影响地区的恢复与重建,单纯依靠政府的支援是不够的,必须以自身的行业发展带动整个地区的经济发展。政府应当综合考虑受突发事件影响地区的长远发展,扶持适合这个地区发展的行业，为当地人民群众开辟生活来源和就业渠道，体现经济、社会、生态效益的有效统一，使恢复与重建工作和地区发展真正结合起来，创造可持续发展的人居环境。例如，为保持和促进家禽业持续稳定发展，尽量降低“禽流感”疫情所造成的损失，财政部、国家税务总局《关于家禽行业有关税收优惠政策的紧急通知》第1项中规定“对属于增值税一般纳税人的家禽加工企业和冷藏冷冻企业加工销售禽肉产品实行增值税即征即退政策，并减免城市维护建设税和教育费附加”。为了进一步减轻“非典”疫情给旅游业造成的损失，经国务院批准，财政部和国家税务总局发出了《关于延长部分受“非典”影响行业税收优惠政策的通知》，决定延长对部分受“非典”影响行业税收优惠政策。

（二）受突发事件影响地区的人民政府制定善后工作计划并组织实施

有效的工作要从合理计划的制订开始，善后工作计划主要包括救助、补偿、抚慰、抚恤、安置等方面：第一，受突发事件影响地区的人民政府应当及时用各种方式对受突发事件影响地区的群众提供救助，以减少突发事件受害者损失，减轻突发事件受害者痛苦；第二，对于突发事件发生期间，有关人民政府及其部门为应对突发事件征用单位和个人的财产的，应当及时返还，如果财产被征用或者征用后毁损、灭失的，应当给予补偿；第三，抚慰是对经历突发事件的受害者进行精神上的安慰，使受到灾害的人感受到政府的关怀，增强重建新生活的信心；第四，抚恤是指国家或者组织对因公受伤或者残废的人员，或者因公牺牲以及病故的人员的家属进行安慰并给予物质帮助；第五，修建居民住房和最基本的配套设施，对受突发事件影响地区的群众进行安置，同时，安置计划中应当考虑为这些群众开辟生活来源和就业渠道。受突发事件影响地区的人民政府按照这些有针对性的善后工作计划组织实施，有利于尽快恢复与重建，也有利于妥善解决因处置突发事件引发的矛盾和纠纷。

（三）关于公民参加应急救援工作或者协助维护社会秩序期间的福利、奖励和抚恤的规定

本法第11条规定，公民、法人和其他组织有义务参与突发事件应对工作。为了鼓励公民参加突发事件应对工作，本条规定，公民参加应急救援工作或者协助维护社会秩序期间，其在本单位的工资待遇和福利不变。本条还规定对表现突出、成绩显著的公民，由县级以上人民政府给予表彰或者奖励。进行表彰和奖励，对于激励和动员广大群众在突发事件发生时积极配合政府采取的应急处置措施，积极参加应急救援工作，有着积极的作用。

抚恤是指国家或者组织对因公伤残人员，或者因公牺牲的家属进行安慰并给予物质帮助。在应急救援工作中，参加应对救援工作的公民自身的健康和生命可能受到威胁。对于在应急救援工作中伤亡的人员由县级以上人民政府依法给予残疾抚恤或者死亡抚恤。这种抚恤既是对他们身体所受伤害的补偿，又是对他们工作的肯定。

第六十二条　履行统一领导职责的人民政府应当及时查明突发事件的发生经过和原因，总结突发事件应急处置工作的经验教训，制定改进措施，并向上一级人民政府提出报告。

【释义】　本条是关于突发事件发生之后，进行评估和总结，并向上级报告的规定。

各类突发事件发生之后，有关人民政府应当进行评估和总结，查明突发事件发生的原因，总结应急处置工作的经验教训，对突发事件应对工作的各个环节进行评估，并向上一级人民政府提出报告。

对事故灾难进行调查，是突发事件总结评估工作的一个重要方面。安全生产法、矿山安全法、消防法等单行法都对事故调查作

了规定。国务院还颁布了多项有关调查处理工作的行政法规，如《生产安全事故报告和调查处理条例》《铁路交通事故应急救援和调查处理条例》等。事故调查处理应按照实事求是、尊重科学的原则，查明事故性质和责任，总结事故教训，提出整改措施，并对事故责任者提出处理意见。

事故调查必须及时进行，要在规定的时间内完成调查工作。《生产安全事故报告和调查处理条例》第 29 条规定，事故调查组应当自事故发生之日起 60 日内提交事故调查报告；特殊情况下，经负责事故调查的人民政府批准，提交事故调查报告的期限可以适当延长，但延长的期限最长不超过 60 日。

事故调查报告应当包括下列内容：事故发生的经过和救援情况，事故造成的人员伤亡和直接经济损失，事故发生的原因和事故性质，事故责任的认定以及对责任者的处理建议，防范和整改措施。

第六章 法律责任

本章共6条,规定了地方各级人民政府和县级以上各级人民政府有关部门及其工作人员违反本法规定,不履行法定职责应当承担的法律责任;单位和个人违反本法规定应当承担的法律责任。

第六十三条 地方各级人民政府和县级以上各级人民政府有关部门违反本法规定,不履行法定职责的,由其上级行政机关或者监察机关责令改正;有下列情形之一的,根据情节对直接负责的主管人员和其他直接责任人员依法给予处分:

(一)未按规定采取预防措施,导致发生突发事件,或者未采取必要的防范措施,导致发生次生、衍生事件的;

(二)迟报、谎报、瞒报、漏报有关突发事件的信息,或者通报、报送、公布虚假信息,造成后果的;

(三)未按规定及时发布突发事件警报、采取预警期的措施,导致损害发生的;

(四)未按规定及时采取措施处置突发事件或者处置不当,造成后果的;

(五)不服从上级人民政府对突发事件应急处置工作的统一领导、指挥和协调的;

(六)未及时组织开展生产自救、恢复重建等善后工作的;

(七)截留、挪用、私分或者变相私分应急救援资金、物资的;

(八)不及时归还征用的单位和个人的财产,或者对被征用财产的单位和个人不按规定给予补偿的。

【释义】 本条是关于政府、政府有关部门及其工作人员不履行法定职责应当承担行政责任的规定。

各级人民政府和政府有关部门是国家的行政机关,应当依照法律规定的职责和权限管理国家各项行政事务。如果行政机关和行政机关工作人员不履行法定职责,就要承担相应的行政责任。

(一)地方各级人民政府和县级以上各级人民政府有关部门的行政责任

1. 依本条规定,承担责任的主体为地方各级人民政府和县级以上各级人民政府有关部门。"地方各级人民政府"是指从乡镇一级到省一级地方各级人民政府。"县级以上各级人民政府有关部门"是指县级、市级、省级政府有关部门和国务院有关部门。

2. 承担行政责任的情形为违反本法规定,不履行法定职责。本法对于各级政府和政府有关部门的职责在各章中基本都有规定。如第一章总则明确规定了政府和政府有关部门应对突发事件的职责和权限。在预防与应急准备、监测与预警、应急处置与救援、事后恢复与重建各章中都规定了各项具体职责。如果地方各级人民政府和县级以上人民政府有关部门不依法履行上述规定职责的,就要承担相应的行政责任。

3. 违反本法规定,不履行法定职责的,由上级行政机关或者监察机关责令改正。

追究这一行政责任的机关有两个:一是上级行政机关。上级行政机关对下级行政机关的日常工作负有领导和监督责任,一旦发现有不履职行为的,上级机关即有权予以处理。二是监察机关,根据行政监察法的规定,监察机关是人民政府行使监察职能的机关,对国家行政机关、国家公务员和国家行政机关任命的其他人员实施监察。监察机关有权依法检查国家行政机关在遵守和执行法律、法规和人民政府的决定、命令中的问题。

本条规定处理的方式是责令改正。责令改正是一种补救性的行政责任形式，是要求违法者消除违法状态，恢复合法状态。这里的责令改正就是要求有不履行法定职责行为的地方各级人民政府和县级以上各级人民政府有关部门改正其违法行为，履行本法规定的各项职责。

（二）直接负责的主管人员和其他直接责任人员的行政责任

如果行政机关违反本法规定，不履行法定职责，应当对直接负责的主管人员和其他直接责任人员依法给予处分。所谓“直接负责的主管人员”，是指在行政机关实施的违法行为中起决定、批准、授意、纵容、指挥等作用的人员，一般是行政机关的主要负责人。“其他直接责任人员”，是指具体实施违法行为的人员，可以是单位的管理人员或者其他工作人员。根据公务员法第 56 条和《行政机关公务员处分条例》第 6 条的规定，处分分为警告、记过、记大过、降级、撤职、开除。给予处分由任免机关或者监察机关，按照管理权限决定。

（三）应承担行政责任的情形

依本条规定，出现下列八项情形之一的，应当对直接负责的主管人员和其他直接责任人员依法给予处分。

1. 未按规定采取预防措施，导致发生突发事件，或者未采取必要的防范措施，导致发生次生、衍生事件。

（1）未按规定采取预防措施，导致发生突发事件。突发事件应对工作实行预防为主的原则。法律、法规、规章等都对预防措施作了明确规定。例如，本法第 20 条规定了县级以上人民政府对本行政区域内的危险源、危险区域进行管理的各项措施。如果没有按照规定采取预防措施，导致发生突发事件的，就要承担相应的行政责任。需要注意的是，未按规定采取预防措施，必须与发生突发事件存在因果关系，也就是说突发事件是因为未采取预防措施所导致的，如果按照规定采取了预防措施，是可以避免的。

（2）未采取必要的防范措施，导致发生次生、衍生事件。自然灾害、事故灾难或者公共卫生事件发生后，履行统一领导职责的人民政府应当及时采取处置措施，其中包括采取防止发生次生、衍生事件的必要措施。突发事件的威胁和危害得到控制或者消除后，也不应掉以轻心，履行统一领导职责的人民政府应当采取或者继续实施必要措施，防止发生次生、衍生事件。本法第 49 条、第 58 条对此作了规定。如果不按照上述两条的规定采取必要的防范措施，导致发生次生、衍生事件的，就要承担行政责任。

2. 迟报、谎报、瞒报、漏报有关突发事件的信息，或者通报、报送、公布虚假信息，造成后果。

突发事件的早发现、早报告、早公布，是及时做好应急准备、有效处置突发事件、减少人员伤亡和财产损失的前提。本法第 7 条、第 39 条、第 40 条、第 43 条、第 46 条、第 53 条等对突发事件应对工作的各个环节中有关信息的通报、报送和公布作出了规定。报送、报告突发事件信息，应当做到及时、客观、真实，要按照法定的内容、程序、方式、时限等进行报告、通告和公布。迟报、谎报、瞒报、漏报有关突发事件的信息，或者通报、报送、公布虚假信息，造成后果的，要承担行政责任。

3. 未按规定及时发布突发事件警报、采取预警期的措施，导致损害发生。

预警机制不够健全，是导致突发事件发生后处置不及时，不能有效防止、减轻人员财产损失的一个重要原因。为此本法规定国家建立健全突发事件预警制度。第 43 条规定了发布警报的权限和程序。第 44 条、第 45 条规定了预警期可以采取的措施。如果未按规定及时发布突发事件警报、采取预警期的措施，导致损害发生的，就要承担相应的行政责任。

4. 未按规定及时采取措施处置突发事件或者处置不当，造成后果。

突发事件发生后，政府必须在第一时间组织各方面力量依法及时采取有力措施控制事态发展,努力减轻和消除对人民生命财产造成的损害。本法第 7 条规定,突发事件发生后,发生地县级人民政府应当“立即”采取措施控制事态发展,组织开展应急救援和处置工作。第 49 条规定要“迅速”控制危险源,“立即”抢修公共设施等。政府和政府有关部门要严格按照上述规定采取应对措施。如果不及时采取措施处置突发事件,就要承担行政责任。

政府应对突发事件所采取的处置措施必须合法、适当。为此本法第 11 条规定,有关人民政府及其部门采取的应对突发事件的措施,应当与突发事件可能造成的社会危害的性质、程度和范围相适应;有多种措施可供选择的,应当选择有利于最大限度地保护公民、法人和其他组织权益的措施。第 48 条规定,突发事件发生后,履行统一领导职责或者组织处置突发事件的人民政府应当针对其性质、特点和危害程度采取应急处置措施。第 58 条规定,突发事件的威胁和危害得到控制或者消除后,履行统一领导职责或者组织处置突发事件的人民政府应当停止执行依照本法规定采取的应急处置措施。如果政府和政府有关部门违反上述规定,处置不当造成后果,要承担行政责任。

5. 不服从上级人民政府对突发事件应急处置工作的统一领导、指挥和协调。

本法总则对统一领导、综合协调、分类管理、分级负责、属地管理为主的应急管理体制作了规定。总则和其他各章对上下级政府在应对突发事件中的关系也作了规定。为确保应对工作的顺利进行,下级人民政府和其各有关部门必须服从上级人民政府对突发事件应急处置工作的统一领导、指挥和协调,否则就要承担相应的行政责任。

6. 未及时组织开展生产自救、恢复重建等善后工作。

为了减轻突发事件造成的损失和影响,突发事件的威胁和危害基本得到控制或者消除后,政府应当及时组织开展事后恢复与重建工作，及时开展生产自救，尽快修复重建受到损坏的居民房屋以及学校、医院等公共设施，制定善后工作计划并组织实施。本法第五章对事后恢复与重建作了规定。如果违反上述规定，就要承担相应的行政责任。

7. 截留、挪用、私分或者变相私分应急救援资金、物资。

根据本法第49条规定，突发事件发生后，政府要启用财政预备费和应急救援物资。第60条规定，上级政府要根据受影响地区的情况提供资金、物资支持，组织其他地区提供援助。本法第34条还规定，国家鼓励公民、法人和其他组织为人民政府应对突发事件工作提供物资、资金、技术支持和捐赠。应急救援资金和物资的启用和发放，对受突发事件影响地区的人心安定、生产生活秩序恢复和社会稳定具有重大作用。因此，政府及政府部门在应急救援资金、物资的分配和发放工作中，必须服从统一指挥、统一调配，要严格按照规定的用途、分配方案和数额，保证分配计划落实到位，不得截留、挪用、私分或者变相私分，否则将影响整个应对工作的正常有序开展。

8. 不及时归还征用的单位和个人的财产，或者对被征用财产的单位和个人不按规定给予补偿。

本法第12条规定，有关人民政府及其部门为应对突发事件，可以征用单位和个人的财产。被征用的财产在使用完毕或者突发事件应急处置工作结束后，应当及时返还。财产被征用或者征用后毁损、灭失的，应当给予补偿。如果不及时归还或者不按规定给予补偿的，就要承担相应的行政责任。

第六十四条　有关单位有下列情形之一的，由所在地履行统一领导职责的人民政府责令停产停业，暂扣或者吊销许可证或者营业执照，并处五万元以上二十万元以下的罚款；构成违反治安管理行为的，由公安机关依法给予处罚：

（一）未按规定采取预防措施，导致发生严重突发事件的；

（二）未及时消除已发现的可能引发突发事件的隐患，导致发生严重突发事件的；

（三）未做好应急设备、设施日常维护、检测工作，导致发生严重突发事件或者突发事件危害扩大的；

（四）突发事件发生后，不及时组织开展应急救援工作，造成严重后果的。

前款规定的行为，其他法律、行政法规规定由人民政府有关部门依法决定处罚的，从其规定。

【释义】 本条是关于相关单位违反本法规定，应当承担法律责任的规定。

（一）本条规定的责任主体是有关单位

“有关单位”是一个广义的概念，包括突发事件可能涉及的一切法人或者其他组织，主要是容易引发突发事件和容易受突发事件影响的经营生产单位和管理单位，包括第23条规定的“矿山、建筑施工单位和易燃易爆物品、危险化学品、放射性物品等危险物品的生产、经营、储运、使用单位”，第24条规定的“公共交通工具、公共场所和其他人员密集场所的经营单位或者管理单位”，第56条规定的“受到自然灾害危害或者发生事故灾难、公共卫生事件的单位”等。

突发事件应对工作涉及社会的方方面面，可能涉及每一个单位，本法对单位的职责与义务不可能作详细列举，只对具有共性的责任作了规定。单位的具体责任由有关的专门法律如传染病防治法、安全生产法等规定。本法在对有关单位的职责作原则规定的同时，对存在危险因素、危险源的生产经营单位或者从事公共服务单位的责任作了规定。如果有关单位违反本法的规定，并有本条规定违法情形的，就要承担相应的行政法律责任。

(二)单位承担法律责任的四种违法情形

1. 未按规定采取预防措施,导致发生严重突发事件。

本法第22条规定,所有单位应当建立健全安全管理制度,采取防范措施,并及时向所在地人民政府或者人民政府有关部门报告。第23条、第24条对矿山、建筑施工单位和危险物品的生产、经营、储运、使用单位,公共交通工具、公共场所和其他人员密集场所的经营单位或者管理单位应当采取的预防措施也作了规定。如果上述单位未能按照本法和相关法律、法规的规定采取预防措施,导致发生严重突发事件的,就要承担相应的法律责任。

2. 未及时消除已发现的可能引发突发事件的隐患,导致发生严重突发事件。

本法第22条规定,所有单位应当定期检查本单位各项安全防范措施的落实情况,及时消除事故隐患。第23条规定,矿山、建筑施工单位和危险物品的生产、经营、储运、使用单位,应当对生产经营场所、有危险物品的建筑物、构筑物及周边环境开展隐患排查,及时采取措施消除隐患。如果上述单位未能及时消除已发现的可能引发突发事件的隐患,导致发生严重突发事件,就要承担相应的法律责任。

3. 未做好应急设备、设施日常维护、检测工作,导致发生严重突发事件或者突发事件危害扩大。

本法第24条规定,有关单位应当定期检测、维护其报警装置和应急救援设备、设施,使其处于良好状态,确保正常使用。如果未能按照上述规定进行日常维护和检测工作,导致发生严重突发事件或者使突发事件造成的危害扩大,造成更大的社会危害的,就要承担法律责任。

4. 突发事件发生后,不及时组织开展应急救援工作,造成严重后果。

本法第56条规定,受到自然灾害危害或者发生事故灾难、公共卫生事件的单位,应当立即组织开展应急救援工作。其他单位应当配合人民政府做好本单位的应急救援工作,并积极参加所在地的应急救援和处置工作。如果上述单位在突发事件发生后,不及时组织开展应急救援工作,造成严重后果,就要承担法律责任。

(三)处罚机关与处罚的种类

本条规定,有关单位违反本法,有上述四种情形之一的,由所在地履行统一领导职责的人民政府进行处罚,构成违反治安管理行为的,由公安机关依法给予处罚。其他法律、行政法规规定由人民政府有关部门依法决定处罚的,从其规定。如传染病防治法第69条规定由县级以上人民政府卫生行政部门对医疗机构进行处罚。

依本条规定,对有关单位的违法行为给予下述处罚:

1. 责令停产停业。责令停产停业是责令违法者停止生产和经营活动的一种行政处罚。

2. 暂扣或者吊销许可证或者营业执照。暂扣或者吊销许可证或者营业执照,是指暂时扣留或者取消行政机关颁发的许可证或者营业执照,以暂时剥夺或者剥夺当事人从事某项生产或者经营活动权利的一种行政处罚。这是一种比责令停产停业更为严厉的处罚。

3. 罚款。罚款是行政机关强制违法者承担一定金钱给付义务的行政处罚。罚款的幅度为5万元以上20万元以下。值得注意的是,这里规定的是并处罚款,即在责令停产停业、暂扣或者吊销许可证或者营业执照的同时,处以罚款。

4. 治安管理处罚。本条规定,构成违反治安管理行为的,由公安机关依法给予处罚。

第六十五条　违反本法规定,编造并传播有关突发事件事态发展或者应急处置工作的虚假信息,或者明知是有关突发事件事态发展或者应急处置工作的虚假信息而进行传播的,责令改正,给

予警告;造成严重后果的,依法暂停其业务活动或者吊销其执业许可证;负有直接责任的人员是国家工作人员的,还应当对其依法给予处分;构成违反治安管理行为的,由公安机关依法给予处罚。

【释义】 本条是关于编造、传播虚假信息应当承担法律责任的规定。

突发事件造成或者可能造成严重的社会危害,给人民的生命财产安全带来威胁。在灾难性事件和其他危机来临之际,虚假信息的传播对公众心理与社会秩序的稳定会产生极大影响。因此,必须对编造、传播虚假信息的单位和个人进行制裁。

国务院提交全国人大常委会审议的突发事件应对法草案第57条规定,新闻媒体违反规定擅自发布有关突发事件处置工作的情况和事态发展的信息或者报道虚假情况,情节严重或者造成严重后果的,要处以罚款。在常委会审议和征求意见过程中,有的认为,不仅是新闻媒体应当报道真实情况,任何单位和个人都不能编造、传播虚假信息。有的认为,对编造、传播虚假信息的违法行为,要不要采用罚款的手段,尤其是规定只给予罚款的处罚是否妥当,值得研究。本法采纳了以上的意见,在应急处置与救援一章增加第54条,规定:“任何单位和个人不得编造、传播有关突发事件事态发展或者应急处置工作的虚假信息。”并在本条对违反第54条的单位和个人应承担的法律责任作了规定。

本条规定追究两种违法行为的法律责任:一是编造并传播有关突发事件事态发展或者应急处置工作的虚假信息,行为人必须有既编造又传播虚假信息的行为;另一种是明知是有关突发事件事态发展或者应急处置工作的虚假信息而进行传播。包括新闻媒体在内的任何单位和个人有上述两种行为之一的,都要承担相应的法律责任:

1.责令改正,给予警告。“责令改正”不是一种行政处罚。我国行政处罚法规定的行政处罚的种类,包括:警告;罚款;没收违法所得、没收非法财物；责令停产停业；暂扣或者吊销许可证、暂扣或者吊销执照；行政拘留六种行政处罚。责令改正是责令行为人改正违法行为。“警告”是一种行政处罚，具有谴责和告诫两重含义，告诫其应当遵守法律、法规和有关规定，不能再违法。

2. 依法暂停其业务活动或者吊销其执业许可证。编造、传播虚假信息造成严重后果的，还要依法暂停其业务活动或者吊销其执业许可证。“依法暂停其业务活动或者吊销其执业许可证”，是由相关主管部门依法对有违法行为的单位或者直接责任人员给予暂停业务活动，或者吊销执业许可证的处罚。

3. 依法给予处分。本条还规定，负有直接责任的人员是国家工作人员的，还应当对其依法给予处分。这里的“国家工作人员”是指国家机关中从事公务的人员。国有公司、企业、事业单位、人民团体中从事公务的人员和国家机关、国有公司、企业、事业单位委派到非国有公司、企业、事业单位、社会团体从事公务的人员，以及其他依照法律从事公务的人员，以国家工作人员论。这里的“处分”包括行政处分和单位内部的纪律处分。

按照公务员法和《行政机关公务员处分条例》规定，对国家公务员、国家行政机关任命的其他人员，以及对法律、法规授权的具有公共事务管理职能的事业单位中经批准参照公务员法管理的工作人员，分别由任免机关或者监察机关给予处分。此范围外的其他国家工作人员，按照单位内部或者本系统内部的纪律处分规定予以纪律处分。

4. 治安管理处罚。本条规定，构成违反治安管理行为的，由公安机关依法给予处罚。按照治安管理处罚法第 25 条规定，散布谣言，谎报险情、疫情、警情或者以其他方法故意扰乱公共秩序的，处 5 日以上 10 日以下拘留，可以并处 500 元以下罚款；情节较轻的，处 5 日以下拘留或者 500 元以下罚款。

第六十六条　单位或者个人违反本法规定，不服从所在地人民政府及其有关部门发布的决定、命令或者不配合其依法采取的措施，构成违反治安管理行为的，由公安机关依法给予处罚。

【释义】 本条是关于发生突发事件时，单位或者个人不服从、不配合政府发布的决定、命令和措施，予以治安管理处罚的规定。

突发事件发生后，履行统一领导职责或者组织处置工作的人民政府必须针对突发事件的性质、特点和危害程度，及时发布决定、命令，采取适当的应对措施，以控制危险局势的蔓延，稳定和尽快恢复社会秩序。在这种情况下，突发事件发生地的公民应当服从人民政府、居民委员会、村民委员会或者所属单位的指挥和安排，配合人民政府采取的应急处置措施，积极参加应急救援工作，协助维护社会秩序。

如果突发事件发生后，单位或者个人不服从政府的有关决定、命令和措施，就会严重扰乱这种非常情况下的社会管理秩序，因此，必须予以制止，对于构成违反治安管理行为的，由公安机关依法给予处罚。

治安管理处罚是指某种行为扰乱社会秩序，妨害公共安全，侵犯公私财产，尚不构成刑法规定犯罪的行为，由公安机关依照治安管理处罚法的规定给予的处罚。治安管理处罚的种类包括：警告、罚款、行政拘留、吊销公安机关发放的许可证。其中，行政拘留是法定行政机关依法对违反行政法律规范的人，在短期内限制其人身自由的一种处罚。行政拘留是行政处罚中最严厉的一种处罚。

治安管理处罚法第 50 条规定："有下列行为之一的，处警告或者二百元以下罚款；情节严重的，处五日以上十日以下拘留，可以并处五百元以下罚款：(一)拒不执行人民政府在紧急状态情况下依法发布的决定、命令的；(二)阻碍国家机关工作人员依法执行职务的；(三)阻碍执行紧急任务的消防车、救护车、工程抢险车、警车等车辆通行的;(四)强行冲闯公安机关设置的警戒带、警戒区的。”“阻碍人民警察依法执行职务的,从重处罚。”

单位或者个人违反本法规定,不服从所在地人民政府有关部门发布的决定、命令或者不配合其依法采取的措施,属于治安管理处罚法第 50 条规定的情形的,由公安机关依照治安管理处罚法给予处罚。

第六十七条　单位或者个人违反本法规定,导致突发事件发生或者危害扩大,给他人人身、财产造成损害的,应当依法承担民事责任。

【释义】　本条是关于单位或者个人违法,导致突发事件发生或危害扩大,应当依法承担民事责任的规定。

突发事件包括自然灾害、事故灾难、公共卫生事件和社会安全事件。单位或者个人违反本法规定,导致发生的突发事件主要是事故灾难、公共卫生事件和社会安全事件。

为预防突发事件的发生,本法规定单位、高危行业和人员密集场所,公共交通工具的经营者或者管理单位负有突发事件预防和应急准备的责任。本法第 22 条规定,所有单位应当建立健全安全管理制度,定期检查本单位各项安全防范措施的落实情况,及时消除事故隐患。本法第 23 条规定,矿山、建筑施工单位和易燃、易爆物品、危险化学品、放射性物品等危险物品的生产、经营、储运、使用单位,应当制定具体应急预案,并对生产经营场所、有危险物品的建筑物、构筑物及周边环境开展隐患排查,及时采取措施消除隐患,防止发生突发事件。本法第 24 条规定,公共交通工具、公共场所和其他人员密集场所的经营管理单位或者管理单位应当制定具体应急预案,为交通工具和有关场所配备报警装置和必要的应急救援设备、设施,注明其使用方法,并显著标明安全撤离的通道、路线,保证安全通道、出口的畅通。有关单位应当定期检测、维护其报警装置和应急救援设备、设施,使其处于良好状态,确保正常使用。

民事责任分为合同责任、侵权责任和其他责任。本条规定的民事责任是侵权责任。不论单位还是个人,凡属于违反本法规定,导致发生突发事件或者使得突发事件事态的危害扩大,给他人人身、财产造成损害的,都应当依法承担民事责任。

1. 承担民事责任的条件。本条中的民事责任承担需要具备两个条件:一是导致发生突发事件或者突发事件的危害扩大;二是造成了侵犯他人的人身、财产的后果。

2. 承担民事责任的形式。单位或者个人违反本法规定,导致突发事件发生或者突发事件的危害扩大,给他人人身、财产造成损害的,应当承担民事责任的责任形式主要是赔偿损失。

3. 承担民事责任的范围。根据本法规定,单位和个人违法,给他人人身、财产造成损害的,应承担民事责任。自然人人身权主要包括生命权、健康权、身体权、姓名权、肖像权、名誉权、自由权等。在突发事件造成的人身损害,损害的主要是人的生命权和健康权。

根据民法通则第119条的规定,侵害公民身体造成伤害的,应当赔偿医疗费、因误工减少的收入、残废者生活补助费等费用;造成死亡的,并应当支付丧葬费、死亡者生前扶养的人必要的生活费等费用。由此,对人身权损害赔偿区分为致人伤害(包括残疾)的赔偿和致人死亡赔偿。

致人伤害的赔偿包括:医疗费、与医疗有关的交通费和伙食补助费、误工减少的收入。致人残疾,除上述费用外,还包括残疾者生存期间的生活费和靠其抚养的人的生活费、残疾用具费。致人死亡的财产赔偿包括:死者治疗期间的医疗费、因治疗而减少的误工费、丧葬费、死者生前抚养的人的生活费。

造成财产损害,是指造成他人物的毁损或者灭失。毁损是指使物遭受破损、污损、烧损、锈损，原物虽然存在，但却失去了原有的使用功能，降低了物的价值。灭失是指原物不存在。对财产的损失赔偿包括直接损失赔偿和间接损失赔偿。直接损失，是受害人现有财产的减少，也就是加害人不法侵害受害人的财产权利，致使受害人的现有财产直接受到损失。如财物被毁损、被侵占而使受害人财富直接减少。间接损失，是受害人可得利益的丧失。一般说来，对间接损失的认定需要注意如下事项：间接损失是未来的可得利益，而不是既得利益；丧失的这种未来利益是具有实际意义的，是必得的利益而不是假设的利益；这种可得利益，必须是在一定范围内的，不可在逻辑关系上无限制扩展。

根据《最高人民法院关于确定民事侵权精神损害赔偿责任若干问题的解释》，自然人因生命权、健康权遭受非法侵害的，可以向人民法院请求精神损害赔偿。精神损害的赔偿金包括残疾赔偿金、死亡赔偿金及其他损害情形的精神抚慰金。

第六十八条　违反本法规定，构成犯罪的，依法追究刑事责任。

【释义】　本条是关于违反本法承担刑事责任的规定。

刑事责任是指具有刑事责任能力的人实施了刑事法律所禁止的行为（犯罪行为）所必须承担的法律责任。也就是说任何单位和公民个人实施了违反刑事法律的行为，都要承担由于他的犯罪行为所造成的法律后果。

根据刑事责任主体的不同性质划分，违反本法，构成犯罪，依法追究刑事责任，主要有以下几种情况：

（一）责任主体为国家机关工作人员

在突发事件的预防与应对中，政府及有关部门工作人员如违反法定职责，玩忽职守、滥用职权，将会给突发事件的应对工作带来严重后果，使国家和人民遭受严重损失。

在突发事件预防和应对过程中，地方政府及有关部门违反规定，未按规定采取预防措施，导致发生严重突发事件的；未按规定及时发布突发事件警报、采取预警期的措施，导致损害发生的；未按规定及时采取措施处置突发事件或者处置不当，造成严重后果的；截留、挪用、私分或者变相私分应急救援资金、物资的；未采取必要的防范措施，导致发生严重次生、衍生事件的，构成犯罪的，对直接负责的主管人员和其他直接责任人员依法追究刑事责任。我国刑法规定了渎职罪，第 397 条第 1 款规定：国家机关工作人员滥用职权或者玩忽职守，致使公共财产、国家和人民利益遭受重大损失的，处 3 年以下有期徒刑或者拘役；情节特别严重的，处 3 年以上 7 年以下有期徒刑。

（二）责任主体为有关单位

突发事件的预防与应对，除发挥政府的主导作用外，还要把相关责任落实到单位和个人，发挥全社会的力量。从事生产经营以及其他事业的单位负有在本单位建立健全安全管理制度、及时消除事故隐患的责任，本法第 22 条、23 条、24 条规定了，矿山、建筑施工单位和易燃易爆物品、危险化学品、放射性物品等危险物品的生产、经营、储运、使用单位，公共场所和其他人员密集场所、公共交通工具的经营、管理单位，以及其他单位在突发事件预防和应急准备中的责任。上述单位未按规定采取预防措施，导致发生严重突发事件的；未及时消除已发现的可能引发突发事件的隐患，导致发生严重突发事件的；未做好应急设备、设施日常维护、检测工作，导致发生严重突发事件或者突发事件危害扩大的；构成犯罪的，依法追究刑事责任。

我国刑法规定的危害公共安全罪、破坏环境资源罪和危害公共卫生罪等中涉及有关单位的刑事责任。例如，刑法第 330 条规定，违反传染病防治法的规定，有下列情形之一，引起甲类传染病传播或者有传播严重危险的，处 3 年以下有期徒刑或者拘役；后果特别严重的，处3年以上7年以下有期徒刑：(1)供水单位供应的饮用水不符合国家规定的卫生标准的；(2)拒绝按照卫生防疫机构提出的卫生要求，对传染病病原体污染的污水、污物、粪便进行消毒处理的；(3)准许或者纵容传染病病人，病原携带者和疑似传染病病人从事国务院卫生行政部门规定禁止从事的易使该传染病扩散的工作的；(4)拒绝执行卫生防疫机构依照传染病防治法提出的预防控制措施的。单位犯前款罪的，对单位判处罚金，并对其直接负责的主管人员和其他直接责任人员，依照前款的规定处罚。

(三)责任主体为个人

突发事件发生后，个人应服从和配合所在地人民政府及其有关部门发布的决定、命令及其各种应急措施。公民拒不服从、不予配合，构成犯罪的，依法追究刑事责任。

我国刑法规定了扰乱公共秩序罪。刑法第277条第1款规定：以暴力、胁迫方法阻碍国家机关工作人员依法执行职务的，处3年以下有期徒刑、拘役、管制或者罚金。

第七章　附　　则

附则一般规定杂项条款，主要包括法律中的名词、术语的解释，与本法有关但未列入法律适用范围的问题的处理，参照适用或者排除适用的情形，授权其他机关制定实施办法，以及法律的施行时间等。本章共2条，对突发事件引起的紧急状态及本法施行的时间作了规定。

第六十九条　发生特别重大突发事件，对人民生命财产安全、国家安全、公共安全、环境安全或者社会秩序构成重大威胁，采取本法和其他有关法律、法规、规章规定的应急处置措施不能消除或者有效控制、减轻其严重社会危害，需要进入紧急状态的，由全国人民代表大会常务委员会或者国务院依照宪法和其他有关法律规定的权限和程序决定。

紧急状态期间采取的非常措施，依照有关法律规定执行或者由全国人民代表大会常务委员会另行规定。

【释义】　本条是对突发事件引起的紧急状态的条件，决定进入紧急状态的程序以及紧急状态期间采取的非常措施的规定。

（一）关于突发事件与紧急状态的立法模式

鉴于突发事件与紧急状态既相互联系，又有区别，如何在立法中对二者进行规范，选择适当的立法模式，是本法制定过程中的一个突出问题。

2004年宪法修正案用“紧急状态”取代了“戒严”，确立了紧急状态制度。为此，十届全国人大常委会将紧急状态法列入立法规划。在紧急状态法草案起草的过程中,国务院经过反复研究,将其更名为“突发事件应对法”,将草案的调整范围定位于突发事件的预防、监测及应对活动。对于紧急状态,草案在总则部分进行了原则规定,即“发生或者即将发生特别重大突发事件,对人民生命财产安全、国家安全、公共安全、环境安全或者社会秩序构成重大威胁,采取本法和其他有关法律、法规、规章规定的应急处置措施不能消除或者有效控制、减轻其严重社会危害,需要进入紧急状态的,由全国人民代表大会常务委员会或者国务院依照宪法和其他有关法律规定的权限和程序决定”。

对于采用这样一种立法模式,国务院在关于“突发事件应对法(草案)”的说明中指出:“这样规定的主要考虑:一是解决我国在突发事件应对活动中存在的突出问题,是当前法制建设的一项紧迫任务。通过对各类突发事件的应对行为加以规范,明确应对工作的体制、机制、制度,以提高全社会应对突发事件的能力。二是突发事件的发生、演变一般都有一个过程。对突发事件的预防与应急准备、监督与预警、应急处置与救援等作出规定,有利于从制度上预防突发事件的发生,或者防止一般突发事件演变为需要实行紧急状态予以处置的特别严重事件,减少突发事件造成的损害。这与宪法确立的紧急状态制度的精神是一致的。三是宪法规定的紧急状态和戒严法规定的戒严都是应对最高程度的社会危险和威胁时采取的特别手段,实践中很少适用。即使出现需要实行紧急状态的情况,也完全可以根据宪法、戒严法等法律作出决定。”

对于如何根据宪法确立的紧急状态制度,在本法中处理好一般突发事件与紧急状态的关系,在常委会审议和调研征求意见过程中,有几种不同意见。一种意见认为,紧急状态的宣布有特定的条件和程序,不属于突发事件应对法的调整范围,宪法已经确立了紧急状态制度,为落实宪法的规定,应另行制定紧急状态法,本法可不涉及。第二种意见认为,本法应对草案规定的自然灾害、事故灾难、公共卫生事件和社会安全事件引发的紧急状态作出规定，以防止在紧急状态法未制定前存在法律空白。第三种意见认为，宪法规定的紧急状态是应对最高程度的社会危险和威胁时采取的特别手段，需要对行政机关赋予特殊权力，对公民的权利和自由需要加以特别限制，因而要考虑国内国外的影响，在现实生活中应当慎用，不到迫不得已时尽量不用。目前，我国已制定戒严法，处置危害国家安全的动乱、暴乱、严重骚乱三种政治事件引发的紧急状态，可以继续适用戒严法。由于突发事件法规定的四类突发事件的情况很不一样，比较复杂，如制定宣布进入紧急状态的具体标准、条件及特别的权力和措施，需要根据不同情况有针对性地作出规定，在尚无实践经验的条件下，目前难以作出具体规定。因此，可以考虑依照宪法规定由全国人大常委会或国务院在这四类突发事件出现特别严重的情况时决定进入紧急状态；同时，在紧急状态期间所采取的限制公民权利和自由的非常措施，可由全国人大常委会根据特定情况作出专门规定。这样能够为处理各种突发事件引发的紧急状态提供相应的法律依据。经过常委会审议，本法采纳了第二种意见。

（二）进入紧急状态的条件以及宣布进入紧急状态的主体

1. 宣布进入紧急状态的主体

我国宪法在三个条款中对紧急状态作了规定。宪法第 67 条规定，全国人大常委会决定全国或者个别省、自治区、直辖市进入紧急状态。第 80 条规定，中华人民共和国主席根据全国人大常委会的决定，宣布进入紧急状态。第 89 条规定，国务院依照法律规定决定省、自治区、直辖市的范围内部分地区进入紧急状态。戒严法第 3 条规定："全国或者个别省、自治区、直辖市的戒严，由国务院提请全国人民代表大会常务委员会决定；中华人民共和国主席根据全国人民代表大会常务委员会的决定，发布戒严令。""省、自治区、直辖市的范围内部分地区的戒严，由国务院决定，国务院总理发布戒严令。”

根据宪法和戒严法的上述规定，宣布进入紧急状态涉及三个主体，即全国人大常委会、国务院和国家主席。对于全国或者个别省、自治区、直辖市的紧急状态，由全国人大常委会决定，国家主席根据全国人大常委会的决定宣布进入紧急状态。对于省、自治区、直辖市的范围内部分地区的紧急状态，由国务院决定并宣布。

2. 宣布进入紧急状态的条件

紧急状态是一种非正常状态。在正常情况下，预防各种平时的危急状态，主要应靠完善公共安全方面的法律，加强危机管理，建立灾害预防和处置制度，提高公众的安全意识和政府的应急能力。紧急状态措施是国家迫不得已而采取的最后措施，这些非常措施会对公民及组织的权利、自由进行限制，对经济活动、社会活动的正常开展会带来一些负面影响。但如果不采取紧急状态，控制和消除危害，将会给国家和社会带来更大的灾难。宣布进入紧急状态，采取一些非常措施，是“两害相权取其轻”下的选择。建立紧急状态制度，不仅要发挥其积极意义，而且必须充分认识到它的消极影响。因此，明确宣布进入紧急状态的条件，具有重要的意义。

宪法没有对在何种情况下可以宣布进入紧急状态作出规定。戒严法和本法对宣布进入紧急状态的条件作了原则规定。戒严法第2条规定：“在发生严重危及国家的统一、安全或者社会公共安全的动乱、暴乱或者严重骚乱，不采取非常措施不足以维护社会秩序、保护人民的生命和财产安全的紧急状态时，国家可以决定实行戒严。”本法的规定与戒严法的精神是一致的，就是只有当事态极其严重，威胁到国家安全、社会安全以及人民群众的生命、健康、财产安全，并且采取其他法律规定的正常措施不能够维护秩序、保障安全的情况下，有权机关才能够决定并宣布进入紧急状态。也就是说，不到不得已的情况下，不得宣布进入紧急状态。

（三）紧急状态期间的非常措施

紧急状态期间采取的非常措施，包括戒严法规定的戒严期间可以采取的措施，以及戒严以外其他紧急状态情况下可以采取的非常措施。

1. 戒严期间可以采取的措施

根据戒严法的规定，戒严期间，戒严实施机关可以决定在戒严地区采取的措施包括：（1）禁止或者限制集会、游行、示威、街头讲演以及其他聚众活动；（2）禁止罢工、罢市、罢课；（3）实行新闻管制；（4）实行通讯、邮政、电信管制；（5）实行出境入境管制；（6）禁止任何反对戒严的活动；（7）在戒严地区采取交通管制措施，限制人员进出交通管制区域，并对进出交通管制区域人员的证件、车辆、物品进行检查；（8）实行宵禁，宵禁期间，在实行宵禁地区的街道或者其他公共场所通行，必须持有本人身份证件和戒严实施机关制发的特别通行证；（9）对武器、弹药、管制刀具、易燃易爆物品、化学危险物品、放射性物品、剧毒物品等采取特别管理措施；（10）根据执行戒严任务的需要，戒严地区的县级以上人民政府可以临时征用国家机关、企业事业组织、社会团体以及公民个人的房屋、场所、设施、运输工具、工程机械等；在非常紧急的情况下，执行戒严任务的人民警察、人民武装警察、人民解放军的现场指挥员可以直接决定临时征用；（11）对戒严地区首脑机关、军事机关和重要军事设施、外国驻华使领馆、国际组织驻华代表机构和国宾下榻处、广播电台、电视台、国家通讯社等重要新闻单位及其重要设施、与国计民生有重大关系的公用企业和公共设施、机场、火车站和港口、监狱、劳教场所、看守所等单位和场所，采取措施，加强警卫；（12）为保障戒严地区内的人民基本生活必需品的供应，对基本生活必需品的生产、运输、供应、价格，采取特别管理措施。

2. 戒严以外其他紧急状态情况下采取的非常措施

本条规定，戒严以外其他紧急状态情况下采取的非常措施，由全国人大常委会另行规定。根据这一规定,无论是由全国人大常委会决定的全国或者个别省、自治区、直辖市的紧急状态,还是由国务院决定的省、自治区、直辖市的范围内部分地区的紧急状态,需要采取非常措施的,均由全国人大常委会根据实际情况作出规定。

第七十条　本法自2007年11月1日起施行。

【释义】 本条是对本法施行时间的规定

所谓法律的施行时间即法律的生效时间。我国立法法第51条规定:"法律应当明确规定施行日期。"

法律自施行起生效。根据该法律施行的实际需要,我国法律对施行时间主要有两种方式:

第一种是法律条文中明确规定自公布之日起施行。如七届全国人大第五次会议审议通过的《中华人民共和国工会法》、十届全国人大三次会议通过的《反分裂国家法》,即是采取这种方式。

第二种是法律公布后并不立即生效施行,经过一段时间后才开始施行,法律中明确规定生效施行的日期。这是近年来我国在制定新法时使用的主要方式。

考虑到本法颁布后,各级政府及其有关部门,社会组织和有关单位要根据本条的规定进行相关的准备工作,因此,本法的实施时间定在2007年11月1日,即在本法公布2个月后施行。

第二部分 附 录

一、法律文本及立法文件

中华人民共和国突发事件应对法

（2007年8月30日第十届全国人民代表大会
常务委员会第二十九次会议通过）

目 录

第一章 总 则

第一条 为了预防和减少突发事件的发生，控制、减轻和消除突发事件引起的严重社会危害,规范突发事件应对活动,保护人民生命财产安全,维护国家安全、公共安全、环境安全和社会秩序,制定本法。

第二条 突发事件的预防与应急准备、监测与预警、应急处置与救援、事后恢复与重建等应对活动,适用本法。

第三条 本法所称突发事件,是指突然发生,造成或者可能造成严重社会危害,需要采取应急处置措施予以应对的自然灾害、事故灾难、公共卫生事件和社会安全事件。

按照社会危害程度、影响范围等因素,自然灾害、事故灾难、公共卫生事件分为特别重大、重大、较大和一般四级。法律、行政法规或者国务院另有规定的,从其规定。

突发事件的分级标准由国务院或者国务院确定的部门制定。

第四条 国家建立统一领导、综合协调、分类管理、分级负责、属地管理为主的应急管理体制。

第五条 突发事件应对工作实行预防为主、预防与应急相结合的原则。国家建立重大突发事件风险评估体系,对可能发生的突发事件进行综合性评估,减少重大突发事件的发生,最大限度地减轻重大突发事件的影响。

第六条 国家建立有效的社会动员机制,增强全民的公共安全和防范风险的意识,提高全社会的避险救助能力。

第七条 县级人民政府对本行政区域内突发事件的应对工作负责;涉及两个以上行政区域的,由有关行政区域共同的上一级人民政府负责,或者由各有关行政区域的上一级人民政府共同负责。

突发事件发生后,发生地县级人民政府应当立即采取措施控制事态发展,组织开展应急救援和处置工作,并立即向上一级人民政府报告,必要时可以越级上报。

突发事件发生地县级人民政府不能消除或者不能有效控制突发事件引起的严重社会危害的,应当及时向上级人民政府报告。上级人民政府应当及时采取措施,统一领导应急处置工作。

法律、行政法规规定由国务院有关部门对突发事件的应对工作负责的，从其规定；地方人民政府应当积极配合并提供必要的支持。

第八条　国务院在总理领导下研究、决定和部署特别重大突发事件的应对工作；根据实际需要，设立国家突发事件应急指挥机构，负责突发事件应对工作；必要时，国务院可以派出工作组指导有关工作。

县级以上地方各级人民政府设立由本级人民政府主要负责人、相关部门负责人、驻当地中国人民解放军和中国人民武装警察部队有关负责人组成的突发事件应急指挥机构，统一领导、协调本级人民政府各有关部门和下级人民政府开展突发事件应对工作；根据实际需要，设立相关类别突发事件应急指挥机构，组织、协调、指挥突发事件应对工作。

上级人民政府主管部门应当在各自职责范围内，指导、协助下级人民政府及其相应部门做好有关突发事件的应对工作。

第九条　国务院和县级以上地方各级人民政府是突发事件应对工作的行政领导机关，其办事机构及具体职责由国务院规定。

第十条　有关人民政府及其部门作出的应对突发事件的决定、命令，应当及时公布。

第十一条　有关人民政府及其部门采取的应对突发事件的措施，应当与突发事件可能造成的社会危害的性质、程度和范围相适应；有多种措施可供选择的，应当选择有利于最大程度地保护公民、法人和其他组织权益的措施。

公民、法人和其他组织有义务参与突发事件应对工作。

第十二条　有关人民政府及其部门为应对突发事件，可以征用单位和个人的财产。被征用的财产在使用完毕或者突发事件应急处置工作结束后，应当及时返还。财产被征用或者征用后毁损、灭失的，应当给予补偿。

第十三条　因采取突发事件应对措施，诉讼、行政复议、仲裁活动不能正常进行的，适用有关时效中止和程序中止的规定，但法律另有规定的除外。

第十四条 中国人民解放军、中国人民武装警察部队和民兵组织依照本法和其他有关法律、行政法规、军事法规的规定以及国务院、中央军事委员会的命令,参加突发事件的应急救援和处置工作。

第十五条 中华人民共和国政府在突发事件的预防、监测与预警、应急处置与救援、事后恢复与重建等方面,同外国政府和有关国际组织开展合作与交流。

第十六条 县级以上人民政府作出应对突发事件的决定、命令,应当报本级人民代表大会常务委员会备案;突发事件应急处置工作结束后,应当向本级人民代表大会常务委员会作出专项工作报告。

第二章　预防与应急准备

第十七条 国家建立健全突发事件应急预案体系。

国务院制定国家突发事件总体应急预案,组织制定国家突发事件专项应急预案;国务院有关部门根据各自的职责和国务院相关应急预案,制定国家突发事件部门应急预案。

地方各级人民政府和县级以上地方各级人民政府有关部门根据有关法律、法规、规章、上级人民政府及其有关部门的应急预案以及本地区的实际情况,制定相应的突发事件应急预案。

应急预案制定机关应当根据实际需要和情势变化,适时修订应急预案。应急预案的制定、修订程序由国务院规定。

第十八条 应急预案应当根据本法和其他有关法律、法规的规定,针对突发事件的性质、特点和可能造成的社会危害,具体规定突发事件应急管理工作的组织指挥体系与职责和突发事件的预防与预警机制、处置程序、应急保障措施以及事后恢复与重建措施等内容。

第十九条 城乡规划应当符合预防、处置突发事件的需要,统筹安排应对突发事件所必需的设备和基础设施建设,合理确定应急避难场所。

第二十条 县级人民政府应当对本行政区域内容易引发自然灾

害、事故灾难和公共卫生事件的危险源、危险区域进行调查、登记、风险评估,定期进行检查、监控,并责令有关单位采取安全防范措施。

省级和设区的市级人民政府应当对本行政区域内容易引发特别重大、重大突发事件的危险源、危险区域进行调查、登记、风险评估,组织进行检查、监控,并责令有关单位采取安全防范措施。

县级以上地方各级人民政府按照本法规定登记的危险源、危险区域,应当按照国家规定及时向社会公布。

第二十一条　县级人民政府及其有关部门、乡级人民政府、街道办事处、居民委员会、村民委员会应当及时调解处理可能引发社会安全事件的矛盾纠纷。

第二十二条　所有单位应当建立健全安全管理制度,定期检查本单位各项安全防范措施的落实情况,及时消除事故隐患;掌握并及时处理本单位存在的可能引发社会安全事件的问题,防止矛盾激化和事态扩大;对本单位可能发生的突发事件和采取安全防范措施的情况,应当按照规定及时向所在地人民政府或者人民政府有关部门报告。

第二十三条　矿山、建筑施工单位和易燃易爆物品、危险化学品、放射性物品等危险物品的生产、经营、储运、使用单位,应当制定具体应急预案,并对生产经营场所、有危险物品的建筑物、构筑物及周边环境开展隐患排查,及时采取措施消除隐患,防止发生突发事件。

第二十四条　公共交通工具、公共场所和其他人员密集场所的经营单位或者管理单位应当制定具体应急预案,为交通工具和有关场所配备报警装置和必要的应急救援设备、设施,注明其使用方法,并显著标明安全撤离的通道、路线,保证安全通道、出口的畅通。

有关单位应当定期检测、维护其报警装置和应急救援设备、设施,使其处于良好状态,确保正常使用。

第二十五条　县级以上人民政府应当建立健全突发事件应急管理培训制度,对人民政府及其有关部门负有处置突发事件职责的工作人员定期进行培训。

第二十六条 县级以上人民政府应当整合应急资源,建立或者确定综合性应急救援队伍。人民政府有关部门可以根据实际需要设立专业应急救援队伍。

县级以上人民政府及其有关部门可以建立由成年志愿者组成的应急救援队伍。单位应当建立由本单位职工组成的专职或者兼职应急救援队伍。

县级以上人民政府应当加强专业应急救援队伍与非专业应急救援队伍的合作,联合培训、联合演练,提高合成应急、协同应急的能力。

第二十七条 国务院有关部门、县级以上地方各级人民政府及其有关部门、有关单位应当为专业应急救援人员购买人身意外伤害保险,配备必要的防护装备和器材,减少应急救援人员的人身风险。

第二十八条 中国人民解放军、中国人民武装警察部队和民兵组织应当有计划地组织开展应急救援的专门训练。

第二十九条 县级人民政府及其有关部门、乡级人民政府、街道办事处应当组织开展应急知识的宣传普及活动和必要的应急演练。

居民委员会、村民委员会、企业事业单位应当根据所在地人民政府的要求,结合各自的实际情况,开展有关突发事件应急知识的宣传普及活动和必要的应急演练。

新闻媒体应当无偿开展突发事件预防与应急、自救与互救知识的公益宣传。

第三十条 各级各类学校应当把应急知识教育纳入教学内容,对学生进行应急知识教育,培养学生的安全意识和自救与互救能力。

教育主管部门应当对学校开展应急知识教育进行指导和监督。

第三十一条 国务院和县级以上地方各级人民政府应当采取财政措施,保障突发事件应对工作所需经费。

第三十二条 国家建立健全应急物资储备保障制度,完善重要应急物资的监管、生产、储备、调拨和紧急配送体系。

设区的市级以上人民政府和突发事件易发、多发地区的县级人民政府应当建立应急救援物资、生活必需品和应急处置装备的储备制度。

县级以上地方各级人民政府应当根据本地区的实际情况，与有关企业签订协议，保障应急救援物资、生活必需品和应急处置装备的生产、供给。

第三十三条　国家建立健全应急通信保障体系，完善公用通信网，建立有线与无线相结合、基础电信网络与机动通信系统相配套的应急通信系统，确保突发事件应对工作的通信畅通。

第三十四条　国家鼓励公民、法人和其他组织为人民政府应对突发事件工作提供物资、资金、技术支持和捐赠。

第三十五条　国家发展保险事业，建立国家财政支持的巨灾风险保险体系，并鼓励单位和公民参加保险。

第三十六条　国家鼓励、扶持具备相应条件的教学科研机构培养应急管理专门人才，鼓励、扶持教学科研机构和有关企业研究开发用于突发事件预防、监测、预警、应急处置与救援的新技术、新设备和新工具。

第三章　监测与预警

第三十七条　国务院建立全国统一的突发事件信息系统。

县级以上地方各级人民政府应当建立或者确定本地区统一的突发事件信息系统，汇集、储存、分析、传输有关突发事件的信息，并与上级人民政府及其有关部门、下级人民政府及其有关部门、专业机构和监测网点的突发事件信息系统实现互联互通，加强跨部门、跨地区的信息交流与情报合作。

第三十八条　县级以上人民政府及其有关部门、专业机构应当通过多种途径收集突发事件信息。

县级人民政府应当在居民委员会、村民委员会和有关单位建立专职或者兼职信息报告员制度。

获悉突发事件信息的公民、法人或者其他组织，应当立即向所在地人民政府、有关主管部门或者指定的专业机构报告。

第三十九条 地方各级人民政府应当按照国家有关规定向上级人民政府报送突发事件信息。县级以上人民政府有关主管部门应当向本级人民政府相关部门通报突发事件信息。专业机构、监测网点和信息报告员应当及时向所在地人民政府及其有关主管部门报告突发事件信息。

有关单位和人员报送、报告突发事件信息，应当做到及时、客观、真实，不得迟报、谎报、瞒报、漏报。

第四十条 县级以上地方各级人民政府应当及时汇总分析突发事件隐患和预警信息，必要时组织相关部门、专业技术人员、专家学者进行会商，对发生突发事件的可能性及其可能造成的影响进行评估；认为可能发生重大或者特别重大突发事件的，应当立即向上级人民政府报告，并向上级人民政府有关部门、当地驻军和可能受到危害的毗邻或者相关地区的人民政府通报。

第四十一条 国家建立健全突发事件监测制度。

县级以上人民政府及其有关部门应当根据自然灾害、事故灾难和公共卫生事件的种类和特点，建立健全基础信息数据库，完善监测网络，划分监测区域，确定监测点，明确监测项目，提供必要的设备、设施，配备专职或者兼职人员，对可能发生的突发事件进行监测。

第四十二条 国家建立健全突发事件预警制度。

可以预警的自然灾害、事故灾难和公共卫生事件的预警级别，按照突发事件发生的紧急程度、发展势态和可能造成的危害程度分为一级、二级、三级和四级，分别用红色、橙色、黄色和蓝色标示，一级为最高级别。

预警级别的划分标准由国务院或者国务院确定的部门制定。

第四十三条 可以预警的自然灾害、事故灾难或者公共卫生事件即将发生或者发生的可能性增大时，县级以上地方各级人民政府应当根据有关法律、行政法规和国务院规定的权限和程序，发布相应级别的警报，决定并宣布有关地区进入预警期，同时向上一级人民政府报告，必要时可以越级上报，并向当地驻军和可能受到危害的毗邻或者相关地区的人民政府通报。

第四十四条 发布三级、四级警报，宣布进入预警期后，县级以上地方各级人民政府应当根据即将发生的突发事件的特点和可能造成的危害，采取下列措施：

（一）启动应急预案；

（二）责令有关部门、专业机构、监测网点和负有特定职责的人员及时收集、报告有关信息，向社会公布反映突发事件信息的渠道，加强对突发事件发生、发展情况的监测、预报和预警工作；

（三）组织有关部门和机构、专业技术人员、有关专家学者，随时对突发事件信息进行分析评估，预测发生突发事件可能性的大小、影响范围和强度以及可能发生的突发事件的级别；

（四）定时向社会发布与公众有关的突发事件预测信息和分析评估结果，并对相关信息的报道工作进行管理；

（五）及时按照有关规定向社会发布可能受到突发事件危害的警告，宣传避免、减轻危害的常识，公布咨询电话。

第四十五条 发布一级、二级警报，宣布进入预警期后，县级以上地方各级人民政府除采取本法第四十四条规定的措施外，还应当针对即将发生的突发事件的特点和可能造成的危害，采取下列一项或者多项措施：

（一）责令应急救援队伍、负有特定职责的人员进入待命状态，并动员后备人员做好参加应急救援和处置工作的准备；

（二）调集应急救援所需物资、设备、工具，准备应急设施和避难场所，并确保其处于良好状态、随时可以投入正常使用；

（三）加强对重点单位、重要部位和重要基础设施的安全保卫，维护社会治安秩序；

（四）采取必要措施，确保交通、通信、供水、排水、供电、供气、供热等公共设施的安全和正常运行；

（五）及时向社会发布有关采取特定措施避免或者减轻危害的建议、劝告；

（六）转移、疏散或者撤离易受突发事件危害的人员并予以妥善安置，转移重要财产；

（七）关闭或者限制使用易受突发事件危害的场所，控制或者限制容易导致危害扩大的公共场所的活动；

（八）法律、法规、规章规定的其他必要的防范性、保护性措施。

第四十六条 对即将发生或者已经发生的社会安全事件，县级以上地方各级人民政府及其有关主管部门应当按照规定向上一级人民政府及其有关主管部门报告，必要时可以越级上报。

第四十七条 发布突发事件警报的人民政府应当根据事态的发展，按照有关规定适时调整预警级别并重新发布。

有事实证明不可能发生突发事件或者危险已经解除的，发布警报的人民政府应当立即宣布解除警报，终止预警期，并解除已经采取的有关措施。

第四章 应急处置与救援

第四十八条 突发事件发生后，履行统一领导职责或者组织处置突发事件的人民政府应当针对其性质、特点和危害程度，立即组织有关部门，调动应急救援队伍和社会力量，依照本章的规定和有关法律、法规、规章的规定采取应急处置措施。

第四十九条 自然灾害、事故灾难或者公共卫生事件发生后，履行统一领导职责的人民政府可以采取下列一项或者多项应急处置措施：

（一）组织营救和救治受害人员，疏散、撤离并妥善安置受到威胁的人员以及采取其他救助措施；

（二）迅速控制危险源，标明危险区域，封锁危险场所，划定警戒区，实行交通管制以及其他控制措施；

（三）立即抢修被损坏的交通、通信、供水、排水、供电、供气、供热等公共设施，向受到危害的人员提供避难场所和生活必需品，实施医疗救护和卫生防疫以及其他保障措施；

（四）禁止或者限制使用有关设备、设施，关闭或者限制使用有关场所，中止人员密集的活动或者可能导致危害扩大的生产经营活动以及采取其他保护措施；

（五）启用本级人民政府设置的财政预备费和储备的应急救援物资，必要时调用其他急需物资、设备、设施、工具；

（六）组织公民参加应急救援和处置工作，要求具有特定专长的人员提供服务；

（七）保障食品、饮用水、燃料等基本生活必需品的供应；

（八）依法从严惩处囤积居奇、哄抬物价、制假售假等扰乱市场秩序的行为，稳定市场价格，维护市场秩序；

（九）依法从严惩处哄抢财物、干扰破坏应急处置工作等扰乱社会秩序的行为，维护社会治安；

（十）采取防止发生次生、衍生事件的必要措施。

第五十条　社会安全事件发生后，组织处置工作的人民政府应当立即组织有关部门并由公安机关针对事件的性质和特点，依照有关法律、行政法规和国家其他有关规定，采取下列一项或者多项应急处置措施：

（一）强制隔离使用器械相互对抗或者以暴力行为参与冲突的当事人，妥善解决现场纠纷和争端，控制事态发展；

（二）对特定区域内的建筑物、交通工具、设备、设施以及燃料、燃气、电力、水的供应进行控制；

（三）封锁有关场所、道路，查验现场人员的身份证件，限制有关公共场所内的活动；

（四）加强对易受冲击的核心机关和单位的警卫，在国家机关、军事机关、国家通讯社、广播电台、电视台、外国驻华使领馆等单位附近设置临时警戒线；

（五）法律、行政法规和国务院规定的其他必要措施。

严重危害社会治安秩序的事件发生时，公安机关应当立即依法出动警力，根据现场情况依法采取相应的强制性措施，尽快使社会秩序恢复正常。

第五十一条 发生突发事件，严重影响国民经济正常运行时，国务院或者国务院授权的有关主管部门可以采取保障、控制等必要的应急措施，保障人民群众的基本生活需要，最大限度地减轻突发事件的影响。

第五十二条 履行统一领导职责或者组织处置突发事件的人民政府，必要时可以向单位和个人征用应急救援所需设备、设施、场地、交通工具和其他物资，请求其他地方人民政府提供人力、物力、财力或者技术支援，要求生产、供应生活必需品和应急救援物资的企业组织生产、保证供给，要求提供医疗、交通等公共服务的组织提供相应的服务。

履行统一领导职责或者组织处置突发事件的人民政府，应当组织协调运输经营单位，优先运送处置突发事件所需物资、设备、工具、应急救援人员和受到突发事件危害的人员。

第五十三条 履行统一领导职责或者组织处置突发事件的人民政府，应当按照有关规定统一、准确、及时发布有关突发事件事态发展和应急处置工作的信息。

第五十四条 任何单位和个人不得编造、传播有关突发事件事态发展或者应急处置工作的虚假信息。

第五十五条 突发事件发生地的居民委员会、村民委员会和其他组织应当按照当地人民政府的决定、命令，进行宣传动员，组织群众开展自救和互救，协助维护社会秩序。

第五十六条 受到自然灾害危害或者发生事故灾难、公共卫生事件的单位，应当立即组织本单位应急救援队伍和工作人员营救受害人员，疏散、撤离、安置受到威胁的人员，控制危险源，标明危险区域，封锁危险场所，并采取其他防止危害扩大的必要措施，同时向所在地县级人民政府报告；对因本单位的问题引发的或者主体是本单位人员的社会安全事件，有关单位应当按照规定上报情况，并迅速派出负责人赶赴现场开展劝解、疏导工作。

突发事件发生地的其他单位应当服从人民政府发布的决定、命令，配合人民政府采取的应急处置措施，做好本单位的应急救援工作，并积极组织人员参加所在地的应急救援和处置工作。

第五十七条　突发事件发生地的公民应当服从人民政府、居民委员会、村民委员会或者所属单位的指挥和安排，配合人民政府采取的应急处置措施，积极参加应急救援工作，协助维护社会秩序。

第五章　事后恢复与重建

第五十八条　突发事件的威胁和危害得到控制或者消除后，履行统一领导职责或者组织处置突发事件的人民政府应当停止执行依照本法规定采取的应急处置措施，同时采取或者继续实施必要措施，防止发生自然灾害、事故灾难、公共卫生事件的次生、衍生事件或者重新引发社会安全事件。

第五十九条　突发事件应急处置工作结束后，履行统一领导职责的人民政府应当立即组织对突发事件造成的损失进行评估，组织受影响地区尽快恢复生产、生活、工作和社会秩序，制定恢复重建计划，并向上一级人民政府报告。

受突发事件影响地区的人民政府应当及时组织和协调公安、交通、铁路、民航、邮电、建设等有关部门恢复社会治安秩序，尽快修复被损坏的交通、通信、供水、排水、供电、供气、供热等公共设施。

第六十条　受突发事件影响地区的人民政府开展恢复重建工作需要上一级人民政府支持的，可以向上一级人民政府提出请求。上一级人民政府应当根据受影响地区遭受的损失和实际情况，提供资金、物资支持和技术指导，组织其他地区提供资金、物资和人力支援。

第六十一条　国务院根据受突发事件影响地区遭受损失的情况，制定扶持该地区有关行业发展的优惠政策。

受突发事件影响地区的人民政府应当根据本地区遭受损失的情

况，制定救助、补偿、抚慰、抚恤、安置等善后工作计划并组织实施，妥善解决因处置突发事件引发的矛盾和纠纷。

公民参加应急救援工作或者协助维护社会秩序期间，其在本单位的工资待遇和福利不变；表现突出、成绩显著的，由县级以上人民政府给予表彰或者奖励。

县级以上人民政府对在应急救援工作中伤亡的人员依法给予抚恤。

第六十二条 履行统一领导职责的人民政府应当及时查明突发事件的发生经过和原因，总结突发事件应急处置工作的经验教训，制定改进措施，并向上一级人民政府提出报告。

第六章 法律责任

第六十三条 地方各级人民政府和县级以上各级人民政府有关部门违反本法规定，不履行法定职责的，由其上级行政机关或者监察机关责令改正；有下列情形之一的，根据情节对直接负责的主管人员和其他直接责任人员依法给予处分：

（一）未按规定采取预防措施，导致发生突发事件，或者未采取必要的防范措施，导致发生次生、衍生事件的；

（二）迟报、谎报、瞒报、漏报有关突发事件的信息，或者通报、报送、公布虚假信息，造成后果的；

（三）未按规定及时发布突发事件警报、采取预警期的措施，导致损害发生的；

（四）未按规定及时采取措施处置突发事件或者处置不当，造成后果的；

（五）不服从上级人民政府对突发事件应急处置工作的统一领导、指挥和协调的；

（六）未及时组织开展生产自救、恢复重建等善后工作的；

（七）截留、挪用、私分或者变相私分应急救援资金、物资的；

（八）不及时归还征用的单位和个人的财产，或者对被征用财产的单位和个人不按规定给予补偿的。

第六十四条 有关单位有下列情形之一的,由所在地履行统一领导职责的人民政府责令停产停业,暂扣或者吊销许可证或者营业执照,并处五万元以上二十万元以下的罚款;构成违反治安管理行为的,由公安机关依法给予处罚:

(一)未按规定采取预防措施,导致发生严重突发事件的;

(二)未及时消除已发现的可能引发突发事件的隐患,导致发生严重突发事件的;

(三)未做好应急设备、设施日常维护、检测工作,导致发生严重突发事件或者突发事件危害扩大的;

(四)突发事件发生后,不及时组织开展应急救援工作,造成严重后果的。

前款规定的行为,其他法律、行政法规规定由人民政府有关部门依法决定处罚的,从其规定。

第六十五条 违反本法规定,编造并传播有关突发事件事态发展或者应急处置工作的虚假信息,或者明知是有关突发事件事态发展或者应急处置工作的虚假信息而进行传播的,责令改正,给予警告;造成严重后果的,依法暂停其业务活动或者吊销其执业许可证;负有直接责任的人员是国家工作人员的,还应当对其依法给予处分;构成违反治安管理行为的,由公安机关依法给予处罚。

第六十六条 单位或者个人违反本法规定,不服从所在地人民政府及其有关部门发布的决定、命令或者不配合其依法采取的措施,构成违反治安管理行为的,由公安机关依法给予处罚。

第六十七条 单位或者个人违反本法规定,导致突发事件发生或者危害扩大,给他人人身、财产造成损害的,应当依法承担民事责任。

第六十八条 违反本法规定,构成犯罪的,依法追究刑事责任。

第七章 附 则

第六十九条 发生特别重大突发事件,对人民生命财产安全、国家安全、公共安全、环境安全或者社会秩序构成重大威胁，采取本法和其他有关法律、法规、规章规定的应急处置措施不能消除或者有效控制、减轻其严重社会危害，需要进入紧急状态的，由全国人民代表大会常务委员会或者国务院依照宪法和其他有关法律规定的权限和程序决定。

紧急状态期间采取的非常措施，依照有关法律规定执行或者由全国人民代表大会常务委员会另行规定。

第七十条 本法自2007年11月1日起施行。

关于《中华人民共和国突发事件应对法(草案)》的说明

国务院法制办公室主任 曹康泰

委员长、各位副委员长、秘书长、各位委员:

我受国务院的委托,现对《中华人民共和国突发事件应对法(草案)》作说明。

突发事件应对法曾以紧急状态法的名称列入十届全国人大常委会立法规划。自2003年5月起,国务院法制办成立起草领导小组,着手本法的研究起草工作,先后委托两所高等院校和一个省级人民政府法制办进行研究并起草建议稿,重点研究了美、俄、德、意、日等十多个国家应对突发事件的法律制度,举办了两次国际研讨会,并多次赴地方调研。在此基础上,先后起草了本法的征求意见稿和草案,两次征求全国人大、全国政协有关单位和有关社会团体、各省级和较大的市级政府、国务院各部门、最高人民法院、中央军委法制局和专家学者的意见,三次送请国务院有关部门和中央军委法制局核稿,多次召开国内座谈会、论证会,听取国务院有关部门、一些地方人民政府和专家学者的意见,并会同国务院办公厅应急预案工作小组就草案与应急预案协调、衔接的问题反复进行研究。2005年3月,国务院第83次常务会议讨论了草案。根据常务会议精神对草案作了进一步修改、完善,就修改的有关内容向全国人大法律委、全国人大常委会法工委作了汇报,并将法名改为突发事件应对法,再次赴有关地方调研，征求有关地方、国务院有关部门和专家学者的意见。经过两年多的反复研究、论证，广泛征求意见，数易其稿，形成了《中华人民共和国突发事件应对法（草案）》（以下简称草案）。草案已经 2006 年 5 月 31 日国务院第 138 次常务会议讨论通过。草案共 7 章 62 条。现就草案的几个主要问题说明如下：

一、关于制定本法的必要性

我国是一个自然灾害、事故灾难等突发事件较多的国家。各种突发事件的频繁发生，给人民群众的生命财产造成了巨大损失。党和国家历来高度重视突发事件应对工作，采取了一系列措施，建立了许多应急管理制度，这些措施和制度对保护人民生命财产安全发挥了重要作用。目前，在突发事件应对工作中也还存在一些突出问题：一是应对突发事件的责任不够明确，统一、协调、灵敏的应对体制尚未形成。二是一些行政机关应对突发事件的能力不够强，危机意识不够高，依法可以采取的应急处置措施不够充分、有力。三是突发事件的预防与应急准备、监测与预警、应急处置与救援等制度、机制不够完善，导致一些突发事件未能得到有效预防，有的突发事件引起的社会危害未能及时得到控制。四是社会广泛参与应对工作的机制还不够健全，公众的自救与互救能力不够强、危机意识有待提高。近几年来，国务院和地方人民政府制定了有关自然灾害、事故灾难、公共卫生事件和社会安全事件的应急预案，初步建立了突发事件应急管理体制和机制。为了提高社会各方面依法应对突发事件的能力，及时有效控制、减轻和消除突发事件引起的严重社会危害，保护人民生命财产安全，维护国家安全、公共安全、环境安全和社会秩序，构建社会主义和谐社会，在认真总结我国应对突发事件经验教训、借鉴其他国家成功做法的基础上，根据宪法制定一部规范应对各类突发事件共同行为的法律是十分必要的。

二、关于本法的调整范围

针对当前我国应对突发事件的实际，草案规定：本法适用于突发事件的预防与应急准备、监测与预警、应急处置与救援、事后恢复与重建等应对活动;发生或者即将发生特别重大突发事件,对人民生命财产安全、国家安全、公共安全、环境安全或者社会秩序构成重大威胁,采取本法和其他有关法律、法规、规章规定的应急处置措施不能消除或者有效控制、减轻其严重社会危害,需要进入紧急状态的,由全国人民代表大会常务委员会或者国务院依照宪法和其他有关法律规定的权限和程序决定。(第二条)这样规定的主要考虑:

一是解决我国在突发事件应对活动中存在的突出问题,是当前法制建设的一项紧迫任务。通过对各类突发事件的应对行为加以规范,明确应对工作的体制、机制、制度,以提高全社会应对各类突发事件的能力。

二是突发事件的发生、演变一般都有一个过程。对突发事件的预防与应急准备、监测与预警、应急处置与救援等作出规定,有利于从制度上预防突发事件的发生,或者防止一般突发事件演变为需要实行紧急状态予以处置的特别严重事件,减少突发事件造成的损害。这与宪法确立的紧急状态制度的精神是一致的。

三是宪法规定的紧急状态和戒严法规定的戒严都是应对最高程度的社会危险和威胁时采取的特别手段,实践中很少适用。即使出现需要实行紧急状态的情况,也完全可以根据宪法、戒严法等法律作出决定。

三、关于起草本法的总体思路

突发事件的发生往往具有社会危害性。为了及时有效处置突发事件,控制、减轻和消除突发事件引起的严重社会危害,需要充分发挥政府的主导作用,由政府组织、动员各种资源加以应对。这就需要赋予政府必要的处置权力。但是,由于这项权力由政府集中行使,存在着某些行政机关及其工作人员滥用权力、侵犯公民、法人和其他组织权利的可能性,必须对政府行使处置权力作出必要的限制和规范。同时,在发生或者可能发生危及公民人身和生命财产安全的突发事件时,有关的社会公众也负有义不容辞的责任,这就要求对公民、法人和其他组织应当履行的义务作出规定。按照上述思路,草案规定了政府为处置突发事件可以采取的各种必要措施,并规定:政府采取的处置突发事件的措施应当与突发事件可能造成的社会危害的性质、程度和范围相适应,有多种措施可供选择的,应当选择有利于最大程度地保护公民、法人或者其他组织权益的措施;公民、法人和其他组织有义务参与突发事件应对工作;为应对突发事件征收或者征用公民、法人或者其他组织的财产应当给予合理补偿。(第九条、第十条)

四、关于突发事件的管理体制

建立统一领导、分级负责、综合协调的突发事件管理体制,是提高快速反应能力、划分各级政府的应急职责、有效整合各种资源、及时高效开展应急救援工作的关键。为了建立统一领导、分级负责的管理体制,明确各级政府应对突发事件的责任,草案规定:自然灾害、事故灾难、公共卫生事件分为特别重大、重大、较大和一般四级,法律、行政法规或者国务院另有规定的从其规定;县级人民政府对本行政区域内突发事件的应对工作负责,突发事件发生后,发生地县级人民政府应当立即进行先期处置;一般和较大自然灾害、事故灾难、公共卫生事件的应急处置工作分别由县级和设区的市级政府统一领导;重大和特别重大的自然灾害、事故灾难、公共卫生事件的应急处置工作由发生地省级人民政府统一领导,其中影响全国、跨省级行政区域或者超出省级政府处置能力的特别重大的自然灾害、事故灾难、公共卫生事件的应急处置工作由国务院统一领导;社会安全事件由发生地县级人民政府组织处置,必要时上级人民政府可以直接组织处置。(第三条至第五条)

为了建立综合协调的突发事件应对机制,有效整合各种资源,结合当前实际,草案规定:国务院在总理领导下研究、决定和部署特别重大突发事件的应对工作,根据实际需要设立国家突发事件应急指挥机构负责突发事件的应对工作,必要时派出国务院工作组指导有关工作;县级以上地方人民政府设立由有关负责人组成的突发事件应急指挥机构,统一领导、协调本级政府各有关部门和下级人民政府开展突发事件的应对工作,并根据实际需要设立相关类别突发事件应急指挥机构,组织、协调、指挥突发事件的应对工作;上级人民政府主管部门应当在各自职责范围内,指导、协助下级人民政府及其相应部门做好有关突发事件的应对工作;国务院和县级以上地方人民政府是突发事件应对工作的行政领导机关。(第六条、第七条)

五、关于突发事件的预防和应急准备

建立健全有效的突发事件预防和应急准备制度,是做好突发事件应急处置工作的基础。据此,草案从四个方面作了明确规定:

一是各级政府和政府有关部门应当制定、适时修订应急预案,并严格予以执行;城乡规划应当符合预防、处置突发事件和维护国家安全、公共安全、环境安全、社会秩序的需要;县级政府应当加强对本行政区域内危险源、危险区域的监控,责令有关单位采取有效的安全防范措施并进行监督检查;所有单位应当建立健全安全管理制度,配备报警装置和必要的应急救援设备、设施,及时消除隐患,掌握并及时处理本单位可能引发突发事件的问题;基层组织和单位应当经常排查调处矛盾纠纷,防止矛盾激化。(第十四条至第十九条)

二是县级以上人民政府应当建立健全政府及其部门有关工作人员应急管理知识和法律法规的培训制度,整合应急资源,建立健全综合、专业、专职与兼职、志愿者应急救援队伍体系并加强培训和演练;中国人民解放军、中国人民武装警察部队和民兵组织应当有计划地组织开展应急救援知识和技能的专门训练。(第二十条至第二十二条)

三是县级人民政府及其有关部门、乡级人民政府、街道办事处和基层群众自治组织、有关单位应当组织开展应急知识的宣传普及活动和必要的应急演练,新闻媒体应当无偿开展应急知识的公益宣传;

各级各类学校和其他教育机构应当将应急知识教育作为学生素质教育的重要内容。(第二十三条、第二十四条)

四是县级以上人民政府应当保障突发事件应对工作所需经费;国家建立健全重要应急物资的监管、生产、储备、调拨和紧急配送体系,完善应急物资储备保障制度和应急通信保障体系;国家鼓励公民、法人和其他组织为人民政府应对突发事件工作提供物资、资金、技术支持和捐赠;县级以上人民政府及其有关部门应当做好应对突发事件的经费和物资准备,组织做好应急救援物资生产能力的储备,保障突发事件应对工作的通信畅通,扶持相关科学研究和危机管理专门人才的培养。(第二十五条至第二十九条)

六、关于突发事件的监测和预警

突发事件的早发现、早报告、早预警,是及时做好应急准备、有效处置突发事件、减少人员伤亡和财产损失的前提。据此,草案规定:国务院建立全国统一的突发事件信息系统,县级以上地方人民政府应当建立或者确定本地区统一的突发事件信息系统,各级人民政府及其有关部门的信息系统应当实现互联互通;县级以上人民政府及其有关部门应当建立健全有关突发事件的监测制度和监测网络,对可能发生的突发事件进行监测;采取多种方式收集、及时分析处理并报告有关信息;获悉突发事件信息的公民和单位有义务向政府及其有关部门或者指定的专业机构报告。(第三十条至第三十四条)

预警机制不够健全,是导致突发事件发生后处置不及时、人员财产损失比较严重的一个重要原因。为了从制度上解决这个问题,草案规定:国家建立健全突发事件预警制度;县级以上地方政府应当及时决定并发布警报、宣布预警期,并及时上报;发布三级、四级警报后,县级以上地方政府应当采取措施,启动应急预案,加强监测、预报工作,加强对相关信息的分析评估和管理,及时向社会发布警告,宣传避免、减轻危害的常识,公布咨询电话;发布一级、二级警报后,县级以上地方政府还应当责令应急救援队伍和有关人员进入待命状态，调集应急救援所需物资、设备、设施、工具，加强对重点单位、重要部位和重要基础设施的安全保卫，及时向社会发布有关避免或者减轻损害的建议、劝告，转移、撤离或者疏散易受危害的人员，转移重要财产，关闭或者限制使用易受危害的场所，控制或者限制容易导致危害扩大的公共场所的活动；发布警报的人民政府应当根据事态发展适时调整预警级别并重新发布，有事实证明不可能发生突发事件或者危险已经解除的，应当立即宣布解除警报、终止预警期并解除已采取的有关措施。（第三十五条至第三十九条）

七、关于突发事件的应急处置与救援

突发事件发生后，政府必须在第一时间组织各方面力量，依法及时采取有力措施控制事态发展，开展应急救援工作，避免其发展为特别严重的事件，努力减轻和消除其对人民生命财产造成的损害。据此，草案与现行有关突发事件应急的法律、行政法规作了衔接，同时根据应急处置工作的实际需要并参考借鉴国外一些应急法律的规定，规定了一些必要措施：

一是突发事件发生后，有关人民政府应当针对其性质、特点和危害程度，依照有关法律、法规、规章的规定采取应急处置措施；采取有关法律、法规、规章规定的措施不足以有效处置的，依照本章的规定采取应急处置措施。（第四十条）

二是自然灾害、事故灾难或者公共卫生事件发生后，除预警期内已采取的措施外，有关人民政府可以有针对性地采取人员救助、事态控制、公共设施和公众基本生活保障等方面的措施。（第四十一条）

三是社会安全事件发生后，有关人民政府应当立即组织有关部门依法采取强制隔离发生冲突的双方当事人、封锁有关场所和道路、控制有关区域和设施、加强对核心机关和单位的警卫等措施；发生严重危害社会治安秩序的情况时，公安机关还可以根据现场情况依法采取相应的强制性措施；发生大规模恐怖袭击事件的，县级以上政府和政府有关主管部门应当依据有关反恐怖的法律、行政法规和国家

有关规定采取相应的处置措施。(第四十二条)

四是发生严重影响国民经济正常运行的事件后,国务院或者国务院确定的有关主管部门可以采取调整税目税率、实行税收开征、停征等调控措施,对金融机构和证券、期货登记结算机构提供流动性资金支持、启动支付系统的灾难备份系统等保障措施,限额提取现金、暂停部分或者全部银行业务、保险业务、证券交易和兑付、期货交易等限制措施,采取限制货币汇兑、资金跨境收付和转移等外汇管制措施。(第四十三条)

八、关于事后恢复与重建

突发事件的威胁和危害基本得到控制或者消除后,应当及时组织开展事后恢复与重建工作,减轻突发事件造成的损失和影响,尽快恢复生产、生活、工作和社会秩序,妥善解决处置突发事件过程中引发的矛盾和纠纷。据此,草案规定:履行统一领导职责的人民政府应当及时停止执行本法规定的相关应急处置措施,同时采取或者继续实施防止发生次生、衍生事件的必要措施;立即组织对突发事件造成的损失进行评估,组织受影响的地区尽快恢复生产、生活、工作和社会秩序,制定恢复重建计划,修复被损坏的公共设施;上级人民政府应当根据受影响地区遭受的损失和实际情况,提供资金、物资支持和技术指导,组织其他地区提供资金、物资和人力支援;国务院制定扶持有关行业发展的优惠政策;受影响地区的人民政府应当组织制定并实施善后工作计划;及时总结应急处置工作的经验教训,评估突发事件应对工作,并向上一级政府和本级人大常委会报告应急处置工作情况。(第四十九条至第五十三条)

此外,草案还对法律责任作了具体规定。

《中华人民共和国突发事件应对法(草案)》和以上说明是否妥当,请审议。

全国人大法律委员会关于《中华人民共和国突发事件应对法(草案三次审议稿)》修改意见的汇报

——2007 年 8 月 29 日在第十届全国人民代表大会常务委员会第二十九次会议上

全国人大法律委员会主任委员 杨景宇

全国人民代表大会常务委员会:

本次常委会会议于 8 月 24 日下午对突发事件应对法(草案三次审议稿)进行了分组审议。普遍认为,这个法律草案已经比较成熟,建议进一步修改后,提请本次会议表决通过;同时,有些常委会组成人员又提出了一些修改意见。法律委员会于 8 月 27 日召开会议,经对常委会组成人员的审议意见逐条进行研究,对草案进行了审议。国务院法制办负责同志列席了会议。法律委员会认为,这个法律草案是可行的,同时,提出以下主要修改意见:

一、草案三次审议稿第五十八条第一款规定:“突发事件的威胁和危害得到控制或者消除后,履行统一领导职责的人民政府应当停止执行本法规定的相关应急处置措施,同时采取或者继续实施防止发生次生、衍生事件的必要措施。”第二款规定:“组织处置社会安全事件的人民政府及其有关部门、单位应当采取有效措施,防止重新引发社会安全事件。”有的常委委员提出，这一条第一款规定了自然灾害、事故灾难和公共卫生事件的威胁和危害得到控制或者消除后，应当停止执行相关应急处置措施；第二款规定的社会安全事件也有一个适时停止执行相关应急处置措施的问题。法律委员会经同国务院法制办研究，建议将这两款合并，修改为：“突发事件的威胁和危害得到控制或者消除后，履行统一领导职责或者组织处置突发事件的人民政府应当停止执行本法规定的相关应急处置措施，同时采取或者继续实施必要措施，防止发生自然灾害、事故灾难、公共卫生事件的次生、衍生事件或者重新引发社会安全事件。”（建议表决稿第五十八条）

二、草案三次审议稿第六十三条规定了地方人民政府和县级以上各级人民政府有关部门违反本法的法律责任。有些常委委员提出，这一条所列八项违法情形，有的情节严重，已涉及追究刑事责任，只给予行政处分是不够的，建议在这一条中规定“构成犯罪的，依法追究刑事责任”。法律委员会研究认为，按照已经形成的实际做法，在一部法律中如果只有个别条款所列行为涉及刑事责任，就在该条款中作出规定；如果多个条款所列行为都涉及刑事责任，则对刑事责任集中写一条。考虑到这个法律草案第六十三条至第六十六条都涉及刑事责任，草案在第六十八条中集中规定：“违反本法规定，构成犯罪的，依法追究刑事责任。”（建议表决稿第六十八条）同时，根据有些常委委员的上述意见，对草案第六十三条第一项、第二项、第四项的文字表述作了修改。（建议表决稿第六十三条）

这里，还有一个问题需要汇报。有的常委委员提出，草案三次审议稿规定的自然灾害、事故灾难、公共卫生事件、社会安全事件等四类突发事件，包括不了像松花江污染、太湖蓝藻等这类事件，建议增加“生态灾难”这类突发事件。法律委员会经同国务院法制办研究认为，生态灾难的形成有两种情况：一种是不可抗力的自然原因形成的，可以包括在“自然灾害”一类中；再一种是人为原因造成的，可以包括在“事故灾难”一类中。如果把“生态灾害”单作一类，就会和上述两类突发事件竞合,据此,法律委员会建议不再增加“生态灾害”一类。

此外,还对草案三次审议稿作了一些文字修改。

建议表决稿已按上述意见作了修改,法律委员会建议本次常委会会议通过。

建议表决稿和以上报告是否妥当,请审议。

全国人大法律委员会关于《中华人民共和国突发事件应对法(草案二次审议稿)》审议结果的报告

(2007年8月24日)

全国人民代表大会常务委员会:

十届全国人大常委会第二十八次会议对突发事件应对法(草案二次审议稿)进行了审议。会后,法制工作委员会就草案几个主要问题同国务院法制办交换意见,进行研究。8月14日,法律委员会召开会议,根据常委会组成人员的审议意见和各方面的意见,对草案进行了审议。国务院法制办负责同志列席了会议。8月21日,法律委员会召开会议,再次进行了审议。法律委员会认为,为了预防和减少突发事件的发生,控制、减轻和消除突发事件引起的严重社会危害,保护人民生命财产安全,维护国家安全、公共安全、环境安全和社会秩序,制定本法是必要的,草案基本可行;同时,提出以下主要修改意见:

一、草案二次审议稿第七条规定了县级以上地方人民政府领导和指挥突发事件应对工作的责任。有的常委委员提出,本法在强调属地管理的同时,还应根据民航、铁路、海事、核利用等行业或领域发生突发事件的特殊性,规定有关主管部门在应急管理中的职责,并与有关法律、行政法规的规定相协调。据此,法律委员会经同国务院法制办研究,建议在这一条中增加一款,规定:"法律、行政法规规定由国务院有关部门对突发事件的应对工作负责的，从其规定；地方人民政府应当积极配合并提供必要的支持。”（草案三次审议稿第七条第四款）

二、有的常委委员提出，草案除应强调各级政府应对突发事件的职责外，还要强调有危险源的生产经营单位在预防和处置突发事件中的责任，做好基础性的防范工作。法律委员会经同国务院法制办研究，建议增加一条，规定：“矿山、建筑施工单位和易燃易爆物品、危险化学品、放射性物品等危险物品的生产、经营、储运、使用单位，应当制定具体应急预案，并对生产经营场所、有危险物品的建筑物、构筑物及周边环境开展隐患排查，及时采取措施消除隐患，防止发生突发事件。”（草案三次审议稿第二十三条）

三、草案二次审议稿第四十八条对自然灾害、事故灾难或者公共卫生事件发生后，履行统一领导职责的人民政府可以采取的应急处置措施，作了规定。有的常委委员提出，在发生自然灾害、事故灾难或者公共卫生事件后，除了采取救助、控制、保障、保护措施外，还应采取措施，防止发生哄抢财物等扰乱社会秩序的行为。法律委员会经同国务院法制办研究，建议在这一条中增加一项，规定：“依法从严惩处哄抢财物、干扰破坏应急处置工作等扰乱社会秩序的行为，维护社会治安。”（草案三次审议稿第四十九条）

此外，还对草案二次审议稿作了一些文字修改。

草案三次审议稿已按上述意见作了修改，法律委员会建议本次常委会会议审议通过。

草案三次审议稿和以上报告是否妥当，请审议。

全国人大法律委员会
2007年8月24日

二、有关法律

中华人民共和国传染病防治法(节选)

(1989 年 2 月 21 日第七届全国人民代表大会常务委员会第六次会议通过　2004 年 8 月 28 日第十届全国人民代表大会常务委员会第十一次会议修订)

第一章　总　　则

第三条　本法规定的传染病分为甲类、乙类和丙类。

甲类传染病是指:鼠疫、霍乱。

乙类传染病是指:传染性非典型肺炎、艾滋病、病毒性肝炎、脊髓灰质炎、人感染高致病性禽流感、麻疹、流行性出血热、狂犬病、流行性乙型脑炎、登革热、炭疽、细菌性和阿米巴性痢疾、肺结核、伤寒和副伤寒、流行性脑脊髓膜炎、百日咳、白喉、新生儿破伤风、猩红热、布鲁氏菌病、淋病、梅毒、钩端螺旋体病、血吸虫病、疟疾。

丙类传染病是指:流行性感冒、流行性腮腺炎、风疹、急性出血性结膜炎、麻风病、流行性和地方性斑疹伤寒、黑热病、包虫病、丝虫病,除霍乱、细菌性和阿米巴性痢疾、伤寒和副伤寒以外的感染性腹泻病。

上述规定以外的其他传染病,根据其暴发、流行情况和危害程度,需要列入乙类、丙类传染病的,由国务院卫生行政部门决定并予以公布。

第五条 各级人民政府领导传染病防治工作。

县级以上人民政府制定传染病防治规划并组织实施,建立健全传染病防治的疾病预防控制、医疗救治和监督管理体系。

第六条 国务院卫生行政部门主管全国传染病防治及其监督管理工作。县级以上地方人民政府卫生行政部门负责本行政区域内的传染病防治及其监督管理工作。

县级以上人民政府其他部门在各自的职责范围内负责传染病防治工作。

军队的传染病防治工作,依照本法和国家有关规定办理,由中国人民解放军卫生主管部门实施监督管理。

第七条 各级疾病预防控制机构承担传染病监测、预测、流行病学调查、疫情报告以及其他预防、控制工作。

医疗机构承担与医疗救治有关的传染病防治工作和责任区域内的传染病预防工作。城市社区和农村基层医疗机构在疾病预防控制机构的指导下,承担城市社区、农村基层相应的传染病防治工作。

第二章 传染病预防

第十七条 国家建立传染病监测制度。

国务院卫生行政部门制定国家传染病监测规划和方案。省、自治区、直辖市人民政府卫生行政部门根据国家传染病监测规划和方案,制定本行政区域的传染病监测计划和工作方案。

各级疾病预防控制机构对传染病的发生、流行以及影响其发生、流行的因素,进行监测;对国外发生、国内尚未发生的传染病或者国内新发生的传染病,进行监测。

第十八条 各级疾病预防控制机构在传染病预防控制中履行下列职责:

(一)实施传染病预防控制规划、计划和方案;

（二）收集、分析和报告传染病监测信息，预测传染病的发生、流行趋势；

（三）开展对传染病疫情和突发公共卫生事件的流行病学调查、现场处理及其效果评价；

（四）开展传染病实验室检测、诊断、病原学鉴定；

（五）实施免疫规划，负责预防性生物制品的使用管理；

（六）开展健康教育、咨询，普及传染病防治知识；

（七）指导、培训下级疾病预防控制机构及其工作人员开展传染病监测工作；

（八）开展传染病防治应用性研究和卫生评价，提供技术咨询。

国家、省级疾病预防控制机构负责对传染病发生、流行以及分布进行监测，对重大传染病流行趋势进行预测，提出预防控制对策，参与并指导对暴发的疫情进行调查处理，开展传染病病原学鉴定，建立检测质量控制体系，开展应用性研究和卫生评价。

设区的市和县级疾病预防控制机构负责传染病预防控制规划、方案的落实，组织实施免疫、消毒、控制病媒生物的危害，普及传染病防治知识，负责本地区疫情和突发公共卫生事件监测、报告，开展流行病学调查和常见病原微生物检测。

第十九条 国家建立传染病预警制度。

国务院卫生行政部门和省、自治区、直辖市人民政府根据传染病发生、流行趋势的预测，及时发出传染病预警，根据情况予以公布。

第二十条 县级以上地方人民政府应当制定传染病预防、控制预案，报上一级人民政府备案。

传染病预防、控制预案应当包括以下主要内容：

（一）传染病预防控制指挥部的组成和相关部门的职责；

（二）传染病的监测、信息收集、分析、报告、通报制度；

（三）疾病预防控制机构、医疗机构在发生传染病疫情时的任务与职责；

（四）传染病暴发、流行情况的分级以及相应的应急工作方案；

(五)传染病预防、疫点疫区现场控制,应急设施、设备、救治药品和医疗器械以及其他物资和技术的储备与调用。

地方人民政府和疾病预防控制机构接到国务院卫生行政部门或者省、自治区、直辖市人民政府发出的传染病预警后,应当按照传染病预防、控制预案,采取相应的预防、控制措施。

第三章 疫情报告、通报和公布

第三十条 疾病预防控制机构、医疗机构和采供血机构及其执行职务的人员发现本法规定的传染病疫情或者发现其他传染病暴发、流行以及突发原因不明的传染病时,应当遵循疫情报告属地管理原则,按照国务院规定的或者国务院卫生行政部门规定的内容、程序、方式和时限报告。

军队医疗机构向社会公众提供医疗服务,发现前款规定的传染病疫情时,应当按照国务院卫生行政部门的规定报告。

第三十四条 县级以上地方人民政府卫生行政部门应当及时向本行政区域内的疾病预防控制机构和医疗机构通报传染病疫情以及监测、预警的相关信息。接到通报的疾病预防控制机构和医疗机构应当及时告知本单位的有关人员。

第三十五条 国务院卫生行政部门应当及时向国务院其他有关部门和各省、自治区、直辖市人民政府卫生行政部门通报全国传染病疫情以及监测、预警的相关信息。

毗邻的以及相关的地方人民政府卫生行政部门,应当及时互相通报本行政区域的传染病疫情以及监测、预警的相关信息。

县级以上人民政府有关部门发现传染病疫情时,应当及时向同级人民政府卫生行政部门通报。

中国人民解放军卫生主管部门发现传染病疫情时,应当向国务院卫生行政部门通报。

第三十七条 依照本法的规定负有传染病疫情报告职责的人民

政府有关部门、疾病预防控制机构、医疗机构、采供血机构及其工作人员，不得隐瞒、谎报、缓报传染病疫情。

第三十八条 国家建立传染病疫情信息公布制度。

国务院卫生行政部门定期公布全国传染病疫情信息。省、自治区、直辖市人民政府卫生行政部门定期公布本行政区域的传染病疫情信息。

传染病暴发、流行时，国务院卫生行政部门负责向社会公布传染病疫情信息，并可以授权省、自治区、直辖市人民政府卫生行政部门向社会公布本行政区域的传染病疫情信息。

公布传染病疫情信息应当及时、准确。

第四章 疫 情 控 制

第三十九条 医疗机构发现甲类传染病时，应当及时采取下列措施：

（一）对病人、病原携带者，予以隔离治疗，隔离期限根据医学检查结果确定；

（二）对疑似病人，确诊前在指定场所单独隔离治疗；

（三）对医疗机构内的病人、病原携带者、疑似病人的密切接触者，在指定场所进行医学观察和采取其他必要的预防措施。

拒绝隔离治疗或者隔离期未满擅自脱离隔离治疗的，可以由公安机关协助医疗机构采取强制隔离治疗措施。

医疗机构发现乙类或者丙类传染病病人，应当根据病情采取必要的治疗和控制传播措施。

医疗机构对本单位内被传染病病原体污染的场所、物品以及医疗废物，必须依照法律、法规的规定实施消毒和无害化处置。

第四十条 疾病预防控制机构发现传染病疫情或者接到传染病疫情报告时，应当及时采取下列措施：

（一）对传染病疫情进行流行病学调查，根据调查情况提出划定疫点、疫区的建议，对被污染的场所进行卫生处理，对密切接触者，在指定场所进行医学观察和采取其他必要的预防措施，并向卫生行政部门提出疫情控制方案；

（二）传染病暴发、流行时，对疫点、疫区进行卫生处理，向卫生行政部门提出疫情控制方案，并按照卫生行政部门的要求采取措施；

（三）指导下级疾病预防控制机构实施传染病预防、控制措施，组织、指导有关单位对传染病疫情的处理。

第四十一条 对已经发生甲类传染病病例的场所或者该场所内的特定区域的人员，所在地的县级以上地方人民政府可以实施隔离措施，并同时向上一级人民政府报告；接到报告的上级人民政府应当即时作出是否批准的决定。上级人民政府作出不予批准决定的，实施隔离措施的人民政府应当立即解除隔离措施。

在隔离期间，实施隔离措施的人民政府应当对被隔离人员提供生活保障；被隔离人员有工作单位的，所在单位不得停止支付其隔离期间的工作报酬。

隔离措施的解除，由原决定机关决定并宣布。

第四十二条 传染病暴发、流行时，县级以上地方人民政府应当立即组织力量，按照预防、控制预案进行防治，切断传染病的传播途径，必要时，报经上一级人民政府决定，可以采取下列紧急措施并予以公告：

（一）限制或者停止集市、影剧院演出或者其他人群聚集的活动；

（二）停工、停业、停课；

（三）封闭或者封存被传染病病原体污染的公共饮用水源、食品以及相关物品；

（四）控制或者扑杀染疫野生动物、家畜家禽；

（五）封闭可能造成传染病扩散的场所。

上级人民政府接到下级人民政府关于采取前款所列紧急措施的报告时，应当即时作出决定。

紧急措施的解除，由原决定机关决定并宣布。

第四十三条 甲类、乙类传染病暴发、流行时，县级以上地方人民政府报经上一级人民政府决定，可以宣布本行政区域部分或者全部为疫区；国务院可以决定并宣布跨省、自治区、直辖市的疫区。县级以上地方人民政府可以在疫区内采取本法第四十二条规定的紧急措施，并可以对出入疫区的人员、物资和交通工具实施卫生检疫。

省、自治区、直辖市人民政府可以决定对本行政区域内的甲类传染病疫区实施封锁；但是，封锁大、中城市的疫区或者封锁跨省、自治区、直辖市的疫区，以及封锁疫区导致中断干线交通或者封锁国境的，由国务院决定。

疫区封锁的解除，由原决定机关决定并宣布。

第四十四条 发生甲类传染病时，为了防止该传染病通过交通工具及其乘运的人员、物资传播，可以实施交通卫生检疫。具体办法由国务院制定。

第四十五条 传染病暴发、流行时，根据传染病疫情控制的需要，国务院有权在全国范围或者跨省、自治区、直辖市范围内，县级以上地方人民政府有权在本行政区域内紧急调集人员或者调用储备物资，临时征用房屋、交通工具以及相关设施、设备。

紧急调集人员的，应当按照规定给予合理报酬。临时征用房屋、交通工具以及相关设施、设备的，应当依法给予补偿；能返还的，应当及时返还。

第六章 监督管理

第五十三条 县级以上人民政府卫生行政部门对传染病防治工作履行下列监督检查职责：

（一）对下级人民政府卫生行政部门履行本法规定的传染病防治职责进行监督检查；

（二）对疾病预防控制机构、医疗机构的传染病防治工作进行监督检查；

(三)对采供血机构的采供血活动进行监督检查;

(四)对用于传染病防治的消毒产品及其生产单位进行监督检查,并对饮用水供水单位从事生产或者供应活动以及涉及饮用水卫生安全的产品进行监督检查;

(五)对传染病菌种、毒种和传染病检测样本的采集、保藏、携带、运输、使用进行监督检查;

(六)对公共场所和有关单位的卫生条件和传染病预防、控制措施进行监督检查。

省级以上人民政府卫生行政部门负责组织对传染病防治重大事项的处理。

第八章　法律责任

第六十五条　地方各级人民政府未依照本法的规定履行报告职责,或者隐瞒、谎报、缓报传染病疫情,或者在传染病暴发、流行时,未及时组织救治、采取控制措施的,由上级人民政府责令改正,通报批评;造成传染病传播、流行或者其他严重后果的,对负有责任的主管人员,依法给予行政处分;构成犯罪的,依法追究刑事责任。

第六十六条　县级以上人民政府卫生行政部门违反本法规定,有下列情形之一的,由本级人民政府、上级人民政府卫生行政部门责令改正,通报批评;造成传染病传播、流行或者其他严重后果的,对负有责任的主管人员和其他直接责任人员,依法给予行政处分;构成犯罪的,依法追究刑事责任:

(一)未依法履行传染病疫情通报、报告或者公布职责,或者隐瞒、谎报、缓报传染病疫情的;

(二)发生或者可能发生传染病传播时未及时采取预防、控制措施的;

(三)未依法履行监督检查职责,或者发现违法行为不及时查处的;

（四）未及时调查、处理单位和个人对下级卫生行政部门不履行传染病防治职责的举报的；

（五）违反本法的其他失职、渎职行为。

第六十七条 县级以上人民政府有关部门未依照本法的规定履行传染病防治和保障职责的，由本级人民政府或者上级人民政府有关部门责令改正，通报批评；造成传染病传播、流行或者其他严重后果的，对负有责任的主管人员和其他直接责任人员，依法给予行政处分；构成犯罪的，依法追究刑事责任。

第六十八条 疾病预防控制机构违反本法规定，有下列情形之一的，由县级以上人民政府卫生行政部门责令限期改正，通报批评，给予警告；对负有责任的主管人员和其他直接责任人员，依法给予降级、撤职、开除的处分，并可以依法吊销有关责任人员的执业证书；构成犯罪的，依法追究刑事责任：

（一）未依法履行传染病监测职责的；

（二）未依法履行传染病疫情报告、通报职责，或者隐瞒、谎报、缓报传染病疫情的；

（三）未主动收集传染病疫情信息，或者对传染病疫情信息和疫情报告未及时进行分析、调查、核实的；

（四）发现传染病疫情时，未依据职责及时采取本法规定的措施的；

（五）故意泄露传染病病人、病原携带者、疑似传染病病人、密切接触者涉及个人隐私的有关信息、资料的。

中华人民共和国消防法(节选)

(1998年4月29日第九届全国人民代表大会常务委员会第二次会议通过)

第二条　消防工作贯彻预防为主、防消结合的方针,坚持专门机关与群众相结合的原则,实行防火安全责任制。

第三条　消防工作由国务院领导,由地方各级人民政府负责。各级人民政府应当将消防工作纳入国民经济和社会发展计划,保障消防工作与经济建设和社会发展相适应。

第四条　国务院公安部门对全国的消防工作实施监督管理,县级以上地方各级人民政府公安机关对本行政区域内的消防工作实施监督管理,并由本级人民政府公安机关消防机构负责实施。军事设施、矿井地下部分、核电厂的消防工作,由其主管单位监督管理。

森林、草原的消防工作,法律、行政法规另有规定的,从其规定。

第五条　任何单位、个人都有维护消防安全、保护消防设施、预防火灾、报告火警的义务。任何单位、成年公民都有参加有组织的灭火工作的义务。

第六条　各级人民政府应当经常进行消防宣传教育,提高公民的消防意识。

教育、劳动等行政主管部门应当将消防知识纳入教学、培训内容。

新闻、出版、广播、电影、电视等有关主管部门,有进行消防安全宣传教育的义务。

第二章　火 灾 预 防

第八条　城市人民政府应当将包括消防安全布局、消防站、消防供水、消防通信、消防车通道、消防装备等内容的消防规划纳入城市总体规划,并负责组织有关主管部门实施。公共消防设施、消防装备不足或者不适应实际需要的,应当增建、改建、配置或者进行技术改造。

对消防工作,应当加强科学研究,推广、使用先进消防技术、消防装备。

第十四条　机关、团体、企业、事业单位应当履行下列消防安全职责:

(一)制定消防安全制度、消防安全操作规程;

(二)实行防火安全责任制,确定本单位和所属各部门、岗位的消防安全责任人;

(三)针对本单位的特点对职工进行消防宣传教育;

(四)组织防火检查,及时消除火灾隐患;

(五)按照国家有关规定配置消防设施和器材、设置消防安全标志,并定期组织检验、维修,确保消防设施和器材完好、有效;

(六)保障疏散通道、安全出口畅通,并设置符合国家规定的消防安全疏散标志。

居民住宅区的管理单位,应当依照前款有关规定,履行消防安全职责,做好住宅区的消防安全工作。

第十六条　县级以上地方各级人民政府公安机关消防机构应当将发生火灾可能性较大以及一旦发生火灾可能造成人身重大伤亡或者财产重大损失的单位,确定为本行政区域内的消防安全重点单位,报本级人民政府备案。

消防安全重点单位除应当履行本法第十四条规定的职责外,还应当履行下列消防安全职责：

（一）建立防火档案，确定消防安全重点部位，设置防火标志，实行严格管理；

（二）实行每日防火巡查，并建立巡查记录；

（三）对职工进行消防安全培训；

（四）制定灭火和应急疏散预案，定期组织消防演练。

第二十二条 在农业收获季节、森林和草原防火期间、重大节假日期间以及火灾多发季节，地方各级人民政府应当组织开展有针对性的消防宣传教育，采取防火措施，进行消防安全检查。

第三章 消 防 组 织

第二十六条 各级人民政府应当根据经济和社会发展的需要，建立多种形式的消防组织，加强消防组织建设，增强扑救火灾的能力。

第二十七条 城市人民政府应当按照国家规定的消防站建设标准建立公安消防队、专职消防队，承担火灾扑救工作。

镇人民政府可以根据当地经济发展和消防工作的需要，建立专职消防队、义务消防队，承担火灾扑救工作。

公安消防队除保证完成本法规定的火灾扑救工作外，还应当参加其他灾害或者事故的抢险救援工作。

第二十八条 下列单位应当建立专职消防队，承担本单位的火灾扑救工作：

（一）核电厂、大型发电厂、民用机场、大型港口；

（二）生产、储存易燃易爆危险物品的大型企业；

（三）储备可燃的重要物资的大型仓库、基地；

（四）第一项、第二项、第三项规定以外的火灾危险性较大、距离当地公安消防队较远的其他大型企业；

（五）距离当地公安消防队较远的列为全国重点文物保护单位的

古建筑群的管理单位。

第二十九条 专职消防队的建立,应当符合国家有关规定,并报省级人民政府公安机关消防机构验收。

第三十条 机关、团体、企业、事业单位以及乡、村可以根据需要,建立由职工或者村民组成的义务消防队。

第三十一条 公安消防机构应当对专职消防队、义务消防队进行业务指导,并有权指挥调动专职消防队参加火灾扑救工作。

第四章 灭 火 救 援

第三十二条 任何人发现火灾时,都应当立即报警。任何单位、个人都应当无偿为报警提供便利,不得阻拦报警。严禁谎报火警。

公共场所发生火灾时,该公共场所的现场工作人员有组织、引导在场群众疏散的义务。

发生火灾的单位必须立即组织力量扑救火灾。邻近单位应当给予支援。

消防队接到火警后,必须立即赶赴火场,救助遇险人员,排除险情,扑灭火灾。

第三十三条 公安消防机构在统一组织和指挥火灾的现场扑救时,火场总指挥员有权根据扑救火灾的需要,决定下列事项:

(一)使用各种水源;

(二)截断电力、可燃气体和液体的输送,限制用火用电;

(三)划定警戒区,实行局部交通管制;

(四)利用临近建筑物和有关设施;

(五)为防止火灾蔓延,拆除或者破损毗邻火场的建筑物、构筑物;

(六)调动供水、供电、医疗救护、交通运输等有关单位协助灭火救助。

扑救特大火灾时,有关地方人民政府应当组织有关人员、调集所需物资支援灭火。

第三十四条　公安消防队参加火灾以外的其他灾害或者事故的抢险救援工作,在有关地方人民政府的统一指挥下实施。

中华人民共和国安全生产法(节选)

(中华人民共和国第九届全国人民代表大会常务委员会第二十八次会议于2002年6月29日通过)

第二条 在中华人民共和国领域内从事生产经营活动的单位(以下统称生产经营单位)的安全生产,适用本法;有关法律、行政法规对消防安全和道路交通安全、铁路交通安全、水上交通安全、民用航空安全另有规定的,适用其规定。

第八条 国务院和地方各级人民政府应当加强对安全生产工作的领导,支持、督促各有关部门依法履行安全生产监督管理职责。

县级以上人民政府对安全生产监督管理中存在的重大问题应当及时予以协调、解决。

第九条 国务院负责安全生产监督管理的部门依照本法,对全国安全生产工作实施综合监督管理;县级以上地方各级人民政府负责安全生产监督管理的部门依照本法,对本行政区域内安全生产工作实施综合监督管理。

国务院有关部门依照本法和其他有关法律、行政法规的规定,在各自的职责范围内对有关的安全生产工作实施监督管理;县级以上地方各级人民政府有关部门依照本法和其他有关法律、法规的规定,在各自的职责范围内对有关的安全生产工作实施监督管理。

第十一条 各级人民政府及其有关部门应当采取多种形式,加强对有关安全生产的法律、法规和安全生产知识的宣传,提高职工的安全生产意识。

第十三条　国家实行生产安全事故责任追究制度，依照本法和有关法律、法规的规定，追究生产安全事故责任人员的法律责任。

第十七条　生产经营单位的主要负责人对本单位安全生产工作负有下列职责：

（一）建立、健全本单位安全生产责任制；

（二）组织制定本单位安全生产规章制度和操作规程；

（三）保证本单位安全生产投入的有效实施；

（四）督促、检查本单位的安全生产工作，及时消除生产安全事故隐患；

（五）组织制定并实施本单位的生产安全事故应急救援预案；

（六）及时、如实报告生产安全事故。

第十九条　矿山、建筑施工单位和危险物品的生产、经营、储存单位，应当设置安全生产管理机构或者配备专职安全生产管理人员。

前款规定以外的其他生产经营单位，从业人员超过三百人的，应当设置安全生产管理机构或者配备专职安全生产管理人员；从业人员在三百人以下的，应当配备专职或者兼职的安全生产管理人员，或者委托具有国家规定的相关专业技术资格的工程技术人员提供安全生产管理服务。

生产经营单位依照前款规定委托工程技术人员提供安全生产管理服务的，保证安全生产的责任仍由本单位负责。

第三十三条　生产经营单位对重大危险源应当登记建档，进行定期检测、评估、监控，并制定应急预案，告知从业人员和相关人员在紧急情况下应当采取的应急措施。

生产经营单位应当按照国家有关规定将本单位重大危险源及有关安全措施、应急措施报有关地方人民政府负责安全生产监督管理的部门和有关部门备案。

第三十六条　生产经营单位应当教育和督促从业人员严格执行

本单位的安全生产规章制度和安全操作规程;并向从业人员如实告知作业场所和工作岗位存在的危险因素、防范措施以及事故应急措施。

第四十二条 生产经营单位发生重大生产安全事故时,单位的主要负责人应当立即组织抢救,并不得在事故调查处理期间擅离职守。

第四十三条 生产经营单位必须依法参加工伤社会保险,为从业人员缴纳保险费。

第四十七条 从业人员发现直接危及人身安全的紧急情况时,有权停止作业或者在采取可能的应急措施后撤离作业场所。

生产经营单位不得因从业人员在前款紧急情况下停止作业或者采取紧急撤离措施而降低其工资、福利等待遇或者解除与其订立的劳动合同。

第五十条 从业人员应当接受安全生产教育和培训,掌握本职工作所需的安全生产知识,提高安全生产技能,增强事故预防和应急处理能力。

第五十一条 从业人员发现事故隐患或者其他不安全因素,应当立即向现场安全生产管理人员或者本单位负责人报告;接到报告的人员应当及时予以处理。

第五十六条 负有安全生产监督管理职责的部门依法对生产经营单位执行有关安全生产的法律、法规和国家标准或者行业标准的情况进行监督检查,行使以下职权:

(一)进入生产经营单位进行检查,调阅有关资料,向有关单位和人员了解情况。

(二)对检查中发现的安全生产违法行为,当场予以纠正或者要求限期改正;对依法应当给予行政处罚的行为,依照本法和其他有关法律、行政法规的规定作出行政处罚决定。

(三)对检查中发现的事故隐患,应当责令立即排除;重大事故隐患排除前或者排除过程中无法保证安全的,应当责令从危险区域内撤出作业人员，责令暂时停产停业或者停止使用；重大事故隐患排除后，经审查同意，方可恢复生产经营和使用。

（四）对有根据认为不符合保障安全生产的国家标准或者行业标准的设施、设备、器材予以查封或者扣押，并应当在十五日内依法作出处理决定。

监督检查不得影响被检查单位的正常生产经营活动。

第六十八条 县级以上地方各级人民政府应当组织有关部门制定本行政区域内特大生产安全事故应急救援预案，建立应急救援体系。

第六十九条 危险物品的生产、经营、储存单位以及矿山、建筑施工单位应当建立应急救援组织；生产经营规模较小，可以不建立应急救援组织的，应当指定兼职的应急救援人员。

危险物品的生产、经营、储存单位以及矿山、建筑施工单位应当配备必要的应急救援器材、设备，并进行经常性维护、保养，保证正常运转。

第七十条 生产经营单位发生生产安全事故后，事故现场有关人员应当立即报告本单位负责人。

单位负责人接到事故报告后，应当迅速采取有效措施，组织抢救，防止事故扩大，减少人员伤亡和财产损失，并按照国家有关规定立即如实报告当地负有安全生产监督管理职责的部门，不得隐瞒不报、谎报或者拖延不报，不得故意破坏事故现场、毁灭有关证据。

第七十一条 负有安全生产监督管理职责的部门接到事故报告后，应当立即按照国家有关规定上报事故情况。负有安全生产监督管理职责的部门和有关地方人民政府对事故情况不得隐瞒不报、谎报或者拖延不报。

第七十二条 有关地方人民政府和负有安全生产监督管理职责的部门的负责人接到重大生产安全事故报告后，应当立即赶到事故现场，组织事故抢救。

任何单位和个人都应当支持、配合事故抢救，并提供一切便利条件。

第七十三条 事故调查处理应当按照实事求是、尊重科学的原则,及时、准确地查清事故原因,查明事故性质和责任,总结事故教训,提出整改措施,并对事故责任者提出处理意见。事故调查和处理的具体办法由国务院制定。

第八十五条 生产经营单位有下列行为之一的,责令限期改正;逾期未改正的,责令停产停业整顿,可以并处二万元以上十万元以下的罚款;造成严重后果,构成犯罪的,依照刑法有关规定追究刑事责任:

(一)生产、经营、储存、使用危险物品,未建立专门安全管理制度、未采取可靠的安全措施或者不接受有关主管部门依法实施的监督管理的;

(二)对重大危险源未登记建档,或者未进行评估、监控,或者未制定应急预案的;

(三)进行爆破、吊装等危险作业,未安排专门管理人员进行现场安全管理的。

中华人民共和国矿山安全法(节选)

(1992年11月7日第七届全国人民代表大会常务委员会第二十八次会议通过)

第六章　矿山事故处理

第三十六条　发生矿山事故,矿山企业必须立即组织抢救,防止事故扩大,减少人员伤亡和财产损失,对伤亡事故必须立即如实报告劳动行政主管部门和管理矿山企业的主管部门。

第三十七条　发生一般矿山事故,由矿山企业负责调查和处理。

发生重大矿山事故,由政府及其有关部门、工会和矿山企业按照行政法规的规定进行调查和处理。

第三十八条　矿山企业对矿山事故中伤亡的职工按照国家规定给予抚恤或者补偿。

第三十九条　矿山事故发生后,应当尽快消除现场危险,查明事故原因,提出防范措施。现场危险消除后,方可恢复生产。

中华人民共和国防震减灾法

（1997 年 12 月 29 日第八届全国人民代表大会常务委员会第二十九次会议通过）

目　　录

第一章　总　　则

第一条　为了防御与减轻地震灾害，保护人民生命和财产安全，保障社会主义建设顺利进行，制定本法。

第二条　在中华人民共和国境内从事地震监测预报、地震灾害预防、地震应急、震后救灾与重建等（以下简称防震减灾）活动，适用本法。

第三条　防震减灾工作，实行预防为主、防御与救助相结合的方针。

第四条　防震减灾工作，应当纳入国民经济和社会发展计划。

第五条　国家鼓励和支持防震减灾的科学技术研究，推广先进的科学研究成果，提高防震减灾工作水平。

第六条　各级人民政府应当加强对防震减灾工作的领导，组织有关部门采取措施，做好防震减灾工作。

第七条　在国务院的领导下，国务院地震行政主管部门、经济综合主管部门、建设行政主管部门、民政部门以及其他有关部门，按照职责分工，各负其责，密切配合，共同做好防震减灾工作。

县级以上地方人民政府负责管理地震工作的部门或者机构和其他有关部门在本级人民政府的领导下，按照职责分工，各负其责，密切配合，共同做好本行政区域内的防震减灾工作。

第八条　任何单位和个人都有依法参加防震减灾活动的义务。

中国人民解放军、中国人民武装警察部队和民兵应当执行国家赋予的防震减灾任务。

第二章　地震监测预报

第九条　国家加强地震监测预报工作，鼓励、扶持地震监测预报的科学技术研究，逐步提高地震监测预报水平。

第十条　国务院地震行政主管部门负责制定全国地震监测预报方案，并组织实施。

省、自治区、直辖市人民政府负责管理地震工作的部门，根据全国地震监测预报方案，负责制定本行政区域内的地震监测预报方案，并组织实施。

第十一条　国务院地震行政主管部门根据地震活动趋势，提出确定地震重点监视防御区的意见，报国务院批准。

地震重点监视防御区的县级以上地方人民政府负责管理地震工作的部门或者机构，应当加强地震监测工作，制定短期与临震预报方案，建立震情跟踪会商制度，提高地震监测预报能力。

第十二条 国务院地震行政主管部门和县级以上地方人民政府负责管理地震工作的部门或者机构，应当加强对地震活动与地震前兆的信息检测、传递、分析、处理和对可能发生地震的地点、时间和震级的预测。

第十三条 国家对地震监测台网的建设，实行统一规划，分级、分类管理。

全国地震监测台网，由国家地震监测基本台网、省级地震监测台网和市、县地震监测台网组成，其建设所需投资，按照事权和财权相统一的原则，由中央和地方财政承担。

为本单位服务的地震监测台网，由有关单位投资建设和管理，并接受所在地的县级以上地方人民政府负责管理地震工作的部门或者机构的指导。

第十四条 国家依法保护地震监测设施和地震观测环境，任何单位和个人不得危害地震监测设施和地震观测环境。地震观测环境应当按照地震监测设施周围不能有影响其工作效能的干扰源的要求划定保护范围。

本法所称地震监测设施，是指地震监测台网的监测设施、设备、仪器和其他依照国务院地震行政主管部门的规定设立的地震监测设施、设备、仪器。

第十五条 新建、扩建、改建建设工程，应当避免对地震监测设施和地震观测环境造成危害；确实无法避免造成危害的，建设单位应当事先征得国务院地震行政主管部门或者其授权的县级以上地方人民政府负责管理地震工作的部门或者机构的同意，并按照国务院的规定采取相应的措施后，方可建设。

第十六条 国家对地震预报实行统一发布制度。

地震短期预报和临震预报，由省、自治区、直辖市人民政府按照国务院规定的程序发布。

任何单位或者从事地震工作的专业人员关于短期地震预测或者

临震预测的意见,应当报国务院地震行政主管部门或者县级以上地方人民政府负责管理地震工作的部门或者机构按照前款规定处理,不得擅自向社会扩散。

第三章　地震灾害预防

第十七条　新建、扩建、改建建设工程,必须达到抗震设防要求。

本条第三款规定以外的建设工程,必须按照国家颁布的地震烈度区划图或者地震动参数区划图规定的抗震设防要求,进行抗震设防。

重大建设工程和可能发生严重次生灾害的建设工程,必须进行地震安全性评价;并根据地震安全性评价的结果,确定抗震设防要求,进行抗震设防。

本法所称重大建设工程,是指对社会有重大价值或者有重大影响的工程。

本法所称可能发生严重次生灾害的建设工程,是指受地震破坏后可能引发水灾、火灾、爆炸、剧毒或者强腐蚀性物质大量泄漏和其他严重次生灾害的建设工程,包括水库大坝、堤防和贮油、贮气、贮存易燃易爆、剧毒或者强腐蚀性物质的设施以及其他可能发生严重次生灾害的建设工程。

核电站和核设施建设工程,受地震破坏后可能引发放射性污染的严重次生灾害,必须认真进行地震安全性评价,并依法进行严格的抗震设防。

第十八条　国务院地震行政主管部门负责制定地震烈度区划图或者地震动参数区划图,并负责对地震安全性评价结果的审定工作。

国务院建设行政主管部门负责制定各类房屋建筑及其附属设施和城市市政设施的建设工程的抗震设计规范。但是,本条第三款另有规定的除外。

国务院铁路、交通、民用航空、水利和其他有关专业主管部门负责分别制定铁路、公路、港口、码头、机场、水工程和其他专业建设工程的抗震设计规范。

第十九条 建设工程必须按照抗震设防要求和抗震设计规范进行抗震设计,并按照抗震设计进行施工。

第二十条 已经建成的下列建筑物、构筑物,未采取抗震设防措施的,应当按照国家有关规定进行抗震性能鉴定,并采取必要的抗震加固措施:

(一)属于重大建设工程的建筑物、构筑物;

(二)可能发生严重次生灾害的建筑物、构筑物;

(三)有重大文物价值和纪念意义的建筑物、构筑物;

(四)地震重点监视防御区的建筑物、构筑物。

第二十一条 对地震可能引起的火灾、水灾、山体滑坡、放射性污染、疫情等次生灾害源,有关地方人民政府应当采取相应的有效防范措施。

第二十二条 根据震情和震害预测结果,国务院地震行政主管部门和县级以上地方人民政府负责管理地震工作的部门或者机构,应当会同同级有关部门编制防震减灾规划,报本级人民政府批准后实施。

修改防震减灾规划,应当报经原批准机关批准。

第二十三条 各级人民政府应当组织有关部门开展防震减灾知识的宣传教育,增强公民的防震减灾意识,提高公民在地震灾害中自救、互救的能力;加强对有关专业人员的培训,提高抢险救灾能力。

第二十四条 地震重点监视防御区的县级以上地方人民政府应当根据实际需要与可能,在本级财政预算和物资储备中安排适当的抗震救灾资金和物资。

第二十五条 国家鼓励单位和个人参加地震灾害保险。

第四章 地震应急

第二十六条 国务院地震行政主管部门会同国务院有关部门制

定国家破坏性地震应急预案,报国务院批准。

国务院有关部门应当根据国家破坏性地震应急预案,制定本部门的破坏性地震应急预案,并报国务院地震行政主管部门备案。

可能发生破坏性地震地区的县级以上地方人民政府负责管理地震工作的部门或者机构,应当会同有关部门参照国家破坏性地震应急预案,制定本行政区域内的破坏性地震应急预案,报本级人民政府批准;省、自治区和人口在一百万以上的城市的破坏性地震应急预案,还应当报国务院地震行政主管部门备案。

本法所称破坏性地震,是指造成人员伤亡和财产损失的地震灾害。

第二十七条 国家鼓励、扶持地震应急、救助技术和装备的研究开发工作。

可能发生破坏性地震地区的县级以上地方人民政府应当责成有关部门进行必要的地震应急、救助装备的储备和使用训练工作。

第二十八条 破坏性地震应急预案主要包括下列内容:

(一)应急机构的组成和职责;

(二)应急通信保障;

(三)抢险救援人员的组织和资金、物资的准备;

(四)应急、救助装备的准备;

(五)灾害评估准备;

(六)应急行动方案。

第二十九条 破坏性地震临震预报发布后,有关的省、自治区、直辖市人民政府可以宣布所预报的区域进入临震应急期;有关的地方人民政府应当按照破坏性地震应急预案,组织有关部门动员社会力量,做好抢险救灾的准备工作。

第三十条 造成特大损失的严重破坏性地震发生后,国务院应当成立抗震救灾指挥机构,组织有关部门实施破坏性地震应急预案。国务院抗震救灾指挥机构的办事机构,设在国务院地震行政主管部门。

破坏性地震发生后，有关的县级以上地方人民政府应当设立抗震救灾指挥机构，组织有关部门实施破坏性地震应急预案。

本法所称严重破坏性地震，是指造成严重的人员伤亡和财产损失，使灾区丧失或者部分丧失自我恢复能力，需要国家采取相应行动的地震灾害。

第三十一条 地震灾区的各级地方人民政府应当及时将震情、灾情及其发展趋势等信息报告上一级人民政府；地震灾区的省、自治区、直辖市人民政府按照国务院有关规定向社会公告震情和灾情。

国务院地震行政主管部门或者地震灾区的省、自治区、直辖市人民政府负责管理地震工作的部门，应当及时会同有关部门对地震灾害损失进行调查、评估；灾情调查结果，应当及时报告本级人民政府。

第三十二条 严重破坏性地震发生后，为了抢险救灾并维护社会秩序，国务院或者地震灾区的省、自治区、直辖市人民政府，可以在地震灾区实行下列紧急应急措施：

（一）交通管制；

（二）对食品等基本生活必需品和药品统一发放和分配；

（三）临时征用房屋、运输工具和通信设备等；

（四）需要采取的其他紧急应急措施。

第五章 震后救灾与重建

第三十三条 破坏性地震发生后，地震灾区的各级地方人民政府应当组织各方面力量，抢救人员，并组织基层单位和人员开展自救和互救；非地震灾区的各级地方人民政府应当根据震情和灾情，组织和动员社会力量，对地震灾区提供救助。

严重破坏性地震发生后，国务院应当对地震灾区提供救助，责成经济综合主管部门综合协调救灾工作并会同国务院其他有关部门，统筹安排救灾资金和物资。

第三十四条 地震灾区的县级以上地方人民政府应当组织卫

生、医药和其他有关部门和单位，做好伤员医疗救护和卫生防疫等工作。

第三十五条 地震灾区的县级以上地方人民政府应当组织民政和其他有关部门和单位，迅速设置避难场所和救济物资供应点，提供救济物品，妥善安排灾民生活，做好灾民的转移和安置工作。

第三十六条 地震灾区的县级以上地方人民政府应当组织交通、邮电、建设和其他有关部门和单位采取措施，尽快恢复被破坏的交通、通信、供水、排水、供电、供气、输油等工程，并对次生灾害源采取紧急防护措施。

第三十七条 地震灾区的县级以上地方人民政府应当组织公安机关和其他有关部门加强治安管理和安全保卫工作，预防和打击各种犯罪活动，维护社会秩序。

第三十八条 因救灾需要，临时征用的房屋、运输工具、通信设备等，事后应当及时归还；造成损坏或者无法归还的，按照国务院有关规定给予适当补偿或者作具他处理。

第三十九条 在震后救灾中，任何单位和个人都必须遵纪守法、遵守社会公德，服从指挥，自觉维护社会秩序。

第四十条 任何单位和个人不得截留、挪用地震救灾资金和物资。

各级人民政府审计机关应当加强对地震救灾资金使用情况的审计监督。

第四十一条 地震灾区的县级以上地方人民政府应当根据震害情况和抗震设防要求，统筹规划、安排地震灾区的重建工作。

第四十二条 国家依法保护典型地震遗址、遗迹。

典型地震遗址、遗迹的保护，应当列入地震灾区的重建规划。

第六章 法律责任

第四十三条 违反本法规定，有下列行为之一的，由国务院地震行政主管部门或者县级以上地方人民政府负责管理地震工作的部门或者机构，责令停止违法行为，恢复原状或者采取其他补救措施；情节严重的，可以处五千元以上十万元以下的罚款；造成损失的，依法承担民事责任；构成犯罪的，依法追究刑事责任：

（一）新建、扩建、改建建设工程，对地震监测设施或者地震观测环境造成危害，又未依法事先征得同意并采取相应措施的；

（二）破坏典型地震遗址、遗迹的。

第四十四条 违反本法第十七条第三款规定，有关建设单位不进行地震安全性评价的，或者不按照根据地震安全性评价结果确定的抗震设防要求进行抗震设防的，由国务院地震行政主管部门或者县级以上地方人民政府负责管理地震工作的部门或者机构，责令改正，处一万元以上十万元以下的罚款。

第四十五条 违反本法规定，有下列行为之一的，由县级以上人民政府建设行政主管部门或者其他有关专业主管部门按照职责权限责令改正，处一万元以上十万元以下的罚款：

（一）不按照抗震设计规范进行抗震设计的；

（二）不按照抗震设计进行施工的。

第四十六条 截留、挪用地震救灾资金和物资，构成犯罪的，依法追究刑事责任；尚不构成犯罪的，给予行政处分。

第四十七条 国家工作人员在防震减灾工作中滥用职权，玩忽职守，徇私舞弊，构成犯罪的，依法追究刑事责任；尚不构成犯罪的，给予行政处分。

第七章 附 则

第四十八条 本法自1998年3月1日起施行。

中华人民共和国防洪法(节选)

(1997年8月29日第八届全国人民代表大会
常务委员会第二十七次会议通过)

第五条　防洪工作按照流域或者区域实行统一规划、分级实施和流域管理与行政区域管理相结合的制度。

第六条　任何单位和个人都有保护防洪工程设施和依法参加防汛抗洪的义务。

第七条　各级人民政府应当加强对防洪工作的统一领导,组织有关部门、单位,动员社会力量,依靠科技进步,有计划地进行江河、湖泊治理,采取措施加强防洪工程设施建设,巩固、提高防洪能力。

各级人民政府应当组织有关部门、单位,动员社会力量,做好防汛抗洪和洪涝灾害后的恢复与救济工作。

各级人民政府应当对蓄滞洪区予以扶持;蓄滞洪后,应当依照国家规定予以补偿或者救助。

第八条　国务院水行政主管部门在国务院的领导下,负责全国防洪的组织、协调、监督、指导等日常工作。国务院水行政主管部门在国家确定的重要江河、湖泊设立的流域管理机构,在所管辖的范围内行使法律、行政法规规定和国务院水行政主管部门授权的防洪协调和监督管理职责。

国务院建设行政主管部门和其他有关部门在国务院的领导下,按照各自的职责,负责有关的防洪工作。

县级以上地方人民政府水行政主管部门在本级人民政府的领导下，负责本行政区域内防洪的组织、协调、监督、指导等日常工作。县级以上地方人民政府建设行政主管部门和其他有关部门在本级人民政府的领导下，按照各自的职责，负责有关的防洪工作。

第九条 防洪规划是指为防治某一流域、河段或者区域的洪涝灾害而制定的总体部署，包括国家确定的重要江河、湖泊的流域防洪规划，其他江河、河段、湖泊的防洪规划以及区域防洪规划。

防洪规划应当服从所在流域、区域的综合规划；区域防洪规划应当服从所在流域的流域防洪规划。

防洪规划是江河、湖泊治理和防洪工程设施建设的基本依据。

第十条 国家确定的重要江河、湖泊的防洪规划，由国务院水行政主管部门依据该江河、湖泊的流域综合规划，会同有关部门和有关省、自治区、直辖市人民政府编制，报国务院批准。

其他江河、河段、湖泊的防洪规划或者区域防洪规划，由县级以上地方人民政府水行政主管部门分别依据流域综合规划、区域综合规划，会同有关部门和有关地区编制，报本级人民政府批准，并报上一级人民政府水行政主管部门备案；跨省、自治区、直辖市的江河、河段、湖泊的防洪规划由有关流域管理机构会同江河、河段、湖泊所在地的省、自治区、直辖市人民政府水行政主管部门、有关主管部门拟定，分别经有关省、自治区、直辖市人民政府审查提出意见后，报国务院水行政主管部门批准。

城市防洪规划，由城市人民政府组织水行政主管部门、建设行政主管部门和其他有关部门依据流域防洪规划，上一级人民政府区域防洪规划编制，按照国务院规定的审批程序批准后纳入城市总体规划。

修改防洪规划，应当报经原批准机关批准。

第十二条 受风暴潮威胁的沿海地区的县级以上地方人民政府，应当把防御风暴潮纳入本地区的防洪规划，加强海堤（海塘）、挡潮闸和沿海防护林等防御风暴潮工程体系建设，监督建筑物、构筑物的设计和施工符合防御风暴潮的需要。

第十三条 山洪可能诱发山体滑坡、崩塌和泥石流的地区以及其他山洪多发地区的县级以上地方人民政府，应当组织负责地质矿产管理工作的部门、水行政主管部门和其他有关部门对山体滑坡、崩塌和泥石流隐患进行全面调查，划定重点防治区，采取防治措施。

城市、村镇和其他居民点以及工厂、矿山、铁路和公路干线的布局，应当避开山洪威胁；已经建在受山洪威胁的地方的，应当采取防御措施。

第十四条 平原、洼地、水网圩区、山谷、盆地等易涝地区的有关地方人民政府，应当制定除涝治涝规划，组织有关部门、单位采取相应的治理措施，完善排水系统，发展耐涝农作物种类和品种，开展洪涝、干旱、盐碱综合治理。

城市人民政府应当加强对城区排涝管网、泵站的建设和管理。

第十五条 国务院水行政主管部门应当会同有关部门和省、自治区、直辖市人民政府制定长江、黄河、珠江、辽河、淮河、海河入海河口的整治规划。

在前款入海河口围海造地，应当符合河口整治规划。

第十六条 防洪规划确定的河道整治计划用地和规划建设的堤防用地范围内的土地，经土地管理部门和水行政主管部门会同有关地区核定，报经县级以上人民政府按照国务院规定的权限批准后，可以划定为规划保留区；该规划保留区范围内的土地涉及其他项目用地的，有关土地管理部门和水行政主管部门核定时，应当征求有关部门的意见。

规划保留区依照前款规定划定后，应当公告。

前款规划保留区内不得建设与防洪无关的工矿工程设施；在特殊情况下，国家工矿建设项目确需占用前款规划保留区内的土地的，应当按照国家规定的基本建设程序报请批准，并征求有关水行政主管部门的意见。

防洪规划确定的扩大或者开辟的人工排洪道用地范围内的土

地，经省级以上人民政府土地管理部门和水行政主管部门会同有关部门、有关地区核定，报省级以上人民政府按照国务院规定的权限批准后，可以划定为规划保留区，适用前款规定。

第三章 治理与防护

第二十四条 对居住在行洪河道内的居民，当地人民政府应当有计划地组织外迁。

第四章 防洪区和防洪工程设施的管理

第二十九条 防洪区是指洪水泛滥可能淹及的地区，分为洪泛区、蓄滞洪区和防洪保护区。

洪泛区是指尚无工程设施保护的洪水泛滥所及的地区。

蓄滞洪区是指包括分洪口在内的河堤背水面以外临时贮存洪水的低洼地区及湖泊等。

防洪保护区是指在防洪标准内受防洪工程设施保护的地区。

洪泛区、蓄滞洪区和防洪保护区的范围，在防洪规划或者防御洪水方案中划定，并报请省级以上人民政府按照国务院规定的权限批准后予以公告。

第三十一条 地方各级人民政府应当加强对防洪区安全建设工作的领导，组织有关部门、单位对防洪区内的单位和居民进行防洪教育，普及防洪知识，提高水患意识；按照防洪规划和防御洪水方案建立并完善防洪体系和水文、气象、通信、预警以及洪涝灾害监测系统，提高防御洪水能力；组织防洪区内的单位和居民积极参加防洪工作，因地制宜地采取防洪避洪措施。

第三十二条 洪泛区、蓄滞洪区所在地的省、自治区、直辖市人民政府应当组织有关地区和部门，按照防洪规划的要求，制定洪泛区、蓄滞洪区安全建设计划，控制蓄滞洪区人口增长，对居住在经常使用的蓄滞洪区的居民,有计划地组织外迁,并采取其他必要的安全保护措施。

因蓄滞洪区而直接受益的地区和单位,应当对蓄滞洪区承担国家规定的补偿、救助义务。国务院和有关的省、自治区、直辖市人民政府应当建立对蓄滞洪区的扶持和补偿、补助制度。

国务院和有关的省、自治区、直辖市人民政府可以制定洪泛区、蓄滞洪区安全建设管理办法以及对蓄滞洪区的扶持和补偿、救助办法。

第三十三条 在洪泛区、蓄滞洪区内建设非防洪建设项目,应当就洪水对建设项目可能产生的影响和建设项目对防洪可能产生的影响作出评价,编制洪水影响评价报告,提出防御措施。建设项目可行性研究报告按照国家规定的基本建设程序报请批准时,应当附具有关水行政主管部门审查批准的洪水影响评价报告。

在蓄滞洪区内建设的油田、铁路、公路、矿山、电厂、电信设施和管道,其洪水影响评价报告应当包括建设单位自行安排的防洪避洪方案。建设项目投入生产或者使用时,其防洪工程设施应当经水行政主管部门验收。

在蓄滞洪区内建造房屋应当采用平顶式结构。

第三十四条 大中城市,重要的铁路、公路干线,大型骨干企业,应当列为防洪重点,确保安全。

受洪水威胁的城市、经济开发区、工矿区和国家重要的农业生产基地等,应当重点保护,建设必要的防洪工程设施。

城市建设不得擅自填堵原有河道沟叉、贮水湖塘洼淀和废除原有防洪围堤;确需填堵或者废除的,应当经水行政主管部门审查同意,并报城市人民政府批准。

第三十六条 各级人民政府应当组织有关部门加强对水库大坝的定期检查和监督管理。对未达到设计洪水标准、抗震设防要求或者有严重质量缺陷的险坝,大坝主管部门应当组织有关单位采取除险加固措施,限期消除危险或者重建,有关人民政府应当优先安排所需资金。对可能出现垮坝的水库,应当事先制定应急抢险和居民临时撤离方案。

各级人民政府和有关主管部门应当加强对尾矿坝的监督管理,采取措施,避免因洪水导致垮坝。

第五章 防汛抗洪

第三十八条 防汛抗洪工作实行各级人民政府行政首长负责制,统一指挥、分级分部门负责。

第三十九条 国务院设立国家防汛指挥机构,负责领导、组织全国的防汛抗洪工作,其办事机构设在国务院水行政主管部门。

在国家确定的重要江河、湖泊可以设立由有关省、自治区、直辖市人民政府和该江河、湖泊的流域管理机构负责人等组成的防汛指挥机构,指挥所管辖范围内的防汛抗洪工作,其办事机构设在流域管理机构。

有防汛抗洪任务的县级以上地方人民政府设立由有关部门、当地驻军、人民武装部负责人等组成的防汛指挥机构,在上级防汛指挥机构和本级人民政府的领导下,指挥本地区的防汛抗洪工作,其办事机构设在同级水行政主管部门;必要时,经城市人民政府决定,防汛指挥机构也可以在建设行政主管部门设城市市区办事机构,在防汛指挥机构的统一领导下,负责城市市区的防汛抗洪日常工作。

第四十条 有防汛抗洪任务的县级以上地方人民政府根据流域综合规划、防洪工程实际状况和国家规定的防洪标准,制定防御洪水方案(包括对特大洪水的处置措施)。

长江、黄河、淮河、海河的防御洪水方案,由国家防汛指挥机构制定,报国务院批准;跨省、自治区、直辖市的其他江河的防御洪水方案,由有关流域管理机构会同有关省、自治区、直辖市人民政府制定,报国务院或者国务院授权的有关部门批准。防御洪水方案经批准后,有关地方人民政府必须执行。

各级防汛指挥机构和承担防汛抗洪任务的部门和单位，必须根据防御洪水方案做好防汛抗洪准备工作。

第四十一条　省、自治区、直辖市人民政府防汛指挥机构根据当地的洪水规律，规定汛期起止日期。

当江河、湖泊的水情接近保证水位或者安全流量，水库水位接近设计洪水位，或者防洪工程设施发生重大险情时，有关县级以上人民政府防汛指挥机构可以宣布进入紧急防汛期。

第四十二条　对河道、湖泊范围内阻碍行洪的障碍物，按照谁设障、谁清除的原则，由防汛指挥机构责令限期清除；逾期不清除的，由防汛指挥机构组织强行清除，所需费用由设障者承担。

在紧急防汛期，国家防汛指挥机构或者其授权的流域、省、自治区、直辖市防汛指挥机构有权对壅水、阻水严重的桥梁、引道、码头和其他跨河工程设施作出紧急处置。

第四十三条　在汛期，气象、水文、海洋等有关部门应当按照各自的职责，及时向有关防汛指挥机构提供天气、水文等实时信息和风暴潮预报；电信部门应当优先提供防汛抗洪通信的服务；运输、电力、物资材料供应等有关部门应当优先为防汛抗洪服务。

中国人民解放军、中国人民武装警察部队和民兵应当执行国家赋予的抗洪抢险任务。

第四十四条　在汛期，水库、闸坝和其他水工程设施的运用，必须服从有关的防汛指挥机构的调度指挥和监督。

在汛期，水库不得擅自在汛期限制水位以上蓄水，其汛期限制水位以上的防洪库容的运用，必须服从防汛指挥机构的调度指挥和监督。

在凌汛期，有防凌汛任务的江河的上游水库的下泄水量必须征得有关的防汛指挥机构的同意，并接受其监督。

第四十五条　在紧急防汛期，防汛指挥机构根据防汛抗洪的需要，有权在其管辖范围内调用物资、设备、交通运输工具和人力，决定采取取土占地、砍伐林木、清除阻水障碍物和其他必要的紧急措施；

必要时,公安、交通等有关部门按照防汛指挥机构的决定,依法实施陆地和水面交通管制。

依照前款规定调用的物资、设备、交通运输工具等,在汛期结束后应当及时归还;造成损坏或者无法归还的,按照国务院有关规定给予适当补偿或者作其他处理。取土占地、砍伐林木的,在汛期结束后依法向有关部门补办手续;有关地方人民政府对取土后的土地组织复垦,对砍伐的林木组织补种。

第四十六条 江河、湖泊水位或者流量达到国家规定的分洪标准,需要启用蓄滞洪区时,国务院,国家防汛指挥机构,流域防汛指挥机构,省、自治区、直辖市人民政府,省、自治区、直辖市防汛指挥机构,按照依法经批准的防御洪水方案中规定的启用条件和批准程序,决定启用蓄滞洪区。依法启用蓄滞洪区,任何单位和个人不得阻拦、拖延;遇到阻拦、拖延时,由有关县级以上地方人民政府强制实施。

第四十七条 发生洪涝灾害后,有关人民政府应当组织有关部门、单位做好灾区的生活供给、卫生防疫、救灾物资供应、治安管理、学校复课、恢复生产和重建家园等救灾工作以及所管辖地区的各项水毁工程设施修复工作。水毁防洪工程设施的修复,应当优先列入有关部门的年度建设计划。

国家鼓励、扶持开展洪水保险。

第五十条 中央财政应当安排资金,用于国家确定的重要江河、湖泊的堤坝遭受特大洪涝灾害时的抗洪抢险和水毁防洪工程修复。省、自治区、直辖市人民政府应当在本级财政预算中安排资金,用于本行政区域内遭受特大洪涝灾害地区的抗洪抢险和水毁防洪工程修复。

第五十一条 国家设立水利建设基金,用于防洪工程和水利工程的维护和建设。具体办法由国务院规定。

受洪水威胁的省、自治区、直辖市为加强本行政区域内防洪工程设施建设,提高防御洪水能力,按照国务院的有关规定,可以规定在防洪保护区范围内征收河道工程修建维护管理费。

第六十五条　国家工作人员，有下列行为之一，构成犯罪的，依法追究刑事责任；尚不构成犯罪的，给予行政处分：

（一）违反本法第十七条、第十九条、第二十二条第二款、第二十二条第三款、第二十七条或者第三十四条规定，严重影响防洪的；

（二）滥用职权，玩忽职守，徇私舞弊，致使防汛抗洪工作遭受重大损失的；

（三）拒不执行防御洪水方案、防汛抢险指令或者蓄滞洪方案、措施、汛期调度运用计划等防汛调度方案的；

（四）违反本法规定，导致或者加重毗邻地区或者其他单位洪灾损失的。

中华人民共和国气象法(节选)

(1999年10月31日第九届全国人民代表
大会常务委员会第十二次会议通过)

第四章 气象预报与灾害性天气警报

第二十二条 国家对公众气象预报和灾害性天气警报实行统一发布制度。

各级气象主管机构所属的气象台站应当按照职责向社会发布公众气象预报和灾害性天气警报,并根据天气变化情况及时补充或者订正。其他任何组织或者个人不得向社会发布公众气象预报和灾害性天气警报。

国务院其他有关部门和省、自治区、直辖市人民政府其他有关部门所属的气象台站,可以发布供本系统使用的专项气象预报。

各级气象主管机构及其所属的气象台站应当提高公众气象预报和灾害性天气警报的准确性、及时性和服务水平。

第二十三条 各级气象主管机构所属的气象台站应当根据需要,发布农业气象预报、城市环境气象预报、火险气象等级预报等专业气象预报,并配合军事气象部门进行国防建设所需的气象服务工作。

第二十四条 各级广播、电视台站和省级人民政府指定的报纸,应当安排专门的时间或者版面,每天播发或者刊登公众气象预报或者灾害性天气警报。

各级气象主管机构所属的气象台站应当保证其制作的气象预报节目的质量。

广播、电视播出单位改变气象预报节目播发时间安排的，应当事先征得有关气象台站的同意；对国计民生可能产生重大影响的灾害性天气警报和补充、订正的气象预报，应当及时增播或者插播。

第二十五条 广播、电视、报纸、电信等媒体向社会传播气象预报和灾害性天气警报，必须使用气象主管机构所属的气象台站提供的适时气象信息，并标明发布时间和气象台站的名称。通过传播气象信息获得的收益，应当提取一部分支持气象事业的发展。

第二十六条 信息产业部门应当与气象主管机构密切配合，确保气象通信畅通，准确、及时地传递气象情报、气象预报和灾害性天气警报。

气象无线电专用频道和信道受国家保护，任何组织或者个人不得挤占和干扰。

第五章 气象灾害防御

第二十七条 县级以上人民政府应当加强气象灾害监测、预警系统建设，组织有关部门编制气象灾害防御规划，并采取有效措施，提高防御气象灾害的能力。有关组织和个人应当服从人民政府的指挥和安排，做好气象灾害防御工作。

第二十八条 各级气象主管机构应当组织对重大灾害性天气的跨地区、跨部门的联合监测、预报工作，及时提出气象灾害防御措施，并对重大气象灾害作出评估，为本级人民政府组织防御气象灾害提供决策依据。

各级气象主管机构所属的气象台站应当加强对可能影响当地的灾害性天气的监测和预报，并及时报告有关气象主管机构。其他有关部门所属的气象台站和与灾害性天气监测、预报有关的单位应当及时向气象主管机构提供监测、预报气象灾害所需要的气象探测信息和有关的水情、风暴潮等监测信息。

第二十九条 县级以上地方人民政府应当根据防御气象灾害的需要,制定气象灾害防御方案,并根据气象主管机构提供的气象信息,组织实施气象灾害防御方案,避免或者减轻气象灾害。

中华人民共和国集会游行示威法(节选)

(一九八九年十月三十一日第七届全国人民代表大会常务委员会第十次会议通过)

第四条 公民在行使集会、游行、示威的权利的时候,必须遵守宪法和法律,不得反对宪法所确定的基本原则,不得损害国家的、社会的、集体的利益和其他公民的合法的自由和权利。

第五条 集会、游行、示威应当和平地进行,不得携带武器、管制刀具和爆炸物,不得使用暴力或者煽动使用暴力。

第六条 集会、游行、示威的主管机关,是集会、游行、示威举行地的市、县公安局、城市公安分局;游行、示威路线经过两个以上区、县的,主管机关为所经过区、县的公安机关的共同上一级公安机关。

第三章 集会游行示威的举行

第十八条 对于依法举行的集会、游行、示威,主管机关应当派出人民警察维持交通秩序和社会秩序,保障集会、游行、示威的顺利进行。

第十九条 依法举行的集会、游行、示威,任何人不得以暴力、胁迫或者其他非法手段进行扰乱、冲击和破坏。

第二十条 为了保障依法举行的游行的行进,负责维持交通秩序的人民警察可以临时变通执行交通规则的有关规定。

第二十一条 游行在行进中遇有不可预料的情况，不能按照许可的路线行进时，人民警察现场负责人有权改变游行队伍的行进路线。

第二十二条 集会、游行、示威在国家机关、军事机关、广播电台、电视台、外国驻华使馆领馆等单位所在地举行或者经过的，主管机关为了维持秩序，可以在附近设置临时警戒线，未经人民警察许可，不得逾越。

第二十三条 在下列场所周边距离十米至三百米内，不得举行集会、游行、示威，经国务院或者省、自治区、直辖市的人民政府批准的除外：

（一）全国人民代表大会常务委员会、国务院、中央军事委员会、最高人民法院、最高人民检察院的所在地；

（二）国宾下榻处；

（三）重要军事设施；

（四）航空港、火车站和港口。

前款所列场所的具体周边距离，由省、自治区、直辖市的人民政府规定。

第二十六条 举行集会、游行、示威，不得违反治安管理法规，不得进行犯罪活动或者煽动犯罪。

第二十七条 举行集会、游行、示威，有下列情形之一的，人民警察应当予以制止：

（一）未依照本法规定申请或者申请未获许可的；

（二）未按照主管机关许可的目的、方式、标语、口号、起止时间、地点、路线进行的；

（三）在进行中出现危害公共安全或者严重破坏社会秩序情况的。

有前款所列情形之一，不听制止的，人民警察现场负责人有权命令解散；拒不解散的，人民警察现场负责人有权依照国家有关规定决定采取必要手段强行驱散，并对拒不服从的人员强行带离现场或者立即予以拘留。

参加集会、游行、示威的人员越过依照本法第二十二条规定设置的临时警戒线、进入本法第二十三条所列不得举行集会、游行、示威的特定场所周边一定范围或者有其他违法犯罪行为的，人民警察可以将其强行带离现场或者立即予以拘留。

第四章 法 律 责 任

第二十八条 举行集会、游行、示威，有违反治安管理行为的，依照治安管理处罚条例有关规定予以处罚。

举行集会、游行、示威，有下列情形之一的，公安机关可以对其负责人和直接责任人员处以警告或者十五日以下拘留：

（一）未依照本法规定申请或者申请未获许可的；

（二）未按照主管机关许可的目的、方式、标语、口号、起止时间、地点、路线进行，不听制止的。

第二十九条 举行集会、游行、示威，有犯罪行为的，依照刑法有关规定追究刑事责任。

携带武器、管制刀具或者爆炸物的，比照刑法第 百六十二条的规定追究刑事责任。

未依照本法规定申请或者申请未获许可，或者未按照主管机关许可的起止时间、地点、路线进行，又拒不服从解散命令，严重破坏社会秩序的，对集会、游行、示威的负责人和直接责任人员依照刑法第一百五十八条的规定追究刑事责任。

包围、冲击国家机关，致使国家机关的公务活动或者国事活动不能正常进行的，对集会、游行、示威的负责人和直接责任人员依照刑法第一百五十八条的规定追究刑事责任。

占领公共场所、拦截车辆行人或者聚众堵塞交通，严重破坏公共场所秩序、交通秩序的，对集会、游行、示威的负责人和直接责任人员依照刑法第一百五十九条的规定追究刑事责任。

第三十条 扰乱、冲击或者以其他方法破坏依法举行的集会、游行、示威的，公安机关可以处以警告或者十五日以下拘留；情节严重，构成犯罪的，依照刑法有关规定追究刑事责任。

第三十一条 当事人对公安机关依照本法第二十八条第二款或者第三十条的规定给予的拘留处罚决定不服的，可以自接到处罚决定通知之日起五日内，向上一级公安机关提出申诉，上一级公安机关应当自接到申诉之日起五日内作出裁决；对上一级公安机关裁决不服的，可以自接到裁决通知之日起五日内，向人民法院提起诉讼。

第三十二条 在举行集会、游行、示威过程中，破坏公私财物或者侵害他人身体造成伤亡的，除依照刑法或者治安管理处罚条例的有关规定可以予以处罚外，还应当依法承担赔偿责任。

第三十三条 公民在本人居住地以外的城市发动、组织当地公民的集会、游行、示威的，公安机关有权予以拘留或者强行遣回原地。

第五章 附　　则

第三十四条 外国人在中国境内举行集会、游行、示威，适用本法规定。

外国人在中国境内未经主管机关批准不得参加中国公民举行的集会、游行、示威。

中华人民共和国人民警察法(节选)

(1995年2月28日第八届全国人民代表大会常务委员会第十二次会议通过)

第七条　公安机关的人民警察对违反治安管理或者其他公安行政管理法律、法规的个人或者组织,依法可以实施行政强制措施、行政处罚。

第八条　公安机关的人民警察对严重危害社会治安秩序或者威胁公共安全的人员,可以强行带离现场、依法予以拘留或者采取法律规定的其他措施。

第十条　遇有拒捕、暴乱、越狱、抢夺枪支或者其他暴力行为的紧急情况,公安机关的人民警察依照国家有关规定可以使用武器。

第十一条　为制止严重违法犯罪活动的需要,公安机关的人民警察依照国家有关规定可以使用警械。

第十二条　为侦查犯罪活动的需要,公安机关的人民警察可以依法执行拘留、搜查、逮捕或者其他强制措施。

第十五条　县级以上人民政府公安机关,为预防和制止严重危害社会治安秩序的行为,可以在一定的区域和时间,限制人员、车辆的通行或者停留,必要时可以实行交通管制。

公安机关的人民警察依照前款规定,可以采取相应的交通管制措施。

第十七条　县级以上人民政府公安机关,经上级公安机关和同级人民政府批准,对严重危害社会治安秩序的突发事件,可以根据情况实行现场管制。

公安机关的人民警察依照前款规定,可以采取必要手段强行驱散,并对拒不服从的人员强行带离现场或者立即予以拘留。

第五十一条 中国人民武装警察部队执行国家赋予的安全保卫任务。

中华人民共和国戒严法

（1996 年 3 月 1 日第八届全国人民代表
大会常务委员会第十八次会议通过）

目 录

第一章 总 则

第一条 根据中华人民共和国宪法，制定本法。

第二条 在发生严重危及国家的统一、安全或者社会公共安全的动乱、暴乱或者严重骚乱，不采取非常措施不足以维护社会秩序、保护人民的生命和财产安全的紧急状态时，国家可以决定实行戒严。

第三条 全国或者个别省、自治区、直辖市的戒严，由国务院提请全国人民代表大会常务委员会决定；中华人民共和国主席根据全国人民代表大会常务委员会的决定，发布戒严令。

省、自治区、直辖市的范围内部分地区的戒严，由国务院决定，国务院总理发布戒严令。

第四条 戒严期间，为保证戒严的实施和维护社会治安秩序，国家可以依照本法在戒严地区内，对宪法、法律规定的公民权利和自由的行使作出特别规定。

第五条 戒严地区内的人民政府应当依照本法采取必要的措施，尽快恢复正常社会秩序，保障人民的生命和财产安全以及基本生活必需品的供应。

第六条 戒严地区内的一切组织和个人，必须严格遵守戒严令和实施戒严令的规定，积极协助人民政府恢复正常社会秩序。

第七条 国家对遵守戒严令和实施戒严令的规定的组织和个人，采取有效措施保护其合法权益不受侵犯。

第八条 戒严任务由人民警察、人民武装警察执行；必要时，国务院可以向中央军事委员会提出，由中央军事委员会决定派出人民解放军协助执行戒严任务。

第二章 戒严的实施

第九条 全国或者个别省、自治区、直辖市的戒严，由国务院组织实施。

省、自治区、直辖市的范围内部分地区的戒严，由省、自治区、直辖市人民政府组织实施；必要时，国务院可以直接组织实施。

组织实施戒严的机关称为戒严实施机关。

第十条 戒严实施机关建立戒严指挥机构，由戒严指挥机构协调执行戒严任务的有关方面的行动，统一部署和实施戒严措施。

执行戒严任务的人民解放军，在戒严指挥机构的统一部署下，由中央军事委员会指定的军事机关实施指挥。

第十一条 戒严令应当规定戒严的地域范围、起始时间、实施机关等事项。

第十二条　根据本法第二条规定实行戒严的紧急状态消除后，应当及时解除戒严。

解除戒严的程序与决定戒严的程序相同。

第三章　实施戒严的措施

第十三条　戒严期间，戒严实施机关可以决定在戒严地区采取下列措施，并可以制定具体实施办法：

（一）禁止或者限制集会、游行、示威、街头讲演以及其他聚众活动；

（二）禁止罢工、罢市、罢课；

（三）实行新闻管制；

（四）实行通讯、邮政、电信管制；

（五）实行出境入境管制；

（六）禁止任何反对戒严的活动。

第十四条　戒严期间，戒严实施机关可以决定在戒严地区采取交通管制措施，限制人员进出交通管制区域，并对进出交通管制区域人员的证件、车辆、物品进行检查。

第十五条　戒严期间，戒严实施机关可以决定在戒严地区采取宵禁措施。宵禁期间，在实行宵禁地区的街道或者其他公共场所通行，必须持有本人身份证件和戒严实施机关制发的特别通行证。

第十六条　戒严期间，戒严实施机关或者戒严指挥机构可以在戒严地区对下列物品采取特别管理措施：

（一）武器、弹药；

（二）管制刀具；

（三）易燃易爆物品；

（四）化学危险物品、放射性物品、剧毒物品等。

第十七条　根据执行戒严任务的需要，戒严地区的县级以上人民政府可以临时征用国家机关、企业事业组织、社会团体以及公民个人的房屋、场所、设施、运输工具、工程机械等。在非常紧急的情况下,执行戒严任务的人民警察、人民武装警察、人民解放军的现场指挥员可以直接决定临时征用,地方人民政府应当给予协助。实施征用应当开具征用单据。

前款规定的临时征用物,在使用完毕或者戒严解除后应当及时归还;因征用造成损坏的,由县级以上人民政府按照国家有关规定给予相应补偿。

第十八条 戒严期间,对戒严地区的下列单位、场所,采取措施,加强警卫:

(一)首脑机关;

(二)军事机关和重要军事设施;

(三)外国驻华使领馆、国际组织驻华代表机构和国宾下榻处;

(四)广播电台、电视台、国家通讯社等重要新闻单位及其重要设施;

(五)与国计民生有重大关系的公用企业和公共设施;

(六)机场、火车站和港口;

(七)监狱、劳教场所、看守所;

(八)其他需要加强警卫的单位和场所。

第十九条 为保障戒严地区内的人民基本生活必需品的供应,戒严实施机关可以对基本生活必需品的生产、运输、供应、价格,采取特别管理措施。

第二十条 戒严实施机关依照本法采取的实施戒严令的措施和办法,需要公众遵守的,应当公布;在实施过程中,根据情况,对于不需要继续实施的措施和办法,应当及时公布停止实施。

第四章 戒严执勤人员的职责

第二十一条 执行戒严任务的人民警察、人民武装警察和人民解放军是戒严执勤人员。

戒严执勤人员执行戒严任务时，应当佩带由戒严实施机关统一规定的标志。

第二十二条 戒严执勤人员依照戒严实施机关的规定，有权对戒严地区公共道路上或者其他公共场所内的人员的证件、车辆、物品进行检查。

第二十三条 戒严执勤人员依照戒严实施机关的规定，有权对违反宵禁规定的人予以扣留，直至清晨宵禁结束；并有权对被扣留者的人身进行搜查，对其携带的物品进行检查。

第二十四条 戒严执勤人员依照戒严实施机关的规定，有权对下列人员立即予以拘留：

（一）正在实施危害国家安全、破坏社会秩序的犯罪或者有重大嫌疑的；

（二）阻挠或者抗拒戒严执勤人员执行戒严任务的；

（三）抗拒交通管制或者宵禁规定的；

（四）从事其他抗拒戒严令的活动的。

第二十五条 戒严执勤人员依照戒严实施机关的规定，有权对被拘留的人员的人身进行搜查，有权对犯罪嫌疑分子的住所和涉嫌藏匿犯罪分子、犯罪嫌疑分子或者武器、弹药等危险物品的场所进行搜查。

第二十六条 在戒严地区有下列聚众情形之一、阻止无效的，戒严执勤人员根据有关规定，可以使用警械强行制止或者驱散，并将其组织者和拒不服从的人员强行带离现场或者立即予以拘留：

（一）非法进行集会、游行、示威以及其他聚众活动的；

（二）非法占据公共场所或者在公共场所煽动进行破坏活动的；

（三）冲击国家机关或者其他重要单位、场所的；

（四）扰乱交通秩序或者故意堵塞交通的；

（五）哄抢或者破坏机关、团体、企业事业组织和公民个人的财产的。

第二十七条 戒严执勤人员对于依照本法规定予以拘留的人

员,应当及时登记和讯问,发现不需要继续拘留的,应当立即释放。

戒严期间拘留、逮捕的程序和期限可以不受中华人民共和国刑事诉讼法有关规定的限制,但逮捕须经人民检察院批准或者决定。

第二十八条 在戒严地区遇有下列特别紧急情形之一,使用警械无法制止时,戒严执勤人员可以使用枪支等武器:

(一)公民或者戒严执勤人员的生命安全受到暴力危害时;

(二)拘留、逮捕、押解人犯,遇有暴力抗拒、行凶或者脱逃时;

(三)遇暴力抢夺武器、弹药时;

(四)警卫的重要对象、目标受到暴力袭击,或者有受到暴力袭击的紧迫危险时;

(五)在执行消防、抢险、救护作业以及其他重大紧急任务中,受到严重暴力阻挠时;

(六)法律、行政法规规定可以使用枪支等武器的其他情形。

戒严执勤人员必须严格遵守使用枪支等武器的规定。

第二十九条 戒严执勤人员应当遵守法律、法规和执勤规则,服从命令,履行职责,尊重当地民族风俗习惯,不得侵犯和损害公民的合法权益。

第三十条 戒严执勤人员依法执行任务的行为受法律保护。

戒严执勤人员违反本法规定,滥用职权,侵犯和损害公民合法权益的,依法追究法律责任。

第五章 附 则

第三十一条 在个别县、市的局部范围内突然发生严重骚乱,严重危及国家安全、社会公共安全和人民的生命财产安全,国家没有作出戒严决定时,当地省级人民政府报经国务院批准,可以决定并组织人民警察、人民武装警察实施交通管制和现场管制,限制人员进出管制区域,对进出管制区域人员的证件、车辆、物品进行检查,对参与骚乱的人可以强行予以驱散、强行带离现场、搜查,对组织者和拒不服从的人员可以立即予以拘留；在人民警察、人民武装警察力量还不足以维护社会秩序时，可以报请国务院向中央军事委员会提出，由中央军事委员会决定派出人民解放军协助当地人民政府恢复和维持正常社会秩序。

第三十二条 本法自公布之日起施行。

中华人民共和国
刑法修正案(六)(节选)

(2006年6月29日第十届全国人民代表
大会常务委员会第二十二次会议通过)

一、将刑法第一百三十四条修改为:"在生产、作业中违反有关安全管理的规定,因而发生重大伤亡事故或者造成其他严重后果的,处三年以下有期徒刑或者拘役;情节特别恶劣的,处三年以上七年以下有期徒刑。

"强令他人违章冒险作业,因而发生重大伤亡事故或者造成其他严重后果的,处五年以下有期徒刑或者拘役;情节特别恶劣的,处五年以上有期徒刑。"

二、将刑法第一百三十五条修改为:"安全生产设施或者安全生产条件不符合国家规定,因而发生重大伤亡事故或者造成其他严重后果的,对直接负责的主管人员和其他直接责任人员,处三年以下有期徒刑或者拘役;情节特别恶劣的,处三年以上七年以下有期徒刑。"

三、在刑法第一百三十五条后增加一条,作为第一百三十五条之一:"举办大型群众性活动违反安全管理规定,因而发生重大伤亡事故或者造成其他严重后果的,对直接负责的主管人员和其他直接责任人员,处三年以下有期徒刑或者拘役;情节特别恶劣的,处三年以上七年以下有期徒刑。"

四、在刑法第一百三十九条后增加一条,作为第一百三十九条之一:“在安全事故发生后,负有报告职责的人员不报或者谎报事故情况,贻误事故抢救,情节严重的,处三年以下有期徒刑或者拘役;情节特别严重的,处三年以上七年以下有期徒刑。”

三、有关的行政法规和规范性文件

破坏性地震应急条例

（中华人民共和国国务院令第172号发布）

第一章　总　　则

第一条　为了加强对破坏性地震应急活动的管理，减轻地震灾害损失，保障国家财产和公民人身、财产安全，维护社会秩序，制定本条例。

第二条　在中华人民共和国境内从事破坏性地震应急活动，必须遵守本条例。

第三条　地震应急工作实行政府领导、统一管理和分级、分部门负责的原则。

第四条　各级人民政府应当加强地震应急的宣传、教育工作，提高社会防震减灾意识。

第五条　任何组织和个人都有参加地震应急活动的义务。

中国人民解放军和中国人民武装警察部队是地震应急工作的重要力量。

第二章　应急机构

第六条　国务院防震减灾工作主管部门指导和监督全国地震应

急工作。国务院有关部门按照各自的职责,具体负责本部门的地震应急工作。

第七条　造成特大损失的严重破坏性地震发生后,国务院设立抗震救灾指挥部,国务院防震减灾工作主管部门为其办事机构;国务院有关部门设立本部门的地震应急机构。

第八条　县级以上地方人民政府防震减灾工作主管部门指导和监督本行政区域内的地震应急工作。

破坏性地震发生后,有关县级以上地方人民政府应当设立抗震救灾指挥部,对本行政区域内的地震应急工作实行集中领导,其办事机构设在本级人民政府防震减灾工作主管部门或者本级人民政府指定的其他部门;国务院另有规定的,从其规定。

第三章　应 急 预 案

第九条　国家的破坏性地震应急预案,由国务院防震减灾工作主管部门会同国务院有关部门制定,报国务院批准。

第十条　国务院有关部门应当根据国家的破坏性地震应急预案,制定本部门的破坏性地震应急预案,并报国务院防震减灾工作主管部门备案。

第十一条　根据地震灾害预测,可能发生破坏性地震地区的县级以上地方人民政府防震减灾工作主管部门应当会同同级有关部门以及有关单位,参照国家的破坏性地震应急预案,制定本行政区域内的破坏性地震应急预案,报本级人民政府批准;省、自治区和人口在100万以上的城市的破坏性地震应急预案,还应当报国务院防震减灾工作主管部门备案。

第十二条　部门和地方制定破坏性地震应急预案,应当从本部门或者本地区的实际情况出发,做到切实可行。

第十三条　破坏性地震应急预案应当包括下列主要内容:

(一)应急机构的组成和职责;

（二）应急通信保障；

（三）抢险救援的人员、资金、物资准备；

（四）灾害评估准备；

（五）应急行动方案。

第十四条 制定破坏性地震应急预案的部门和地方，应当根据震情的变化以及实施中发现的问题，及时对其制定的破坏性地震应急预案进行修订、补充；涉及重大事项调整的，应当报经原批准机关同意。

第四章 临震应急

第十五条 地震临震预报，由省、自治区、直辖市人民政府依照国务院有关发布地震预报的规定统一发布，其他任何组织或者个人不得发布地震预报。

任何组织或者个人都不得传播有关地震的谣言。发生地震谣传时，防震减灾工作主管部门应当协助人民政府迅速予以平息和澄清。

第十六条 破坏性地震临震预报发布后，有关省、自治区、直辖市人民政府可以宣布预报区进入临震应急期，并指明临震应急期的起止时间。

临震应急期一般为10日；必要时，可以延长10日。

第十七条 在临震应急期，有关地方人民政府应当根据震情，统一部署破坏性地震应急预案的实施工作，并对临震应急活动中发生的争议采取紧急处理措施。

第十八条 在临震应急期，各级防震减灾工作主管部门应当协助本级人民政府对实施破坏性地震应急预案工作进行检查。

第十九条 在临震应急期，有关地方人民政府应当根据实际情况，向预报区的居民以及其他人员提出避震撤离的劝告；情况紧急时，应当有组织地进行避震疏散。

第二十条　在临震应急期,有关地方人民政府有权在本行政区域内紧急调用物资、设备、人员和占用场地,任何组织或者个人都不得阻拦;调用物资、设备或者占用场地的,事后应当及时归还或者给予补偿。

第二十一条　在临震应急期,有关部门应当对生命线工程和次生灾害源采取紧急防护措施。

第五章　震后应急

第二十二条　破坏性地震发生后,有关的省、自治区、直辖市人民政府应当宣布灾区进入震后应急期,并指明震后应急期的起止时间。

震后应急期一般为10日;必要时,可以延长20日。

第二十三条　破坏性地震发生后,抗震救灾指挥部应当及时组织实施破坏性地震应急预案,及时将震情、灾情及其发展趋势等信息报告上一级人民政府。

第二十四条　防震减灾工作主管部门应当加强现场地震监测预报工作,并及时会同有关部门评估地震灾害损失;灾情调查结果,应当及时报告本级人民政府抗震救灾指挥部和上一级防震减灾工作主管部门。

第二十五条　交通、铁路、民航等部门应当尽快恢复被损毁的道路、铁路、水港、空港和有关设施,并优先保证抢险救援人员、物资的运输和灾民的疏散。其他部门有交通运输工具的,应当无条件服从抗震救灾指挥部的征用或者调用。

第二十六条　通信部门应当尽快恢复被破坏的通信设施,保证抗震救灾通信畅通。其他部门有通信设施的,应当优先为破坏性地震应急工作服务。

第二十七条　供水、供电部门应当尽快恢复被破坏的供水、供电设施,保证灾区用水、用电。

第二十八条 卫生部门应当立即组织急救队伍，利用各种医疗设施或者建立临时治疗点，抢救伤员，及时检查、监测灾区的饮用水源、食品等，采取有效措施防止和控制传染病的暴发流行，并向受灾人员提供精神、心理卫生方面的帮助。医药部门应当及时提供救灾所需药品。其他部门应当配合卫生、医药部门，做好卫生防疫以及伤亡人员的抢救、处理工作。

第二十九条 民政部门应当迅速设置避难场所和救济物资供应点，提供救济物品等，保障灾民的基本生活，做好灾民的转移和安置工作。其他部门应当支持、配合民政部门妥善安置灾民。

第三十条 公安部门应当加强灾区的治安管理和安全保卫工作，预防和制止各种破坏活动，维护社会治安，保证抢险救灾工作顺利进行，尽快恢复社会秩序。

第三十一条 石油、化工、水利、电力、建设等部门和单位以及危险品生产、储运等单位，应当按照各自的职责，对可能发生或者已经发生次生灾害的地点和设施采取紧急处置措施，并加强监视、控制，防止灾害扩展。

公安消防机构应当严密监视灾区火灾的发生；出现火灾时，应当组织力量抢救人员和物资，并采取有效防范措施，防止火势扩大、蔓延。

第三十二条 广播电台、电视台等新闻单位应当根据抗震救灾指挥部提供的情况，按照规定及时向公众发布震情、灾情等有关信息，并做好宣传、报道工作。

第三十三条 抗震救灾指挥部可以请求非灾区的人民政府接受并妥善安置灾民和提供其他救援。

第三十四条 破坏性地震发生后，国内非灾区提供的紧急救援，由抗震救灾指挥部负责接受和安排；国际社会提供的紧急救援，由国务院民政部门负责接受和安排；国外红十字会和国际社会通过中国红十字会提供的紧急救援，由中国红十字会负责接受和安排。

第三十五条 因严重破坏性地震应急的需要，可以在灾区实行特别管制措施。省、自治区、直辖市行政区域内的特别管制措施，由省、自治区、直辖市人民政府决定；跨省、自治区、直辖市的特别管制措施，由有关省、自治区、直辖市人民政府共同决定或者由国务院决定；中断干线交通或者封锁国境的特别管制措施，由国务院决定。特别管制措施的解除，由原决定机关宣布。

第六章　奖励和处罚

第三十六条　在破坏性地震应急活动中有下列事迹之一的，由其所在单位、上级机关或者防震减灾工作主管部门给予表彰或者奖励：

（一）出色完成破坏性地震应急任务的；

（二）保护国家、集体和公民的财产或者抢救人员有功的；

（三）及时排除险情，防止灾害扩大，成绩显著的；

（四）对地震应急工作提出重大建议，实施效果显著的；

（五）因震情、灾情测报准确和信息传递及时而减轻灾害损失的；

（六）及时供应用于应急救灾的物资和工具或者节约经费开支，成绩显著的；

（七）有其他特殊贡献的。

第三十七条　有下列行为之一的，对负有直接责任的主管人员和其他直接责任人员依法给予行政处分；属于违反治安管理行为的，依照治安管理处罚条例的规定给予处罚；构成犯罪的，依法追究刑事责任：

（一）不按照本条例规定制定破坏性地震应急预案的；

（二）不按照破坏性地震应急预案的规定和抗震救灾指挥部的要求实施破坏性地震应急预案的；

（三）违抗抗震救灾指挥部命令，拒不承担地震应急任务的；

（四）阻挠抗震救灾指挥部紧急调用物资、人员或者占用场地的；

（五）贪污、挪用、盗窃地震应急工作经费或者物资的；

（六）有特定责任的国家工作人员在临震应急期或者震后应急期不坚守岗位，不及时掌握震情、灾情，临阵脱逃或者玩忽职守的；

（七）在临震应急期或者震后应急期哄抢国家、集体或者公民的财产的；

（八）阻碍抗震救灾人员执行职务或者进行破坏活动的；

（九）不按照规定和实际情况报告灾情的；

（十）散布谣言，扰乱社会秩序，影响破坏性地震应急工作的；

（十一）有对破坏性地震应急工作造成危害的其他行为的。

第七章　附　　则

第三十八条　本条例下列用语的含义：

（一）“地震应急”，是指为了减轻地震灾害而采取的不同于正常工作程序的紧急防灾和抢险行动；

（二）“破坏性地震”，是指造成一定数量的人员伤亡和经济损失的地震事件；

（三）“严重破坏性地震”，是指造成严重的人员伤亡和经济损失，使灾区丧失或者部分丧失自我恢复能力，需要国家采取对抗行动的地震事件；

（四）“生命线工程”，是指对社会生活、生产有重大影响的交通、通信、供水、排水、供电、供气、输油等工程系统；

（五）“次生灾害源”，是指因地震而可能引发水灾、火灾、爆炸等灾害的易燃易爆物品、有毒物质贮存设施、水坝、堤岸等。

第三十九条　本条例自 1995 年 4 月 1 日起施行。

中华人民共和国防汛条例

（1991 年 6 月 28 日国务院第八十七次会议通过）

第一章 总 则

第一条 为了做好防汛抗洪工作，保障人民生命财产安全和经济建设的顺利进行，根据《中华人民共和国水法》，制定本条例。

第二条 在中华人民共和国境内进行防汛抗洪活动，适用本条例。

第三条 防汛工作实行“安全第一，常备不懈，以防为主，全力抢险”的方针，遵循团结协作和局部利益服从全局利益的原则。

第四条 防汛工作实行各级人民政府行政首长负责制，实行统一指挥，分级分部门负责。各有关部门实行防汛岗位责任制。

第五条 任何单位和个人都有参加防汛抗洪的义务。

中国人民解放军和武装警察部队是防汛抗洪的重要力量。

第二章 防 汛 组 织

第六条 国务院设立国家防汛总指挥部，负责组织领导全国的防汛抗洪工作，其办事机构设在国务院水行政主管部门。

长江和黄河，可以设立由有关省、自治区、直辖市人民政府和该江河的流域管理机构（以下简称流域机构）负责人等组成的防汛指挥机构,负责指挥所辖范围的防汛抗洪工作,其办事机构设在流域机构。长江和黄河的重大防汛抗洪事项须经国家防汛总指挥部批准后执行。

国务院水行政主管部门所属的淮河、海河、珠江、松花江、辽河、太湖等流域机构,设立防汛办事机构,负责协调本流域的防汛日常工作。

第七条 有防汛任务的县级以上地方人民政府设立防汛指挥部,由有关部门、当地驻军、人民武装部负责人组成,由各级人民政府首长担任指挥。各级人民政府防汛指挥部在上级人民政府防汛指挥部和同级人民政府的领导下,执行上级防汛指令,制定各项防汛抗洪措施,统一指挥本地区的防汛抗洪工作。

各级人民政府防汛指挥部办事机构设在同级水行政主管部门;城市市区的防汛指挥部办事机构也可以设在城建主管部门,负责管理所辖范围的防汛日常工作。

第八条 石油、电力、邮电、铁路、公路、航运、工矿以及商业、物资等有防汛任务的部门和单位,汛期应当设立防汛机构,在有管辖权的人民政府防汛指挥部统一领导下,负责做好本行业和本单位的防汛工作。

第九条 河道管理机构、水利水电工程管理单位和江河沿岸在建工程的建设单位,必须加强对所辖水工程设施的管理维护,保证其安全正常运行,组织和参加防汛抗洪工作。

第十条 有防汛任务的地方人民政府应当组织以民兵为骨干的群众性防汛队伍,并责成有关部门将防汛队伍组成人员登记造册,明确各自的任务和责任。

河道管理机构和其他防洪工程管理单位可以结合平时的管理任务,组织本单位的防汛抢险队伍,作为紧急抢险的骨干力量。

第三章 防 汛 准 备

第十一条 有防汛任务的县级以上人民政府,应当根据流域综合规划、防洪工程实际状况和国家规定的防洪标准,制定防御洪水方案(包括对特大洪水的处置措施)。

长江、黄河、淮河、海河的防御洪水方案,由国家防汛总指挥部制定,报国务院批准后施行;跨省、自治区、直辖市的其他江河的防御洪水方案,有关省、自治区、直辖市人民政府制定后,经有管辖权的流域机构审查同意,由省、自治区、直辖市人民政府报国务院或其授权的机构批准后施行。

有防汛抗洪任务的城市人民政府,应当根据流域综合规划和江河的防御洪水方案,制定本城市的防御洪水方案,报上级人民政府或其授权的机构批准后施行。

防御洪水方案经批准后,有关地方人民政府必须执行。

第十二条 有防汛任务的地方,应当根据经批准的防御洪水方案制定洪水调度方案。长江、黄河、淮河、海河(海河流域的永定河、大清河、漳卫南运河和北三河)、松花江、辽河、珠江和太湖流域的洪水调度方案,由有关流域机构会同有关省、自治区、直辖市人民政府制定,报国家防汛总指挥部批准。跨省、自治区、直辖市的其他江河的洪水调度方案,由有关流域机构会同有关省、自治区、直辖市人民政府制定,报流域防汛指挥机构批准;没有设立流域防汛指挥机构的,报国家防汛总指挥部批准。其他江河的洪水调度方案,由有管辖权的水行政主管部门会同有关地方人民政府制定,报有管辖权的防汛指挥机构批准。

洪水调度方案经批准后,有关地方人民政府必须执行。修改洪水调度方案,应当报经原批准机关批准。

第十三条 有防汛抗洪任务的企业应当根据所在流域或者地区经批准的防御洪水方案和洪水调度方案,规定本企业的防汛抗洪措施,在征得其所在地县级人民政府水行政主管部门同意后,由有管辖权的防汛指挥机构监督实施。

第十四条 水库、水电站、拦河闸坝等工程的管理部门,应当根据工程规划设计、经批准的防御洪水方案和洪水调度方案以及工程实际状况，在兴利服从防洪，保证安全的前提下，制定汛期调度运用计划，经上级主管部门审查批准后，报有管辖权的人民政府防汛指挥部备案，并接受其监督。

经国家防汛总指挥部认定的对防汛抗洪关系重大的水电站，其防洪库容的汛期调度运用计划经上级主管部门审查同意后，须经有管辖权的人民政府防汛指挥部批准。

汛期调度运用计划经批准后，由水库、水电站、拦河闸坝等工程的管理部门负责执行。

有防凌任务的江河，其上游水库在凌汛期间的下泄水量，必须征得有管辖权的人民政府防汛指挥部的同意，并接受其监督。

第十五条 各级防汛指挥部应当在汛前对各类防洪设施组织检查，发现影响防洪安全的问题，责成责任单位在规定的期限内处理，不得贻误防汛抗洪工作。

各有关部门和单位按照防汛指挥部的统一部署，对所管辖的防洪工程设施进行汛前检查后，必须将影响防洪安全的问题和处理措施报有管辖权的防汛指挥部和上级主管部门，并按照该防汛指挥部的要求予以处理。

第十六条 关于河道清障和对壅水、阻水严重的桥梁、引道、码头和其他跨河工程设施的改建或者拆除，按照《中华人民共和国河道管理条例》的规定执行。

第十七条 蓄滞洪区所在地的省级人民政府应当按照国务院的有关规定，组织有关部门和市、县，制定所管辖的蓄滞洪区的安全与建设规划，并予实施。

各级地方人民政府必须对所管辖的蓄滞洪区的通信、预报警报、避洪、撤退道路等安全设施，以及紧急撤离和救生的准备工作进行汛前检查，发现影响安全的问题，及时处理。

第十八条 山洪、泥石流易发地区，当地有关部门应当指定预防监测员及时监测。雨季到来之前，当地人民政府防汛指挥部应当组织有关单位进行安全检查，对险情征兆明显的地区，应当及时把群众撤离险区。

风暴潮易发地区，当地有关部门应当加强对水库、海堤、闸坝、高压电线等设施和房屋的安全检查，发现影响安全的问题，及时处理。

第十九条　地区之间在防汛抗洪方面发生的水事纠纷，由发生纠纷地区共同的上一级人民政府或其授权的主管部门处理。

前款所指人民政府或者部门在处理防汛抗洪方面的水事纠纷时，有权采取临时紧急处置措施，有关当事各方必须服从并贯彻执行。

第二十条　有防汛任务的地方人民政府应当建设和完善江河堤防、水库、蓄滞洪区等防洪设施，以及该地区的防汛通信、预报警报系统。

第二十一条　各级防汛指挥部应当储备一定数量的防汛抢险物资，由商业、供销、物资部门代储的，可以支付适当的保管费。受洪水威胁的单位和群众应当储备一定的防汛抢险物料。

防汛抢险所需的主要物资，由计划主管部门在年度计划中予以安排。

第二十二条　各级人民政府防汛指挥部汛前应当向有关单位和当地驻军介绍防御洪水方案，组织交流防汛抢险经验。有关方面汛期应当及时通报水情。

第四章　防汛与抢险

第二十三条　省级人民政府防汛指挥部，可以根据当地的洪水规律，规定汛期起止日期。当江河、湖泊、水库的水情接近保证水位或者安全流量时，或者防洪工程设施发生重大险情，情况紧急时，县级以上地方人民政府可以宣布进入紧急防汛期，并报告上级人民政府防汛指挥部。

第二十四条　防汛期内，各级防汛指挥部必须有负责人主持工作。有关责任人员必须坚守岗位,及时掌握汛情,并按照防御洪水方案和汛期调度运用计划进行调度。

第二十五条 在汛期,水利、电力、气象、海洋、农林等部门的水文站、雨量站,必须及时准确地向各级防汛指挥部提供实时水文信息;气象部门必须及时向各级防汛指挥部提供有关天气预报和实时气象信息;水文部门必须及时向各级防汛指挥部提供有关水文预报;海洋部门必须及时向沿海地区防汛指挥部提供风暴潮预报。

第二十六条 在汛期,河道、水库、闸坝、水运设施等水工程管理单位及其主管部门在执行汛期调度运用计划时,必须服从有管辖权的人民政府防汛指挥部的统一调度指挥或者监督。

在汛期,以发电为主的水库,其汛限水位以上的防洪库容以及洪水调度运用必须服从有管辖权的人民政府防汛指挥部的统一调度指挥。

第二十七条 在汛期,河道、水库、水电站、闸坝等水工程管理单位必须按照规定对水工程进行巡查,发现险情,必须立即采取抢护措施,并及时向防汛指挥部和上级主管部门报告。其他任何单位和个人发现水工程设施出现险情,应当立即向防汛指挥部和水工程管理单位报告。

第二十八条 在汛期,公路、铁路、航运、民航等部门应当及时运送防汛抢险人员和物资;电力部门应当保证防汛用电。

第二十九条 在汛期,电力调度通信设施必须服从防汛工作需要;邮电部门必须保证汛情和防汛指令的及时、准确传递,电视、广播、公路、铁路、航运、民航、公安、林业、石油等部门应当运用本部门的通信工具优先为防汛抗洪服务。

电视、广播、新闻单位应当根据人民政府防汛指挥部提供的汛情,及时向公众发布防汛信息。

第三十条 在紧急防汛期,地方人民政府防汛指挥部必须由人民政府负责人主持工作,组织动员本地区各有关单位和个人投入抗洪抢险。所有单位和个人必须听从指挥,承担人民政府防汛指挥部分配的抗洪抢险任务。

第三十一条　在紧急防汛期，公安部门应当按照人民政府防汛指挥部的要求，加强治安管理和安全保卫工作。必要时须由有关部门依法实行陆地和水面交通管制。

第三十二条　在紧急防汛期，为了防汛抢险需要，防汛指挥部有权在其管辖范围内，调用物资、设备、交通运输工具和人力，事后应当及时归还或者给予适当补偿。因抢险需要取土占地、砍伐林木、清除阻水障碍物的，任何单位和个人不得阻拦。

前款所指取土占地、砍伐林木的，事后应当依法向有关部门补办手续。

第三十三条　当河道水位或者流量达到规定的分洪、滞洪标准时，有管辖权的人民政府防汛指挥部有权根据经批准的分洪、滞洪方案，采取分洪、滞洪措施。采取上述措施对毗邻地区有危害的，须经有管辖权的上级防汛指挥机构批准，并事先通知有关地区。

在非常情况下，为保护国家确定的重点地区和大局安全，必须作出局部牺牲时，在报经有管辖权的上级人民政府防汛指挥部批准后，当地人民政府防汛指挥部可以采取非常紧急措施。

实施上述措施时，任何单位和个人不得阻拦，如遇到阻拦和拖延时，有管辖权的人民政府有权组织强制实施。

第三十四条　当洪水威胁群众安全时，当地人民政府应当及时组织群众撤离至安全地带，并做好生活安排。

第三十五条　按照水的天然流势或者防洪、排涝工程的设计标准，或者经批准的运行方案下泄的洪水，下游地区不得设障阻水或者缩小河道的过水能力；上游地区不得擅自增大下泄流量。

未经有管辖权的人民政府或其授权的部门批准，任何单位和个人不得改变江河河势的自然控制点。

第五章　善后工作

第三十六条　在发生洪水灾害的地区，物资、商业、供销、农业、公路、铁路、航运、民航等部门应当做好抢险救灾物资的供应和运输；民政、卫生、教育等部门应当做好灾区群众的生活供给、医疗防疫、学校复课以及恢复生产等救灾工作；水利、电力、邮电、公路等部门应当做好所管辖的水毁工程的修复工作。

第三十七条 地方各级人民政府防汛指挥部，应当按照国家统计部门批准的洪涝灾害统计报表的要求，核实和统计所管辖范围的洪涝灾情，报上级主管部门和同级统计部门，有关单位和个人不得虚报、瞒报、伪造、篡改。

第三十八条 洪水灾害发生后，各级人民政府防汛指挥部应当积极组织和帮助灾区群众恢复和发展生产。修复水毁工程所需费用，应当优先列入有关主管部门年度建设计划。

第六章 防 汛 经 费

第三十九条 由财政部门安排的防汛经费，按照分级管理的原则，分别列入中央财政和地方财政预算。

在汛期，有防汛任务的地区的单位和个人应当承担一定的防汛抢险的劳务和费用，具体办法由省、自治区、直辖市人民政府制定。

第四十条 防御特大洪水的经费管理，按照有关规定执行。

第四十一条 对蓄滞洪区，逐步推行洪水保险制度，具体办法另行制定。

第七章 奖励与处罚

第四十二条 有下列事迹之一的单位和个人，可以由县级以上人民政府给予表彰或者奖励：

（一）在执行抗洪抢险任务时，组织严密，指挥得当，防守得力，奋力抢险，出色完成任务者；

（二）坚持巡堤查险，遇到险情及时报告，奋力抗洪抢险，成绩显著者；

（三）在危险关头，组织群众保护国家和人民财产，抢救群众有功者；

（四）为防汛调度、抗洪抢险献计献策，效益显著者；

（五）气象、雨情、水情测报和预报准确及时，情报传递迅速，克服困难，抢测洪水，因而减轻重大洪水灾害者；

（六）及时供应防汛物料和工具，爱护防汛器材，节约经费开支，完成防汛抢险任务成绩显著者；

（七）有其他特殊贡献，成绩显著者。

第四十三条 有下列行为之一者，视情节和危害后果，由其所在单位或者上级主管机关给予行政处分；应当给予治安管理处罚的，依照《中华人民共和国治安管理处罚条例》的规定处罚；构成犯罪的，依法追究刑事责任：

（一）拒不执行经批准的防御洪水方案、洪水调度方案，或者拒不执行有管辖权的防汛指挥机构的防汛调度方案或者防汛抢险指令的；

（二）玩忽职守，或者在防汛抢险的紧要关头临阵逃脱的；

（三）非法扒口决堤或者开闸的；

（四）挪用、盗窃、贪污防汛或者救灾的钱款或者物资的；

（五）阻碍防汛指挥机构工作人员依法执行职务的；

（六）盗窃、毁损或者破坏堤防、护岸、闸坝等水工程建筑物和防汛工程设施以及水文监测、测量设施、气象测报设施、河岸地质监测设施、通信照明设施的；

（七）其他危害防汛抢险工作的。

第四十四条 违反河道和水库大坝的安全管理，依照《中华人民共和国河道管理条例》和《水库大坝安全管理条例》的有关规定处理。

第四十五条 虚报、瞒报洪涝灾情，或者伪造、篡改洪涝灾害统计资料的，依照《中华人民共和国统计法》及其实施细则的有关规定处理。

第四十六条 当事人对行政处罚不服的，可以在接到处罚通知之日起十五日内，向作出处罚决定机关的上一级机关申请复议；对复议决定不服的，可以在接到复议决定之日起十五日内，向人民法院起诉。当事人也可以在接到处罚通知之日起十五日内，直接向人民法院起诉。

当事人逾期不申请复议或者不向人民法院起诉，又不履行处罚决定的，由作出处罚决定的机关申请人民法院强制执行；在汛期，也可以由作出处罚决定的机关强制执行；对治安管理处罚不服的，依照《中华人民共和国治安管理处罚条例》的规定办理。

当事人在申请复议或者诉讼期间，不停止行政处罚决定的执行。

第八章 附 则

第四十七条 省、自治区、直辖市人民政府，可以根据本条例的规定，结合本地区的实际情况，制定实施细则。

第四十八条 本条例由国务院水行政主管部门负责解释。

第四十九条 本条例自发布之日起施行。

蓄滞洪区安全与建设指导纲要(节选)

(1988 年 10 月 27 日国务院以国发[1988]74 号批转)

二、通讯与预报、警报

通讯系统以及准确的洪水预报与警报,是减免蓄滞洪区内人民生命财产损失的重要措施。

(一)通讯系统必须做到任何情况下畅通无阻。经常进洪的蓄滞洪区应该建设有线通讯和无线通讯两套系统。通讯设施的建设由防汛主管部门提出要求。有线通讯应纳入城乡邮电网的建设,无线通讯由各级防汛部门负责实施。

(二)预报、警报内容:洪水预报内容,应根据水文气象部门和防汛指挥部的规定和要求进行。警报内容包括预测的洪水位、洪水量、分洪时间、有关准备工作、紧急避洪和撤退路线及允许撤离的时限等。

(三)警报必须传播到整个地区,包括与外界隔绝的孤立地区。传播的方法可以用电话、广播、电视、汽笛、敲锣、挂旗、报警器、鸣枪或挨户通知等一切可能的形式,使每家每户和外出人员都能及时得到警报信息。

(四)发布警报决策:根据国务院批准和省级人民政府制定的防御大洪水方案的决策程序作出分洪蓄洪决定,警报统一由防汛指挥部门发布。可靠性与时机的决定必须十分慎重,不得误报。警报一经发布,各项避洪工作必须迅速及时。由于延误时机造成损失的,要依法追究责任者的法律责任。

五、就地避洪措施

(四)组织指挥和抢救:蓄滞洪区所在地方人民政府负责组织与指挥撤离。分洪时可宣布紧急状态,公安机关负责维持社会治安。乡村基层干部要在统一指挥下,具体负责居民的撤离与安置工作。

七、试行防洪基金或洪水保险制度

(一)省级人民政府可选择受益范围明确、进洪机遇较多的蓄滞洪区,试行防洪基金或洪水保险制度,取得经验后推广,逐步改变过去洪灾损失单纯依靠政府大量救济的办法。

(二)在施行洪水保险的地区,由有关流域机构在水利部的指导下绘制典型年洪水淹没风险边界图,划定使用蓄滞洪区后受益地区的范围;并在保险公司的配合下编制洪水淹没风险边界图及洪水保险率图。在正式制定保险率之前,可先采取"低保额、低保费"的办法,以鼓励更多的居民参加洪水保险。

(三)试行防洪基金或保险的地区,保险公司按规定向蓄滞洪区内投保人收取保费,并赔偿蓄滞洪后的损失;赔付不足部分,可由省级人民政府从受益地区国营工商企业、集体和个体企业以及居民所筹集的防洪基金中解决。

(四)设有蓄滞洪区的省级人民政府,参照上述原则规定,可制订洪水保险及防洪基金筹集、使用和管理的具体办法,报国务院主管部门备案。

核电厂核事故应急管理条例

（国务院第一百二十三次常委会议通过）

第一章　总　则

第一条　为了加强核电厂核事故应急管理工作，控制和减少核事故危害，制定本条例。

第二条　本条例适用于可能或者已经引起放射性物质释放、造成重大辐射后果的核电厂核事故（以下简称核事故）应急管理工作。

第三条　核事故应急管理工作实行常备不懈，积极兼容，统一指挥，大力协同，保护公众，保护环境的方针。

第二章　应急机构及其职责

第四条　全国的核事故应急管理工作由国务院指定的部门负责，其主要职责是：

（一）拟定国家核事故应急工作政策；

（二）统一协调国务院有关部门、军队和地方人民政府的核事故应急工作；

（三）组织制定和实施国家核事故应急计划，审查批准场外核事故应急计划；

（四）适时批准进入和终止场外应急状态；

（五）提出实施核事故应急响应行动的建议；

（六）审查批准核事故公报、国际通报，提出请求国际援助的方案。

必要时，由国务院领导、组织、协调全国的核事故应急管理工作。

第五条 核电厂所在地的省、自治区、直辖市人民政府指定的部门负责本行政区域内的核事故应急管理工作，其主要职责是：

（一）执行国家核事故应急工作的法规和政策；

（二）组织制定场外核事故应急计划，做好核事故应急准备工作；

（三）统一指挥场外核事故应急响应行动；

（四）组织支援核事故应急响应行动；

（五）及时向相邻的省、自治区、直辖市通报核事故情况。

必要时，由省、自治区、直辖市人民政府领导、组织、协调本行政区域内的核事故应急管理工作。

第六条 核电厂的核事故应急机构的主要职责是：

（一）执行国家核事故应急工作的法规和政策；

（二）制定场内核事故应急计划，做好核事故应急准备工作；

（三）确定核事故应急状态等级，统一指挥本单位的核事故应急响应行动；

（四）及时向上级主管部门、国务院核安全部门和省级人民政府指定的部门报告事故情况，提出进入场外应急状态和采取应急防护措施的建议；

（五）协助和配合省级人民政府指定的部门做好核事故应急管理工作。

第七条 核电厂的上级主管部门领导核电厂的核事故应急工作。

国务院核安全部门、环境保护部门和卫生部门等有关部门在各自的职责范围内做好相应的核事故应急工作。

第八条　中国人民解放军作为核事故应急工作的重要力量，应当在核事故应急响应中实施有效的支援。

第三章　应急准备

第九条　针对核电厂可能发生的核事故，核电厂的核事故应急机构、省级人民政府指定的部门和国务院指定的部门应当预先制定核事故应急计划。

核事故应急计划包括场内核事故应急计划、场外核事故应急计划和国家核事故应急计划。各级核事故应急计划应当相互衔接、协调一致。

第十条　场内核事故应急计划由核电厂核事故应急机构制定，经其主管部门审查后，送国务院核安全部门审评并报国务院指定的部门备案。

第十一条　场外核事故应急计划由核电厂所在地的省级人民政府指定的部门组织制定，报国务院指定的部门审查批准。

第十二条　国家核事故应急计划由国务院指定的部门组织制定。

国务院有关部门和中国人民解放军总部应当根据国家核事故应急计划，制定相应的核事故应急方案，报国务院指定的部门备案。

第十三条　场内核事故应急计划、场外核事故应急计划应当包括下列内容：

（一）核事故应急工作的基本任务；

（二）核事故应急响应组织及其职责；

（三）烟羽应急计划区和食入应急计划区的范围；

（四）干预水平和导出干预水平；

（五）核事故应急准备和应急响应的详细方案；

（六）应急设施、设备、器材和其他物资；

（七）核电厂核事故应急机构同省级人民政府指定的部门之间以

及同其他有关方面相互配合、支援的事项及措施。

第十四条 有关部门在进行核电厂选址和设计工作时，应当考虑核事故应急工作的要求。

新建的核电厂必须在其场内和场外核事故应急计划审查批准后，方可装料。

第十五条 国务院指定的部门、省级人民政府指定的部门和核电厂的核事故应急机构应当具有必要的应急设施、设备和相互之间快速可靠的通讯联络系统。

核电厂的核事故应急机构和省级人民政府指定的部门应当具有辐射监测系统、防护器材、药械和其他物资。

用于核事故应急工作的设施、设备和通讯联络系统、辐射监测系统以及防护器材、药械等，应当处于良好状态。

第十六条 核电厂应当对职工进行核安全、辐射防护和核事故应急知识的专门教育。

省级人民政府指定的部门应当在核电厂的协助下对附近的公众进行核安全、辐射防护和核事故应急知识的普及教育。

第十七条 核电厂的核事故应急机构和省级人民政府指定的部门应当对核事故应急工作人员进行培训。

第十八条 核电厂的核事故应急机构和省级人民政府指定的部门应当适时组织不同专业和不同规模的核事故应急演习。

在核电厂首次装料前，核电厂的核事故应急机构和省级人民政府指定的部门应当组织场内、场外核事故应急演习。

第四章 应急对策和应急防护措施

第十九条 核事故应急状态分为下列四级：

（一）应急待命。出现可能导致危及核电厂核安全的某些特定情况或者外部事件，核电厂有关人员进入戒备状态。

（二）厂房应急。事故后果仅限于核电厂的局部区域，核电厂人员按照场内核事故应急计划的要求采取核事故应急响应行动，通知厂外有关核事故应急响应组织。

（三）场区应急。事故后果蔓延至整个场区，场区内的人员采取核事故应急响应行动，通知省级人民政府指定的部门，某些厂外核事故应急响应组织可能采取核事故应急响应行动。

（四）场外应急。事故后果超越场区边界，实施场内和场外核事故应急计划。

第二十条　当核电厂进入应急待命状态时，核电厂核事故应急机构应当及时向核电厂的上级主管部门和国务院核安全部门报告情况，并视情况决定是否向省级人民政府指定的部门报告。当出现可能或者已经有放射性物质释放的情况时，应当根据情况，及时决定进入厂房应急或者场区应急状态，并迅速向核电厂的上级主管部门、国务院核安全部门和省级人民政府指定的部门报告情况；在放射性物质可能或者已经扩散到核电厂场区以外时，应当迅速向省级人民政府指定的部门提出进入场外应急状态并采取应急防护措施的建议。

省级人民政府指定的部门接到核电厂核事故应急机构的事故情况报告后，应当迅速采取相应的核事故应急对策和应急防护措施，并及时向国务院指定的部门报告情况。需要决定进入场外应急状态时，应当经国务院指定的部门批准；在特殊情况下，省级人民政府指定的部门可以先行决定进入场外应急状态，但是应当立即向国务院指定的部门报告。

第二十一条　核电厂的核事故应急机构和省级人民政府指定的部门应当做好核事故后果预测与评价以及环境放射性监测等工作，为采取核事故应急对策和应急防护措施提供依据。

第二十二条　省级人民政府指定的部门应当适时选用隐蔽、服用稳定性碘制剂、控制通道、控制食物和水源、撤离、迁移、对受影响的区域去污等应急防护措施。

第二十三条　省级人民政府指定的部门在核事故应急响应过程中应当将必要的信息及时地告知当地公众。

第二十四条 在核事故现场，各核事故应急响应组织应当实行有效的剂量监督。现场核事故应急响应人员和其他人员都应当在辐射防护人员的监督和指导下活动，尽量防止接受过大剂量的照射。

第二十五条 核电厂的核事故应急机构和省级人民政府指定的部门应当做好核事故现场接受照射人员的救护、洗消、转运和医学处置工作。

第二十六条 在核事故应急进入场外应急状态时，国务院指定的部门应当及时派出人员赶赴现场，指导核事故应急响应行动，必要时提出派出救援力量的建议。

第二十七条 因核事故应急响应需要，可以实行地区封锁。省、自治区、直辖市行政区域内的地区封锁，由省、自治区、直辖市人民政府决定；跨省、自治区、直辖市的地区封锁，以及导致中断干线交通或者封锁国境的地区封锁，由国务院决定。

地区封锁的解除，由原决定机关宣布。

第二十八条 有关核事故的新闻由国务院授权的单位统一发布。

第五章 应急状态的终止和恢复措施

第二十九条 场外应急状态的终止由省级人民政府指定的部门会同核电厂核事故应急机构提出建议，报国务院指定的部门批准，由省级人民政府指定的部门发布。

第三十条 省级人民政府指定的部门应当根据受影响地区的放射性水平，采取有效的恢复措施。

第三十一条 核事故应急状态终止后，核电厂核事故应急机构应当向国务院指定的部门、核电厂的上级主管部门、国务院核安全部门和省级人民政府指定的部门提交详细的事故报告；省级人民政府指定的部门应当向国务院指定的部门提交场外核事故应急工作的总结报告。

第三十二条 核事故使核安全重要物项的安全性能达不到国家标准时，核电厂的重新起动计划应当按照国家有关规定审查批准。

第六章 资金和物资保障

第三十三条 国务院有关部门、军队、地方各级人民政府和核电厂在核事故应急准备工作中应当充分利用现有组织机构、人员、设施和设备等，努力提高核事故应急准备资金和物资的使用效益，并使核事故应急准备工作与地方和核电厂的发展规划相结合。各有关单位应当提供支援。

第三十四条 场内核事故应急准备资金由核电厂承担，列入核电厂工程项目投资概算和运行成本。

场外核事故应急准备资金由核电厂和地方人民政府共同承担，资金数额由国务院指定的部门会同有关部门审定。核电厂承担的资金，在投产前根据核电厂容量、在投产后根据实际发电量确定一定的比例交纳，由国务院计划部门综合平衡后用于地方场外核事故应急准备工作；其余部分由地方人民政府解决。具体办法由国务院指定的部门会同国务院计划部门和国务院财政部门规定。

国务院有关部门和军队所需的核事故应急准备资金，根据各自在核事故应急工作中的职责和任务，充分利用现有条件进行安排，不足部分按照各自的计划和资金渠道上报。

第三十五条 国家的和地方的物资供应部门及其他有关部门应当保证供给核事故应急所需的设备、器材和其他物资。

第三十六条 因核电厂核事故应急响应需要，执行核事故应急响应行动的行政机关有权征用非用于核事故应急响应的设备、器材和其他物资。

对征用的设备、器材和其他物资，应当予以登记并在使用后及时归还；造成损坏的，由征用单位补偿。

第七章　奖励与处罚

第三十七条　在核事故应急工作中有下列事迹之一的单位和个人，由主管部门或者所在单位给予表彰或者奖励：

（一）完成核事故应急响应任务的；

（二）保护公众安全和国家的、集体的和公民的财产，成绩显著的；

（三）对核事故应急准备与响应提出重大建议，实施效果显著的；

（四）辐射、气象预报和测报准确及时，从而减轻损失的；

（五）有其他特殊贡献的。

第三十八条　有下列行为之一的，对有关责任人员视情节和危害后果，由其所在单位或者上级机关给予行政处分；属于违反治安管理行为的，由公安机关依照治安管理处罚条例的规定予以处罚；构成犯罪的，由司法机关依法追究刑事责任：

（一）不按照规定制定核事故应急计划，拒绝承担核事故应急准备义务的；

（二）玩忽职守，引起核事故发生的；

（三）不按照规定报告、通报核事故真实情况的；

（四）拒不执行核事故应急计划，不服从命令和指挥，或者在核事故应急响应时临阵脱逃的；

（五）盗窃、挪用、贪污核事故应急工作所用资金或者物资的；

（六）阻碍核事故应急工作人员依法执行职务或者进行破坏活动的；

（七）散布谣言，扰乱社会秩序的；

（八）有其他对核事故应急工作造成危害的行为的。

第八章　附　　则

第三十九条　本条例中下列用语的含义：

（一）核事故应急，是指为了控制或者缓解核事故、减轻核事故后果而采取的不同于正常秩序和正常工作程序的紧急行动。

（二）场区，是指由核电厂管理的区域。

（三）应急计划区，是指在核电厂周围建立的，制定有核事故应急计划、并预计采取核事故应急对策和应急防护措施的区域。

（四）烟羽应急计划区，是指针对放射性烟云引起的照射而建立的应急计划区。

（五）食入应急计划区，是指针对食入放射性污染的水或者食物引起照射而建立的应急计划区。

（六）干预水平，是指预先规定的用于在异常状态下确定需要对公众采取应急防护措施的剂量水平。

（七）导出干预水平，是指由干预水平推导得出的放射性物质在环境介质中的浓度或者水平。

（八）应急防护措施，是指在核事故情况下用于控制工作人员和公众所接受的剂量而采取的保护措施。

（九）核安全重要物项，是指对核电厂安全有重要意义的建筑物、构筑物、系统、部件和设施等。

第四十条　除核电厂外，其他核设施的核事故应急管理，可以根据具体情况，参照本条例的有关规定执行。

第四十一条　对可能或者已经造成放射性物质释放超越国界的核事故应急，除执行本条例的规定外，并应当执行中华人民共和国缔结或者参加的国际条约的规定，但是中华人民共和国声明保留的条款除外。

第四十二条　本条例自发布之日起施行。

突发公共卫生事件应急条例

（2003 年 5 月 7 日国务院第七次常务会议通过）

第一章 总 则

第一条 为了有效预防、及时控制和消除突发公共卫生事件的危害，保障公众身体健康与生命安全，维护正常的社会秩序，制定本条例。

第二条 本条例所称突发公共卫生事件（以下简称突发事件），是指突然发生，造成或者可能造成社会公众健康严重损害的重大传染病疫情、群体性不明原因疾病、重大食物和职业中毒以及其他严重影响公众健康的事件。

第三条 突发事件发生后，国务院设立全国突发事件应急处理指挥部，由国务院有关部门和军队有关部门组成，国务院主管领导人担任总指挥，负责对全国突发事件应急处理的统一领导、统一指挥。

国务院卫生行政主管部门和其他有关部门，在各自的职责范围内做好突发事件应急处理的有关工作。

第四条 突发事件发生后，省、自治区、直辖市人民政府成立地方突发事件应急处理指挥部，省、自治区、直辖市人民政府主要领导人担任总指挥，负责领导、指挥本行政区域内突发事件应急处理工作。

县级以上地方人民政府卫生行政主管部门,具体负责组织突发事件的调查、控制和医疗救治工作。

县级以上地方人民政府有关部门,在各自的职责范围内做好突发事件应急处理的有关工作。

第五条 突发事件应急工作,应当遵循预防为主、常备不懈的方针,贯彻统一领导、分级负责、反应及时、措施果断、依靠科学、加强合作的原则。

第六条 县级以上各级人民政府应当组织开展防治突发事件相关科学研究,建立突发事件应急流行病学调查、传染源隔离、医疗救护、现场处置、监督检查、监测检验、卫生防护等有关物资、设备、设施、技术与人才资源储备,所需经费列入本级政府财政预算。

国家对边远贫困地区突发事件应急工作给予财政支持。

第七条 国家鼓励、支持开展突发事件监测、预警、反应处理有关技术的国际交流与合作。

第八条 国务院有关部门和县级以上地方人民政府及其有关部门,应当建立严格的突发事件防范和应急处理责任制,切实履行各自的职责,保证突发事件应急处理工作的正常进行。

第九条 县级以上各级人民政府及其卫生行政主管部门,应当对参加突发事件应急处理的医疗卫生人员,给予适当补助和保健津贴;对参加突发事件应急处理作出贡献的人员,给予表彰和奖励;对因参与应急处理工作致病、致残、死亡的人员,按照国家有关规定,给予相应的补助和抚恤。

第二章 预防与应急准备

第十条 国务院卫生行政主管部门按照分类指导、快速反应的要求,制定全国突发事件应急预案,报请国务院批准。

省、自治区、直辖市人民政府根据全国突发事件应急预案,结合本地实际情况,制定本行政区域的突发事件应急预案。

第十一条 全国突发事件应急预案应当包括以下主要内容：

（一）突发事件应急处理指挥部的组成和相关部门的职责；

（二）突发事件的监测与预警；

（三）突发事件信息的收集、分析、报告、通报制度；

（四）突发事件应急处理技术和监测机构及其任务；

（五）突发事件的分级和应急处理工作方案；

（六）突发事件预防、现场控制，应急设施、设备、救治药品和医疗器械以及其他物资和技术的储备与调度；

（七）突发事件应急处理专业队伍的建设和培训。

第十二条 突发事件应急预案应当根据突发事件的变化和实施中发现的问题及时进行修订、补充。

第十三条 地方各级人民政府应当依照法律、行政法规的规定，做好传染病预防和其他公共卫生工作，防范突发事件的发生。

县级以上各级人民政府卫生行政主管部门和其他有关部门，应当对公众开展突发事件应急知识的专门教育，增强全社会对突发事件的防范意识和应对能力。

第十四条 国家建立统一的突发事件预防控制体系。

县级以上地方人民政府应当建立和完善突发事件监测与预警系统。

县级以上各级人民政府卫生行政主管部门，应当指定机构负责开展突发事件的日常监测，并确保监测与预警系统的正常运行。

第十五条 监测与预警工作应当根据突发事件的类别，制定监测计划，科学分析、综合评价监测数据。对早期发现的潜在隐患以及可能发生的突发事件，应当依照本条例规定的报告程序和时限及时报告。

第十六条 国务院有关部门和县级以上地方人民政府及其有关部门，应当根据突发事件应急预案的要求，保证应急设施、设备、救治药品和医疗器械等物资储备。

第十七条 县级以上各级人民政府应当加强急救医疗服务网络

的建设，配备相应的医疗救治药物、技术、设备和人员，提高医疗卫生机构应对各类突发事件的救治能力。

设区的市级以上地方人民政府应当设置与传染病防治工作需要相适应的传染病专科医院，或者指定具备传染病防治条件和能力的医疗机构承担传染病防治任务。

第十八条　县级以上地方人民政府卫生行政主管部门，应当定期对医疗卫生机构和人员开展突发事件应急处理相关知识、技能的培训，定期组织医疗卫生机构进行突发事件应急演练，推广最新知识和先进技术。

第三章　报告与信息发布

第十九条　国家建立突发事件应急报告制度。

国务院卫生行政主管部门制定突发事件应急报告规范，建立重大、紧急疫情信息报告系统。

有下列情形之一的，省、自治区、直辖市人民政府应当在接到报告1小时内，向国务院卫生行政主管部门报告：

（一）发生或者可能发生传染病暴发、流行的；

（二）发生或者发现不明原因的群体性疾病的；

（三）发生传染病菌种、毒种丢失的；

（四）发生或者可能发生重大食物和职业中毒事件的。

国务院卫生行政主管部门对可能造成重大社会影响的突发事件，应当立即向国务院报告。

第二十条　突发事件监测机构、医疗卫生机构和有关单位发现有本条例第十九条规定情形之一的，应当在2小时内向所在地县级人民政府卫生行政主管部门报告；接到报告的卫生行政主管部门应当在2小时内向本级人民政府报告，并同时向上级人民政府卫生行政主管部门和国务院卫生行政主管部门报告。

县级人民政府应当在接到报告后2小时内向设区的市级人民政

府或者上一级人民政府报告;设区的市级人民政府应当在接到报告后2小时内向省、自治区、直辖市人民政府报告。

第二十一条 任何单位和个人对突发事件,不得隐瞒、缓报、谎报或者授意他人隐瞒、缓报、谎报。

第二十二条 接到报告的地方人民政府、卫生行政主管部门依照本条例规定报告的同时,应当立即组织力量对报告事项调查核实、确证,采取必要的控制措施,并及时报告调查情况。

第二十三条 国务院卫生行政主管部门应当根据发生突发事件的情况,及时向国务院有关部门和各省、自治区、直辖市人民政府卫生行政主管部门以及军队有关部门通报。

突发事件发生地的省、自治区、直辖市人民政府卫生行政主管部门,应当及时向毗邻省、自治区、直辖市人民政府卫生行政主管部门通报。

接到通报的省、自治区、直辖市人民政府卫生行政主管部门,必要时应当及时通知本行政区域内的医疗卫生机构。

县级以上地方人民政府有关部门,已经发生或者发现可能引起突发事件的情形时,应当及时向同级人民政府卫生行政主管部门通报。

第二十四条 国家建立突发事件举报制度,公布统一的突发事件报告、举报电话。

任何单位和个人有权向人民政府及其有关部门报告突发事件隐患,有权向上级人民政府及其有关部门举报地方人民政府及其有关部门不履行突发事件应急处理职责,或者不按照规定履行职责的情况。接到报告、举报的有关人民政府及其有关部门,应当立即组织对突发事件隐患、不履行或者不按照规定履行突发事件应急处理职责的情况进行调查处理。

对举报突发事件有功的单位和个人,县级以上各级人民政府及其有关部门应当予以奖励。

第二十五条 国家建立突发事件的信息发布制度。

国务院卫生行政主管部门负责向社会发布突发事件的信息。必要时，可以授权省、自治区、直辖市人民政府卫生行政主管部门向社会发布本行政区域内突发事件的信息。

信息发布应当及时、准确、全面。

第四章　应 急 处 理

第二十六条　突发事件发生后，卫生行政主管部门应当组织专家对突发事件进行综合评估，初步判断突发事件的类型，提出是否启动突发事件应急预案的建议。

第二十七条　在全国范围内或者跨省、自治区、直辖市范围内启动全国突发事件应急预案，由国务院卫生行政主管部门报国务院批准后实施。省、自治区、直辖市启动突发事件应急预案，由省、自治区、直辖市人民政府决定，并向国务院报告。

第二十八条　全国突发事件应急处理指挥部对突发事件应急处理工作进行督察和指导，地方各级人民政府及其有关部门应当予以配合。

省、自治区、直辖市突发事件应急处理指挥部对本行政区域内突发事件应急处理工作进行督察和指导。

第二十九条　省级以上人民政府卫生行政主管部门或者其他有关部门指定的突发事件应急处理专业技术机构，负责突发事件的技术调查、确证、处置、控制和评价工作。

第三十条　国务院卫生行政主管部门对新发现的突发传染病，根据危害程度、流行强度，依照《中华人民共和国传染病防治法》的规定及时宣布为法定传染病；宣布为甲类传染病的，由国务院决定。

第三十一条　应急预案启动前，县级以上各级人民政府有关部门应当根据突发事件的实际情况，做好应急处理准备，采取必要的应急措施。

应急预案启动后，突发事件发生地的人民政府有关部门，应当根据预案规定的职责要求，服从突发事件应急处理指挥部的统一指挥，立即到达规定岗位，采取有关的控制措施。

医疗卫生机构、监测机构和科学研究机构，应当服从突发事件应急处理指挥部的统一指挥，相互配合、协作，集中力量开展相关的科学研究工作。

第三十二条 突发事件发生后，国务院有关部门和县级以上地方人民政府及其有关部门，应当保证突发事件应急处理所需的医疗救护设备、救治药品、医疗器械等物资的生产、供应；铁路、交通、民用航空行政主管部门应当保证及时运送。

第三十三条 根据突发事件应急处理的需要，突发事件应急处理指挥部有权紧急调集人员、储备的物资、交通工具以及相关设施、设备；必要时，对人员进行疏散或者隔离，并可以依法对传染病疫区实行封锁。

第三十四条 突发事件应急处理指挥部根据突发事件应急处理的需要，可以对食物和水源采取控制措施。

县级以上地方人民政府卫生行政主管部门应当对突发事件现场等采取控制措施，宣传突发事件防治知识，及时对易受感染的人群和其他易受损害的人群采取应急接种、预防性投药、群体防护等措施。

第三十五条 参加突发事件应急处理的工作人员，应当按照预案的规定，采取卫生防护措施，并在专业人员的指导下进行工作。

第三十六条 国务院卫生行政主管部门或者其他有关部门指定的专业技术机构，有权进入突发事件现场进行调查、采样、技术分析和检验，对地方突发事件的应急处理工作进行技术指导，有关单位和个人应当予以配合；任何单位和个人不得以任何理由予以拒绝。

第三十七条 对新发现的突发传染病、不明原因的群体性疾病、重大食物和职业中毒事件，国务院卫生行政主管部门应当尽快组织力量制定相关的技术标准、规范和控制措施。

第三十八条 交通工具上发现根据国务院卫生行政主管部门的规定需要采取应急控制措施的传染病病人、疑似传染病病人，其负责人应当以最快的方式通知前方停靠点,并向交通工具的营运单位报告。交通工具的前方停靠点和营运单位应当立即向交通工具营运单位行政主管部门和县级以上地方人民政府卫生行政主管部门报告。卫生行政主管部门接到报告后,应当立即组织有关人员采取相应的医学处置措施。

交通工具上的传染病病人密切接触者,由交通工具停靠点的县级以上各级人民政府卫生行政主管部门或者铁路、交通、民用航空行政主管部门,根据各自的职责,依照传染病防治法律、行政法规的规定,采取控制措施。

涉及国境口岸和入出境的人员、交通工具、货物、集装箱、行李、邮包等需要采取传染病应急控制措施的,依照国境卫生检疫法律、行政法规的规定办理。

第三十九条 医疗卫生机构应当对因突发事件致病的人员提供医疗救护和现场救援,对就诊病人必须接诊治疗,并书写详细、完整的病历记录;对需要转送的病人,应当按照规定将病人及其病历记录的复印件转送至接诊的或者指定的医疗机构。

医疗卫生机构内应当采取卫生防护措施,防止交叉感染和污染。

医疗卫生机构应当对传染病病人密切接触者采取医学观察措施,传染病病人密切接触者应当予以配合。

医疗机构收治传染病病人、疑似传染病病人,应当依法报告所在地的疾病预防控制机构。接到报告的疾病预防控制机构应当立即对可能受到危害的人员进行调查,根据需要采取必要的控制措施。

第四十条 传染病暴发、流行时,街道、乡镇以及居民委员会、村民委员会应当组织力量,团结协作,群防群治,协助卫生行政主管部门和其他有关部门、医疗卫生机构做好疫情信息的收集和报告、人员的分散隔离、公共卫生措施的落实工作,向居民、村民宣传传染病防治的相关知识。

第四十一条 对传染病暴发、流行区域内流动人口,突发事件发生地的县级以上地方人民政府应当做好预防工作,落实有关卫生控制措施；对传染病病人和疑似传染病病人，应当采取就地隔离、就地观察、就地治疗的措施。对需要治疗和转诊的，应当依照本条例第三十九条第一款的规定执行。

第四十二条 有关部门、医疗卫生机构应当对传染病做到早发现、早报告、早隔离、早治疗，切断传播途径，防止扩散。

第四十三条 县级以上各级人民政府应当提供必要资金，保障因突发事件致病、致残的人员得到及时、有效的救治。具体办法由国务院财政部门、卫生行政主管部门和劳动保障行政主管部门制定。

第四十四条 在突发事件中需要接受隔离治疗、医学观察措施的病人、疑似病人和传染病病人密切接触者在卫生行政主管部门或者有关机构采取医学措施时应当予以配合；拒绝配合的，由公安机关依法协助强制执行。

第五章 法律责任

第四十五条 县级以上地方人民政府及其卫生行政主管部门未依照本条例的规定履行报告职责，对突发事件隐瞒、缓报、谎报或者授意他人隐瞒、缓报、谎报的，对政府主要领导人及其卫生行政主管部门主要负责人，依法给予降级或者撤职的行政处分；造成传染病传播、流行或者对社会公众健康造成其他严重危害后果的，依法给予开除的行政处分；构成犯罪的，依法追究刑事责任。

第四十六条 国务院有关部门、县级以上地方人民政府及其有关部门未依照本条例的规定，完成突发事件应急处理所需要的设施、设备、药品和医疗器械等物资的生产、供应、运输和储备的，对政府主要领导人和政府部门主要负责人依法给予降级或者撤职的行政处分；造成传染病传播、流行或者对社会公众健康造成其他严重危害后果的，依法给予开除的行政处分；构成犯罪的，依法追究刑事责任。

第四十七条 突发事件发生后，县级以上地方人民政府及其有关部门对上级人民政府有关部门的调查不予配合，或者采取其他方式阻碍、干涉调查的，对政府主要领导人和政府部门主要负责人依法给予降级或者撤职的行政处分；构成犯罪的，依法追究刑事责任。

第四十八条　县级以上各级人民政府卫生行政主管部门和其他有关部门在突发事件调查、控制、医疗救治工作中玩忽职守、失职、渎职的，由本级人民政府或者上级人民政府有关部门责令改正、通报批评、给予警告；对主要负责人、负有责任的主管人员和其他责任人员依法给予降级、撤职的行政处分；造成传染病传播、流行或者对社会公众健康造成其他严重危害后果的，依法给予开除的行政处分；构成犯罪的，依法追究刑事责任。

第四十九条　县级以上各级人民政府有关部门拒不履行应急处理职责的，由同级人民政府或者上级人民政府有关部门责令改正、通报批评、给予警告；对主要负责人、负有责任的主管人员和其他责任人员依法给予降级、撤职的行政处分；造成传染病传播、流行或者对社会公众健康造成其他严重危害后果的，依法给予开除的行政处分；构成犯罪的，依法追究刑事责任。

第五十条　医疗卫生机构有下列行为之一的，由卫生行政主管部门责令改正、通报批评、给予警告；情节严重的，吊销《医疗机构执业许可证》；对主要负责人、负有责任的主管人员和其他直接责任人员依法给予降级或者撤职的纪律处分；造成传染病传播、流行或者对社会公众健康造成其他严重危害后果，构成犯罪的，依法追究刑事责任：

（一）未依照本条例的规定履行报告职责，隐瞒、缓报或者谎报的；

（二）未依照本条例的规定及时采取控制措施的；

（三）未依照本条例的规定履行突发事件监测职责的；

（四）拒绝接诊病人的；

（五）拒不服从突发事件应急处理指挥部调度的。

第五十一条　在突发事件应急处理工作中，有关单位和个人未依照本条例的规定履行报告职责，隐瞒、缓报或者谎报，阻碍突发事件应急处理工作人员执行职务,拒绝国务院卫生行政主管部门或者其他有关部门指定的专业技术机构进入突发事件现场,或者不配合调查、采样、技术分析和检验的,对有关责任人员依法给予行政处分或者纪律处分;触犯《中华人民共和国治安管理处罚条例》,构成违反治安管理行为的,由公安机关依法予以处罚;构成犯罪的,依法追究刑事责任。

第五十二条 在突发事件发生期间,散布谣言、哄抬物价、欺骗消费者,扰乱社会秩序、市场秩序的,由公安机关或者工商行政管理部门依法给予行政处罚;构成犯罪的,依法追究刑事责任。

第六章 附 则

第五十三条 中国人民解放军、武装警察部队医疗卫生机构参与突发事件应急处理的,依照本条例的规定和军队的相关规定执行。

第五十四条 本条例自公布之日起施行。

危险化学品安全管理条例(节选)

(2002年1月9日国务院第52次常务会议通过)

第五章 危险化学品的登记与事故应急救援

第四十七条 国家实行危险化学品登记制度,并为危险化学品安全管理、事故预防和应急救援提供技术、信息支持。

第四十八条 危险化学品生产、储存企业以及使用剧毒化学品和数量构成重大危险源的其他危险化学品的单位,应当向国务院经济贸易综合管理部门负责危险化学品登记的机构办理危险化学品登记。危险化学品登记的具体办法由国务院经济贸易综合管理部门制定。

负责危险化学品登记的机构应当向环境保护、公安、质检、卫生等有关部门提供危险化学品登记的资料。

第四十九条 县级以上地方各级人民政府负责危险化学品安全监督管理综合工作的部门应当会同同级其他有关部门制定危险化学品事故应急救援预案,报经本级人民政府批准后实施。

第五十条 危险化学品单位应当制定本单位事故应急救援预案,配备应急救援人员和必要的应急救援器材、设备,并定期组织演练。

危险化学品事故应急救援预案应当报设区的市级人民政府负责危险化学品安全监督管理综合工作的部门备案。

第五十一条 发生危险化学品事故，单位主要负责人应当按照本单位制定的应急救援预案，立即组织救援，并立即报告当地负责危险化学品安全监督管理综合工作的部门和公安、环境保护、质检部门。

第五十二条 发生危险化学品事故，有关地方人民政府应当做好指挥、领导工作。负责危险化学品安全监督管理综合工作的部门和环境保护、公安、卫生等有关部门，应当按照当地应急救援预案组织实施救援，不得拖延、推诿。有关地方人民政府及其有关部门并应当按照下列规定，采取必要措施，减少事故损失，防止事故蔓延、扩大：

（一）立即组织营救受害人员，组织撤离或者采取其他措施保护危害区域内的其他人员；

（二）迅速控制危害源，并对危险化学品造成的危害进行检验、监测，测定事故的危害区域、危险化学品性质及危害程度；

（三）针对事故对人体、动植物、土壤、水源、空气造成的现实危害和可能产生的危害，迅速采取封闭、隔离、洗消等措施；

（四）对危险化学品事故造成的危害进行监测、处置，直至符合国家环境保护标准。

第五十三条 危险化学品生产企业必须为危险化学品事故应急救援提供技术指导和必要的协助。

第五十四条 危险化学品事故造成环境污染的信息，由环境保护部门统一公布。

国家突发公共事件总体应急预案

（2006年1月8日国务院发布）

1.总则

1.1 编制目的

提高政府保障公共安全和处置突发公共事件的能力，最大程度地预防和减少突发公共事件及其造成的损害，保障公众的生命财产安全，维护国家安全和社会稳定，促进经济社会全面、协调、可持续发展。

1.2 编制依据

依据宪法及有关法律、行政法规，制定本预案。

1.3 分类分级

本预案所称突发公共事件是指突然发生，造成或者可能造成重大人员伤亡、财产损失、生态环境破坏和严重社会危害，危及公共安全的紧急事件。

根据突发公共事件的发生过程、性质和机理，突发公共事件主要分为以下四类：

（1）自然灾害。主要包括水旱灾害，气象灾害，地震灾害，地质灾害，海洋灾害，生物灾害和森林草原火灾等。

（2）事故灾难。主要包括工矿商贸等企业的各类安全事故，交通运输事故，公共设施和设备事故，环境污染和生态破坏事件等。

(3)公共卫生事件。主要包括传染病疫情,群体性不明原因疾病,食品安全和职业危害,动物疫情,以及其他严重影响公众健康和生命安全的事件。

(4)社会安全事件。主要包括恐怖袭击事件,经济安全事件和涉外突发事件等。

各类突发公共事件按照其性质、严重程度、可控性和影响范围等因素,一般分为四级:Ⅰ级(特别重大)、Ⅱ级(重大)、Ⅲ级(较大)和Ⅳ级(一般)。

1.4 适用范围

本预案适用于涉及跨省级行政区划的,或超出事发地省级人民政府处置能力的特别重大突发公共事件应对工作。

本预案指导全国的突发公共事件应对工作。

1.5 工作原则

(1)以人为本,减少危害。切实履行政府的社会管理和公共服务职能,把保障公众健康和生命财产安全作为首要任务,最大程度地减少突发公共事件及其造成的人员伤亡和危害。

(2)居安思危,预防为主。高度重视公共安全工作,常抓不懈,防患于未然。增强忧患意识,坚持预防与应急相结合,常态与非常态相结合,做好应对突发公共事件的各项准备工作。

(3)统一领导,分级负责。在党中央、国务院的统一领导下,建立健全分类管理、分级负责,条块结合、属地管理为主的应急管理体制,在各级党委领导下,实行行政领导责任制,充分发挥专业应急指挥机构的作用。

(4)依法规范,加强管理。依据有关法律和行政法规,加强应急管理,维护公众的合法权益,使应对突发公共事件的工作规范化、制度化、法制化。

(5)快速反应,协同应对。加强以属地管理为主的应急处置队伍建设,建立联动协调制度,充分动员和发挥乡镇、社区、企事业单位、社会团体和志愿者队伍的作用,依靠公众力量,形成统一指挥、反应灵敏、功能齐全、协调有序、运转高效的应急管理机制。

(6)依靠科技,提高素质。加强公共安全科学研究和技术开发,采用先进的监测、预测、预警、预防和应急处置技术及设施,充分发挥专家队伍和专业人员的作用,提高应对突发公共事件的科技水平和指挥能力,避免发生次生、衍生事件;加强宣传和培训教育工作,提高公众自救、互救和应对各类突发公共事件的综合素质。

1.6　应急预案体系

全国突发公共事件应急预案体系包括:

(1)突发公共事件总体应急预案。总体应急预案是全国应急预案体系的总纲,是国务院应对特别重大突发公共事件的规范性文件。

(2)突发公共事件专项应急预案。专项应急预案主要是国务院及其有关部门为应对某一类型或某几种类型突发公共事件而制定的应急预案。

(3)突发公共事件部门应急预案。部门应急预案是国务院有关部门根据总体应急预案、专项应急预案和部门职责为应对突发公共事件制定的预案。

(4)突发公共事件地方应急预案。具体包括:省级人民政府的突发公共事件总体应急预案、专项应急预案和部门应急预案;各市(地)、县(市)人民政府及其基层政权组织的突发公共事件应急预案。上述预案在省级人民政府的领导下,按照分类管理、分级负责的原则,由地方人民政府及其有关部门分别制定。

(5)企事业单位根据有关法律法规制定的应急预案。

(6)举办大型会展和文化体育等重大活动,主办单位应当制定应急预案。

各类预案将根据实际情况变化不断补充、完善。

2. 组织体系

2.1　领导机构

国务院是突发公共事件应急管理工作的最高行政领导机构。在国务院总理领导下，由国务院常务会议和国家相关突发公共事件应急指挥机构（以下简称相关应急指挥机构）负责突发公共事件的应急管理工作；必要时，派出国务院工作组指导有关工作。

2.2 办事机构

国务院办公厅设国务院应急管理办公室，履行值守应急、信息汇总和综合协调职责，发挥运转枢纽作用。

2.3 工作机构

国务院有关部门依据有关法律、行政法规和各自的职责，负责相关类别突发公共事件的应急管理工作。具体负责相关类别的突发公共事件专项和部门应急预案的起草与实施，贯彻落实国务院有关决定事项。

2.4 地方机构

地方各级人民政府是本行政区域突发公共事件应急管理工作的行政领导机构，负责本行政区域各类突发公共事件的应对工作。

2.5 专家组

国务院和各应急管理机构建立各类专业人才库，可以根据实际需要聘请有关专家组成专家组，为应急管理提供决策建议，必要时参加突发公共事件的应急处置工作。

3. 运行机制

3.1 预测与预警

各地区、各部门要针对各种可能发生的突发公共事件，完善预测预警机制，建立预测预警系统，开展风险分析，做到早发现、早报告、早处置。

3.1.1 预警级别和发布

根据预测分析结果，对可能发生和可以预警的突发公共事件进行预警。预警级别依据突发公共事件可能造成的危害程度、紧急程度和发展势态，一般划分为四级：Ⅰ级（特别严重）、Ⅱ级（严重）、Ⅲ级（较重）和Ⅳ级（一般），依次用红色、橙色、黄色和蓝色表示。

预警信息包括突发公共事件的类别、预警级别、起始时间、可能影响范围、警示事项、应采取的措施和发布机关等。

预警信息的发布、调整和解除可通过广播、电视、报刊、通信、信息网络、警报器、宣传车或组织人员逐户通知等方式进行,对老、幼、病、残、孕等特殊人群以及学校等特殊场所和警报盲区应当采取有针对性的公告方式。

3.2 应急处置

3.2.1 信息报告

特别重大或者重大突发公共事件发生后,各地区、各部门要立即报告,最迟不得超过4小时,同时通报有关地区和部门。应急处置过程中,要及时续报有关情况。

3.2.2 先期处置

突发公共事件发生后,事发地的省级人民政府或者国务院有关部门在报告特别重大、重大突发公共事件信息的同时,要根据职责和规定的权限启动相关应急预案,及时、有效地进行处置,控制事态。

在境外发生涉及中国公民和机构的突发事件,我驻外使领馆、国务院有关部门和有关地方人民政府要采取措施控制事态发展,组织开展应急救援工作。

3.2.3 应急响应

对于先期处置未能有效控制事态的特别重大突发公共事件,要及时启动相关预案,由国务院相关应急指挥机构或国务院工作组统一指挥或指导有关地区、部门开展处置工作。

现场应急指挥机构负责现场的应急处置工作。

需要多个国务院相关部门共同参与处置的突发公共事件,由该类突发公共事件的业务主管部门牵头,其他部门予以协助。

3.2.4 应急结束

特别重大突发公共事件应急处置工作结束,或者相关危险因素消除后,现场应急指挥机构予以撤销。

3.3 恢复与重建

3.3.1 善后处置

要积极稳妥、深入细致地做好善后处置工作。对突发公共事件中的伤亡人员、应急处置工作人员,以及紧急调集、征用有关单位及个人的物资,要按照规定给予抚恤、补助或补偿,并提供心理及司法援助。有关部门要做好疫病防治和环境污染消除工作。保险监管机构督促有关保险机构及时做好有关单位和个人损失的理赔工作。

3.3.2 调查与评估

要对特别重大突发公共事件的起因、性质、影响、责任、经验教训和恢复重建等问题进行调查评估。

3.3.3 恢复重建

根据受灾地区恢复重建计划组织实施恢复重建工作。

3.4 信息发布

突发公共事件的信息发布应当及时、准确、客观、全面。事件发生的第一时间要向社会发布简要信息,随后发布初步核实情况、政府应对措施和公众防范措施等,并根据事件处置情况做好后续发布工作。

信息发布形式主要包括授权发布、散发新闻稿、组织报道、接受记者采访、举行新闻发布会等。

4. 应急保障

各有关部门要按照职责分工和相关预案做好突发公共事件的应对工作,同时根据总体预案切实做好应对突发公共事件的人力、物力、财力、交通运输、医疗卫生及通信保障等工作,保证应急救援工作的需要和灾区群众的基本生活,以及恢复重建工作的顺利进行。

4.1 人力资源

公安(消防)、医疗卫生、地震救援、海上搜救、矿山救护、森林消防、防洪抢险、核与辐射、环境监控、危险化学品事故救援、铁路事故、民航事故、基础信息网络和重要信息系统事故处置,以及水、电、油、气等工程抢险救援队伍是应急救援的专业队伍和骨干力量。地方各级人民政府和有关部门、单位要加强应急救援队伍的业务培训和应急演练,建立联动协调机制,提高装备水平;动员社会团体、企事业单位以及志愿者等各种社会力量参与应急救援工作;增进国际间的交流与合作。要加强以乡镇和社区为单位的公众应急能力建设,发挥其在应对突发公共事件中的重要作用。

中国人民解放军和中国人民武装警察部队是处置突发公共事件的骨干和突击力量,按照有关规定参加应急处置工作。

4.2　财力保障

要保证所需突发公共事件应急准备和救援工作资金。对受突发公共事件影响较大的行业、企事业单位和个人要及时研究提出相应的补偿或救助政策。要对突发公共事件财政应急保障资金的使用和效果进行监管和评估。

鼓励自然人、法人或者其他组织(包括国际组织)按照《中华人民共和国公益事业捐赠法》等有关法律、法规的规定进行捐赠和援助。

4.3　物资保障

要建立健全应急物资监测网络、预警体系和应急物资生产、储备、调拨及紧急配送体系,完善应急工作程序,确保应急所需物资和生活用品的及时供应,并加强对物资储备的监督管理,及时予以补充和更新。

地方各级人民政府应根据有关法律、法规和应急预案的规定,做好物资储备工作。

4.4　基本生活保障

要做好受灾群众的基本生活保障工作,确保灾区群众有饭吃、有水喝、有衣穿、有住处、有病能得到及时医治。

4.5　医疗卫生保障

卫生部门负责组建医疗卫生应急专业技术队伍,根据需要及时赴现场开展医疗救治、疾病预防控制等卫生应急工作。及时为受灾地区提供药品、器械等卫生和医疗设备。必要时,组织动员红十字会等社会卫生力量参与医疗卫生救助工作。

4.6 交通运输保障

要保证紧急情况下应急交通工具的优先安排、优先调度、优先放行,确保运输安全畅通;要依法建立紧急情况社会交通运输工具的征用程序,确保抢险救灾物资和人员能够及时、安全送达。

根据应急处置需要,对现场及相关通道实行交通管制,开设应急救援“绿色通道”,保证应急救援工作的顺利开展。

4.7 治安维护

要加强对重点地区、重点场所、重点人群、重要物资和设备的安全保护,依法严厉打击违法犯罪活动。必要时,依法采取有效管制措施,控制事态,维护社会秩序。

4.8 人员防护

要指定或建立与人口密度、城市规模相适应的应急避险场所,完善紧急疏散管理办法和程序,明确各级责任人,确保在紧急情况下公众安全、有序的转移或疏散。

要采取必要的防护措施,严格按照程序开展应急救援工作,确保人员安全。

4.9 通信保障

建立健全应急通信、应急广播电视保障工作体系,完善公用通信网,建立有线和无线相结合、基础电信网络与机动通信系统相配套的应急通信系统,确保通信畅通。

4.10 公共设施

有关部门要按照职责分工,分别负责煤、电、油、气、水的供给,以及废水、废气、固体废弃物等有害物质的监测和处理。

4.11 科技支撑

要积极开展公共安全领域的科学研究;加大公共安全监测、预测、预警、预防和应急处置技术研发的投入,不断改进技术装备,建立健全公共安全应急技术平台,提高我国公共安全科技水平;注意发挥企业在公共安全领域的研发作用。

5. 监督管理

5.1　预案演练

各地区、各部门要结合实际，有计划、有重点地组织有关部门对相关预案进行演练。

5.2　宣传和培训

宣传、教育、文化、广电、新闻出版等有关部门要通过图书、报刊、音像制品和电子出版物、广播、电视、网络等，广泛宣传应急法律法规和预防、避险、自救、互救、减灾等常识，增强公众的忧患意识、社会责任意识和自救、互救能力。各有关方面要有计划地对应急救援和管理人员进行培训，提高其专业技能。

5.3　责任与奖惩

突发公共事件应急处置工作实行责任追究制。

对突发公共事件应急管理工作中做出突出贡献的先进集体和个人要给予表彰和奖励。

对迟报、谎报、瞒报和漏报突发公共事件重要情况或者应急管理工作中有其他失职、渎职行为的，依法对有关责任人给予行政处分；构成犯罪的，依法追究刑事责任。

6. 附则

6.1　预案管理

根据实际情况的变化，及时修订本预案。

本预案自发布之日起实施。

国家自然灾害救助应急预案

（2006 年 1 月 10 日国务院发布）

1. 总则

1.1　编制目的

建立健全应对突发重大自然灾害紧急救助体系和运行机制，规范紧急救助行为，提高紧急救助能力，迅速、有序、高效地实施紧急救助，最大程度地减少人民群众的生命和财产损失，维护灾区社会稳定。

1.2　编制依据

依据《中华人民共和国宪法》、《中华人民共和国公益事业捐赠法》、《中华人民共和国防洪法》、《中华人民共和国防震减灾法》、《中华人民共和国气象法》、《国家突发公共事件总体应急预案》、《中华人民共和国减灾规划（1998－2010 年）》、国务院有关部门“三定”规定及国家有关救灾工作方针、政策和原则，制定本预案。

1.3　适用范围

凡在我国发生的水旱灾害，台风、冰雹、雪、沙尘暴等气象灾害，火山、地震灾害，山体崩塌、滑坡、泥石流等地质灾害，风暴潮、海啸等海洋灾害，森林草原火灾和重大生物灾害等自然灾害及其他突发公共事件达到启动条件的，适用于本预案。

1.4　工作原则

(1)以人为本,最大程度地保护人民群众的生命和财产安全。

(2)政府统一领导,分级管理,条块结合,以块为主。

(3)部门密切配合,分工协作,各司其职,各尽其责。

(4)依靠群众,充分发挥基层群众自治组织和公益性社会团体的作用。

2. 启动条件

出现下列任何一种情况,启动本预案。

2.1　某一省(区、市)行政区域内,发生水旱灾害,台风、冰雹、雪、沙尘暴等气象灾害,山体崩塌、滑坡、泥石流等地质灾害,风暴潮、海啸等海洋灾害,森林草原火灾和重大生物灾害等自然灾害,一次灾害过程出现下列情况之一的:

因灾死亡 30 人以上;

因灾紧急转移安置群众 10 万人以上;

因灾倒塌房屋 1 万间以上。

2.2　发生 5 级以上破坏性地震,造成 20 人以上人员死亡或紧急转移安置群众 10 万人以上或房屋倒塌和严重损坏 1 万间以上。

2.3　事故灾难、公共卫生事件、社会安全事件等其他突发公共事件造成大量人员伤亡、需要紧急转移安置或生活救助,视情况启动本预案。

2.4　对救助能力特别薄弱的地区等特殊情况,上述标准可酌情降低。

2.5　国务院决定的其他事项。

3. 组织指挥体系及职责任务

国家减灾委员会(以下简称“减灾委”)为国家自然灾害救助应急综合协调机构,负责研究制定国家减灾工作的方针、政策和规划,协调开展重大减灾活动,指导地方开展减灾工作,推进减灾国际交流与合作,组织、协调全国抗灾救灾工作。

减灾委办公室、全国抗灾救灾综合协调办公室设在民政部。减灾委各成员单位按各自的职责分工承担相应任务。

4. 应急准备

4.1 资金准备

民政部组织协调发展改革委、财政部等部门,根据国家发展计划和《中华人民共和国预算法》规定,安排中央救灾资金预算,并按照救灾工作分级负责、救灾资金分级负担,以地方为主的原则,督促地方政府加大救灾资金投入力度。

4.1.1 按照救灾工作分级负责,救灾资金分级负担的原则,中央和地方各级财政都应安排救灾资金预算。

4.1.2 中央财政每年根据上年度实际支出安排特大自然灾害救济补助资金,专项用于帮助解决严重受灾地区群众的基本生活困难。

4.1.3 中央和地方政府应根据财力增长、物价变动、居民生活水平实际状况等因素逐步提高救灾资金补助标准,建立救灾资金自然增长机制。

4.1.4 救灾预算资金不足时,中央和地方各级财政安排的预备费要重点用于灾民生活救助。

4.2 物资准备

整合各部门现有救灾储备物资和储备库规划,分级、分类管理储备救灾物资和储备库。

4.2.1 按照救灾物资储备规划,在完善天津、沈阳、哈尔滨、合肥、武汉、长沙、郑州、南宁、成都、西安等10个中央救灾物资储备库的基础上,根据需要,科学选址,进一步建立健全中央救灾物资储备库。各省、自治区、直辖市及灾害多发地、县建立健全物资储备库、点。各级储备库应储备必需的救灾物资。

4.2.2 每年年初购置救灾帐篷、衣被、净水设备(药品)等救灾物资。

4.2.3　建立救助物资生产厂家名录,必要时签订救灾物资紧急购销协议。

4.2.4　灾情发生时,可调用邻省救灾储备物资。

4.2.5　建立健全救灾物资紧急调拨和运输制度。

4.2.6　建立健全救灾物资应急采购和调拨制度。

4.3　通信和信息准备

通信运营部门应依法保障灾害信息的畅通。自然灾害救助信息网络应以公用通信网为基础,合理组建灾害信息专用通信网络,确保信息畅通。

4.3.1　加强中央级灾害信息管理系统建设,指导地方建设并管理覆盖省、地、县三级的救灾通信网络,确保中央和地方各级政府及时准确掌握重大自然灾害信息。

4.3.2　以国家减灾中心为依托,建立部门间灾害信息共享平台,提供信息交流服务,完善信息共享机制。

4.3.3　充分发挥环境与灾害监测预报小卫星星座、气象卫星、海洋卫星、资源卫星等对地监测系统的作用,建立基于遥感和地理信息系统技术的灾害监测、预警、评估以及灾害应急辅助决策系统。

4.4　救灾装备准备

4.4.1　中央各有关部门应配备救灾管理工作必需的设备和装备。

4.4.2　民政部、省级民政部门及灾害频发市、县民政局应配备救灾必需的设备和装备。

4.5　人力资源准备

4.5.1　完善民政灾害管理人员队伍建设,提高其应对自然灾害的能力。

4.5.2　建立健全专家队伍。组织民政、卫生、水利、气象、地震、海洋、国土资源等各方面专家,重点开展灾情会商、赴灾区的现场评估及灾害管理的业务咨询工作。

4.5.3 建立健全与军队、公安、武警、消防、卫生等专业救援队伍的联动机制。

4.5.4 培育、发展非政府组织和志愿者队伍,并充分发挥其作用。

4.6 社会动员准备

4.6.1 建立和完善社会捐助的动员机制、运行机制、监督管理机制,规范突发自然灾害社会捐助工作。

4.6.2 完善救灾捐赠工作应急方案,规范救灾捐赠的组织发动、款物接收和分配以及社会公示、表彰等各个环节的工作。

4.6.3 在已有2.1万个社会捐助接收站、点的基础上,继续在大中城市和有条件的小城市建立社会捐助接收站、点,健全经常性社会捐助接收网络。

4.6.4 完善社会捐助表彰制度,为开展社会捐助活动创造良好的社会氛围。

4.6.5 健全北京、天津、上海、江苏、浙江、福建、山东、广东8省(市)和深圳、青岛、大连、宁波4市对内蒙古、江西、广西、四川、云南、贵州、陕西、甘肃、宁夏和新疆10省(区)的对口支援机制。

4.7 宣传、培训和演习

4.7.1 开展社区减灾活动,利用各种媒体宣传灾害知识,宣传灾害应急法律法规和预防、避险、避灾、自救、互救、保险的常识,增强人民的防灾减灾意识。

4.7.2 每年至少组织2次省级灾害管理人员的培训。每两年至少组织1次地级灾害管理人员的集中培训。省或地市级民政部门每年至少组织1次县级及乡镇民政助理员的业务培训。不定期开展对政府分管领导、各类专业紧急救援队伍、非政府组织和志愿者组织的培训。

4.7.3 每年在灾害多发地区,根据灾害发生特点,组织1-2次演习,检验并提高应急准备、指挥和响应能力。

5.预警预报与信息管理

5.1 灾害预警预报

5.1.1 根据有关部门提供的灾害预警预报信息,结合预警地区的自然条件、人口和社会经济背景数据库,进行分析评估,及时对可能受到自然灾害威胁的相关地区和人口数量做出灾情预警。

5.1.2 根据灾情预警,自然灾害可能造成严重人员伤亡和财产损失,大量人员需要紧急转移安置或生活救助,国家和有关省(区、市)应做好应急准备或采取应急措施。

5.2 灾害信息共享

减灾委办公室、全国抗灾救灾综合协调办公室及时汇总各类灾害预警预报信息,向成员单位和有关地方通报信息。

5.3 灾情信息管理

5.3.1 灾情信息报告内容:包括灾害发生的时间、地点、背景,灾害造成的损失(包括人员受灾情况、人员伤亡数量、农作物受灾情况、房屋倒塌、损坏情况及造成的直接经济损失),已采取的救灾措施和灾区的需求。

5.3.2 灾情信息报告时间

(1)灾情初报。县级民政部门对于本行政区域内突发的自然灾害,凡造成人员伤亡和较大财产损失的,应在第一时间了解掌握灾情,及时向地(市)级民政部门报告初步情况,最迟不得晚于灾害发生后2小时。对造成死亡(含失踪)10人以上或其他严重损失的重大灾害,应同时上报省级民政部门和民政部。地(市)级民政部门在接到县级报告后,在2小时内完成审核、汇总灾情数据的工作,向省级民政部门报告。省级民政部门在接到地(市)级报告后,应在2小时内完成审核、汇总灾情数据的工作,向民政部报告。民政部接到重、特大灾情报告后,在2小时内向国务院报告。

(2)灾情续报。在重大自然灾害灾情稳定之前,省、地(市)、县三级民政部门均须执行24小时零报告制度。县级民政部门每天9时之前将截止到前一天24时的灾情向地(市)级民政部门上报,地(市)级民政部门每天10时之前向省级民政部门上报,省级民政部门每天12时之前向民政部报告情况。特大灾情根据需要随时报告。

(3)灾情核报。县级民政部门在灾情稳定后,应在2个工作日内核定灾情,向地(市)级民政部门报告。地(市)级民政部门在接到县级报告后,应在3个工作日内审核、汇总灾情数据,将全地(市)汇总数据(含分县灾情数据)向省级民政部门报告。省级民政部门在接到地(市)级的报告后,应在5个工作日内审核、汇总灾情数据,将全省汇总数据(含分市、分县数据)向民政部报告。

5.3.3 灾情核定

(1)部门会商核定。各级民政部门协调农业、水利、国土资源、地震、气象、统计等部门进行综合分析、会商,核定灾情。

(2)民政、地震等有关部门组织专家评估小组,通过全面调查、抽样调查、典型调查和专项调查等形式对灾情进行专家评估,核实灾情。

6. 应急响应

按照"条块结合,以块为主"的原则,灾害救助工作以地方政府为主。灾害发生后,乡级、县级、地级、省级人民政府和相关部门要根据灾情,按照分级管理、各司其职的原则,启动相关层级和相关部门应急预案,做好灾民紧急转移安置和生活安排工作,做好抗灾救灾工作,做好灾害监测、灾情调查、评估和报告工作,最大程度地减少人民群众生命和财产损失。根据突发性自然灾害的危害程度等因素,国家设定四个响应等级。

6.1 Ⅰ级响应

6.1.1 灾害损失情况

(1)某一省(区、市)行政区域内,发生水旱灾害,台风、冰雹、雪、沙尘暴,山体崩塌、滑坡、泥石流,风暴潮、海啸,森林草原火灾和生物灾害等特别重大自然灾害。

(2)事故灾难、公共卫生事件、社会安全事件等其他突发公共事件造成大量人员伤亡、需要紧急转移安置或生活救助,视情况启动本预案。

(3)对救助能力特别薄弱的地区等特殊情况,启动标准可酌情降低。

(4)国务院决定的其他事项。

6.1.2　启动程序

减灾委接到灾情报告后第一时间向国务院提出启动一级响应的建议,由国务院决定进入Ⅰ级响应。

6.1.3　应急响应

由减灾委主任统一领导、组织抗灾救灾工作。

民政部接到灾害发生信息后,2小时内向国务院和减灾委主任报告,之后及时续报有关情况。灾害发生后24小时内商财政部下拨中央救灾应急资金,协调铁路、交通、民航等部门紧急调运救灾物资;组织开展全国性救灾捐赠活动,统一接收、管理、分配国际救灾捐赠款物;协调落实党中央、国务院关于抗灾救灾的指示。

6.1.4　响应的终止

灾情和救灾工作稳定后,由减灾委主任决定终止一级响应。

6.2　Ⅱ级响应

6.2.1　灾害损失情况

(1)某一省(区、市)行政区域内,发生水旱灾害,台风、冰雹、雪、沙尘暴,山体崩塌、滑坡、泥石流,风暴潮、海啸,森林草原火灾和生物灾害等重大自然灾害。

(2)事故灾难、公共卫生事件、社会安全事件等其他突发公共事件造成大量人员伤亡、需要紧急转移安置或生活救助,视情况启动本预案。

(3)对救助能力特别薄弱的地区等特殊情况,启动标准可酌情降低。

(4)国务院决定的其他事项。

6.2.2 启动程序

减灾委秘书长(民政部副部长)在接到灾情报告后第一时间向减灾委副主任(民政部部长)提出启动Ⅱ级响应的建议,由减灾委副主任决定进入Ⅱ级响应。

6.2.3 响应措施

由减灾委副主任组织协调灾害救助工作。

民政部成立救灾应急指挥部,实行联合办公,组成紧急救援(综合)组、灾害信息组、救灾捐赠组、宣传报道组和后勤保障组等抗灾救灾工作小组,统一组织开展抗灾救灾工作。

灾情发生后24小时内,派出抗灾救灾联合工作组赶赴灾区慰问灾民,核查灾情,了解救灾工作情况,了解灾区政府的救助能力和灾区需求,指导地方开展救灾工作,紧急调拨救灾款物。

及时掌握灾情和编报救灾工作动态信息,并在民政部网站发布。

向社会发布接受救灾捐赠的公告,组织开展跨省(区、市)或全国性救灾捐赠活动。

经国务院批准,向国际社会发出救灾援助呼吁。

公布接受捐赠单位和账号,设立救灾捐赠热线电话,主动接受社会各界的救灾捐赠;每日向社会公布灾情和灾区需求情况;及时下拨捐赠款物,对全国救灾捐赠款物进行调剂;定期对救灾捐赠的接收和使用情况向社会公告。

6.2.4 响应的终止

灾情和救灾工作稳定后,由减灾委副主任决定终止Ⅱ级响应。

6.3 Ⅲ级响应

6.3.1 灾害损失情况

(1)某一省(区、市)行政区域内,发生水旱灾害,台风、冰雹、雪、沙尘暴,山体崩塌、滑坡、泥石流,风暴潮、海啸,森林草原火灾和生物灾害等较大自然灾害。

(2)事故灾难、公共卫生事件、社会安全事件等其他突发公共事件造成大量人员伤亡、需要紧急转移安置或生活救助,视情况启动本预案。

(3)对救助能力特别薄弱的“老、少、边、穷”地区等特殊情况,启动标准可酌情降低。

(4)国务院决定的其他事项。

6.3.2 启动程序

减灾委办公室在接到灾情报告后第一时间向减灾委秘书长(民政部副部长)提出启动Ⅲ级响应的建议,由减灾委秘书长决定进入Ⅲ级响应。

6.3.3 响应措施

由减灾委员会秘书长组织协调灾害救助工作。

减灾委办公室、全国抗灾救灾综合协调办公室及时与有关成员单位联系,沟通灾害信息;组织召开会商会,分析灾区形势,研究落实对灾区的抗灾救灾支持措施;组织有关部门共同听取有关省(区、市)的情况汇报;协调有关部门向灾区派出联合工作组。

灾情发生后24小时内,派出由民政部工作组赶赴灾区慰问灾民,核查灾情,了解救灾工作情况,了解灾区政府的救助能力和灾区需求,指导地方开展救灾工作。

灾害损失较大时,灾情发生后48小时内,协调有关部门组成全国抗灾救灾综合协调工作组赴灾区,及时调拨救灾款物。

掌握灾情和救灾工作动态信息,并在民政部网站发布。

6.3.4 响应的终止

灾情和救灾工作稳定后,由减灾委秘书长决定终止Ⅲ级响应,报告减灾委副主任。

6.4 Ⅳ级响应

6.4.1 灾害损失情况

(1)某一省(区、市)行政区域内,发生水旱灾害,台风、冰雹、雪、沙尘暴,山体崩塌、滑坡、泥石流,风暴潮、海啸,森林草原火灾和生物灾害等一般自然灾害。

(2)事故灾难、公共卫生事件、社会安全事件等其他突发公共事件造成大量人员伤亡、需要紧急转移安置或生活救助，视情况启动本预案。

（3）对救助能力特别薄弱的“老、少、边、穷”地区等特殊情况，启动标准可酌情降低。

（4）国务院决定的其他事项。

6.4.2 启动程序

减灾委办公室在接到灾情报告后第一时间决定进入Ⅳ级响应。

6.4.3 响应措施

由减灾委办公室、全国抗灾救灾综合协调办公室主任组织协调灾害救助工作。减灾委办公室、全国抗灾救灾综合协调办公室及时与有关成员单位联系，沟通灾害信息；商有关部门落实对灾区的抗灾救灾支持；视情况向灾区派出工作组。

灾情发生后24小时内，派出民政部工作组赶赴灾区慰问灾民，核查灾情，了解救灾工作情况，了解灾区政府的救助能力和灾区需求，指导地方开展救灾工作，调拨救灾款物。

掌握灾情动态信息，并在民政部网站发布。

6.4.4 响应的终止

灾情和救灾工作稳定后，由减灾委办公室、全国抗灾救灾综合协调办公室主任决定终止Ⅳ级响应，报告减灾委秘书长。

6.5 信息发布

6.5.1 信息发布坚持实事求是、及时准确的原则。要在第一时间向社会发布简要信息，并根据灾情发展情况做好后续信息发布工作。

6.5.2 信息发布的内容主要包括：受灾的基本情况、抗灾救灾的动态及成效、下一步安排、需要说明的问题。

7. 灾后救助与恢复重建

7.1 灾后救助

7.1.1 县级民政部门每年调查冬令（春荒）灾民生活困难情况，

建立需政府救济人口台账。

7.1.2 民政部会同省级民政部门，组织有关专家赴灾区开展灾民生活困难状况评估，核实情况。

7.1.3 制定冬令（春荒）救济工作方案。

7.1.4 根据各省、自治区、直辖市人民政府向国务院要求拨款的请示，结合灾情评估情况，会同财政部下拨特大自然灾害救济补助费，专项用于帮助解决冬春灾民吃饭、穿衣等基本生活困难。

7.1.5 灾民救助全面实行《灾民救助卡》管理制度。对确认需政府救济的灾民，由县级民政部门统一发放《灾民救助卡》，灾民凭卡领取救济粮和救济金。

7.1.6 向社会通报各地救灾款下拨进度，确保冬令救济资金在春节前发放到户。

7.1.7 对有偿还能力但暂时无钱购粮的缺粮群众，实施开仓借粮。

7.1.8 通过开展社会捐助、对口支援、紧急采购等方式解决灾民的过冬衣被问题。

7.1.9 发展改革、财政、农业等部门落实好以工代赈政策、灾歉减免，粮食部门确保粮食供应。

7.2 恢复重建

灾后恢复重建工作坚持“依靠群众，依靠集体，生产自救，互助互济，辅之以国家必要的救济和扶持”的救灾工作方针，灾民倒房重建应由县（市、区）负责组织实施，采取自建、援建和帮建相结合的方式，以受灾户自建为主。建房资金应通过政府救济、社会互助、邻里帮工帮料、以工代赈、自行借贷、政策优惠等多种途径解决。房屋规划和设计要因地制宜，合理布局，科学规划，充分考虑灾害因素。

7.2.1 组织核查灾情。灾情稳定后，县级民政部门立即组织灾情核定，建立因灾倒塌房屋台账。省级民政部门在灾情稳定后10日内将全省因灾倒塌房屋等灾害损失情况报民政部。

7.2.2 开展灾情评估。重大灾害发生后，民政部会同省级民政部门，组织有关专家赴灾区开展灾情评估，全面核查灾情。

7.2.3 制定恢复重建工作方案。根据全国灾情和各地实际，制定恢复重建方针、目标、政策、重建进度、资金支持、优惠政策和检查落实等工作方案。

7.2.4 根据各省、自治区、直辖市人民政府向国务院要求拨款的请示，结合灾情评估情况，民政部会同财政部下拨特大自然灾害救济补助费，专项用于各地灾民倒房恢复重建。

7.2.5 定期向社会通报各地救灾资金下拨进度和恢复重建进度。

7.2.6 向灾区派出督查组，检查、督导恢复重建工作。

7.2.7 商有关部门制定优惠政策，简化手续，减免税费，平抑物价。

7.2.8 卫生部门做好灾后疾病预防和疫情监测工作。组织医疗卫生人员深入灾区，提供医疗卫生服务，宣传卫生防病知识，指导群众搞好环境卫生，实施饮水和食品卫生监督，实现大灾之后无大疫。

7.2.9 发展改革、教育、财政、建设、交通、水利、农业、卫生、广播电视等部门，以及电力、通信等企业，金融机构做好救灾资金（物资）安排，并组织做好灾区学校、卫生院等公益设施及水利、电力、交通、通信、供排水、广播电视设施的恢复重建工作。

8. 附则

8.1 名词术语解释

自然灾害：指给人类生存带来危害或损害人类生活环境的自然现象，包括洪涝、干旱灾害，台风、冰雹、雪、沙尘暴等气象灾害，火山、地震灾害，山体崩塌、滑坡、泥石流等地质灾害，风暴潮、海啸等海洋灾害，森林草原火灾和重大生物灾害等自然灾害。

灾情：指自然灾害造成的损失情况，包括人员伤亡和财产损失等。

灾情预警：指根据气象、水文、海洋、地震、国土等部门的灾害预警、预报信息，结合人口、自然和社会经济背景数据库，对灾害可能影响的地区和人口数量等损失情况作出分析、评估和预警。

环境与灾害监测预报小卫星星座：为满足我国环境与灾害监测的需要，2003 年 2 月，国务院正式批准“环境与灾害监测预报小卫星星座”的立项。根据国家计划，小卫星星座系统拟采用分步实施战略：“十五”期间，采用“2 + 1”方案，即发射两颗光学小卫星和一颗合成孔径雷达小卫星，初步实现对灾害和环境进行监测的能力；“十一五”期间，实施“4 + 4”方案，即发射四颗光学小卫星和四颗合成孔径雷达小卫星组成的星座，实现对我国及周边国家、地区灾害和环境的动态监测。

本预案有关数量的表述中，“以上”含本数，“以下”不含本数。

8.2　国际沟通与协作

按照国家外事纪律的有关规定，积极开展国际间的自然灾害救助交流，借鉴发达国家自然灾害救助工作的经验，进一步做好我国自然灾害突发事件防范与处置工作。

8.3　奖励与责任

对在自然灾害救助工作中作出突出贡献的先进集体和个人，由人事部和民政部联合表彰；对在自然灾害救助工作中英勇献身的人员，按有关规定追认烈士；对在自然灾害救助工作中玩忽职守造成损失的，依据国家有关法律法规追究当事人的责任，构成犯罪的，依法追究其刑事责任。

8.4　预案管理与更新

本预案由减灾委办公室、全国抗灾救灾综合协调办公室负责管理。预案实施后，减灾委办公室、全国抗灾救灾综合协调办公室应适时召集有关部门和专家进行评估，并视情况变化做出相应修改后报国务院。各省、自治区、直辖市自然灾害救助应急综合协调机构根据本预案制定本省（区、市）自然灾害救助应急预案。

8.5　预案生效时间

本预案自印发之日起生效。

国家防汛抗旱应急预案

（2006 年 1 月 11 日国务院发布）

1. 总则

1.1 编制目的

做好水旱灾害突发事件防范与处置工作，使水旱灾害处于可控状态，保证抗洪抢险、抗旱救灾工作高效有序进行，最大程度地减少人员伤亡和财产损失。

1.2 编制依据

依据《中华人民共和国水法》、《中华人民共和国防洪法》和《国家突发公共卫生事件总体应急预案》等，制定本预案。

1.3 适用范围

本预案适用于全国范围内突发性水旱灾害的预防和应急处置。突发性水旱灾害包括：江河洪水、渍涝灾害、山洪灾害（指由降雨引发的山洪、泥石流、滑坡灾害）、台风暴潮灾害、干旱灾害、供水危机以及由洪水、风暴潮、地震、恐怖活动等引发的水库垮坝、堤防决口、水闸倒塌供水水质被侵害等次生衍生灾害。

1.4 工作原则

1.4.1 坚持以“三个代表”重要思想为指导，以人为本，树立和落实科学发展观，防汛抗旱并举，努力实现由控制洪水向洪水管理转变，由单一抗旱向全面抗旱转变，不断提高防汛抗旱的现代化水平。

1.4.2 防汛抗旱工作实行各级人民政府行政首长负责制，统一指挥，分级分部门负责。

1.4.3 防汛抗旱以防洪安全和城乡供水安全、粮食生产安全为首要目标，实行安全第一，常备不懈，以防为主，防抗结合的原则。

1.4.4 防汛抗旱工作按照流域或区域统一规划，坚持因地制宜，城乡统筹，突出重点，兼顾一般，局部利益服从全局利益。

1.4.5 坚持依法防汛抗旱，实行公众参与，军民结合，专群结合，平战结合。中国人民解放军、中国人民武装警察部队主要承担防汛抗洪的急难险重等攻坚任务。

1.4.6 抗旱用水以水资源承载能力为基础，实行先生活、后生产，先地表、后地下，先节水、后调水，科学调度，优化配置，最大程度地满足城乡生活、生产、生态用水需求。

1.4.7 坚持防汛抗旱统筹，在防洪保安的前提下，尽可能利用洪水资源；以法规约束人的行为，防止人对水的侵害，既利用水资源又保护水资源，促进人与自然和谐相处。

2. 组织指挥体系及职责

国务院设立国家防汛抗旱指挥机构，县级以上地方人民政府、有关流域设立防汛抗旱指挥机构，负责本行政区域的防汛抗旱突发事件应对工作。有关单位可根据需要设立防汛抗旱指挥机构，负责本单位防汛抗旱突发事件应对工作。

国家防汛抗旱总指挥部（以下简称国家防总）负责领导、组织全国的防汛抗旱工作，其办事机构国家防总办公室设在水利部。国家防总主要职责是拟订国家防汛抗旱的政策、法规和制度等，组织制订大江大河防御洪水方案和跨省、自治区、直辖市行政区划的调水方案，及时掌握全国汛情、旱情、灾情并组织实施抗洪抢险及抗旱减灾措施，统一调控和调度全国水利、水电设施的水量，做好洪水管理工作，组织灾后处置，并做好有关协调工作。

长江、黄河、松花江、淮河等流域设立流域防汛总指挥部，负责指挥所管辖范围内的防汛抗旱工作。流域防汛总指挥部由有关省、自治区、直辖市人民政府和该江河流域管理机构的负责人等组成，其办事机构设在流域管理机构。

有防汛抗旱任务的县级以上地方人民政府设立防汛抗旱指挥部，在上级防汛抗旱指挥机构和本级人民政府的领导下，组织和指挥本地区的防汛抗旱工作。防汛抗旱指挥部由本级政府和有关部门、当地驻军、人民武装部负责人等组成，其办事机构设在同级水行政主管部门。

水利部门所属的各流域管理机构、水利工程管理单位、施工单位以及水文部门等，汛期成立相应的专业防汛抗灾组织，负责本流域、本单位的防汛抗灾工作；有防洪任务的重大水利水电工程、有防洪任务的大中型企业根据需要成立防汛指挥部。针对重大突发事件，可以组建临时指挥机构，具体负责应急处理工作。

3. 预防和预警机制

3.1　预防预警信息

3.1.1　气象水文海洋信息

各级气象、水文、海洋部门应加强对当地灾害性天气的监测和预报，并将结果及时报送有关防汛抗旱指挥机构。当预报即将发生严重水旱灾害和风暴潮灾害时，当地防汛抗旱指挥机构应提早预警，通知有关区域做好相关准备。当江河发生洪水时，水文部门应加密测验时段，及时上报测验结果，雨情、水情应在 2 小时内报到国家防总，重要站点的水情应在 30 分钟内报到国家防总，为防汛抗旱指挥机构适时指挥决策提供依据。

3.1.2　工程信息

当江河出现警戒水位以上洪水时，各级堤防管理单位应加强工程监测，并将堤防、涵闸、泵站等工程设施的运行情况报上级工程管理部门和同级防汛抗旱指挥机构。大江大河干流重要堤防、涵闸等发生重大险情应在险情发生后4小时内报到国家防总。

当堤防和涵闸、泵站等穿堤建筑物出现险情或遭遇超标准洪水袭击,以及其他不可抗拒因素而可能决口时,工程管理单位应迅速组织抢险,并在第一时间向可能淹没的有关区域预警,同时向上级堤防管理部门和同级防汛抗旱指挥机构准确报告。

当水库水位超过汛限水位时,水库管理单位应按照有管辖权的防汛抗旱指挥机构批准的洪水调度方案调度,其工程运行状况应向防汛抗旱指挥机构报告。当水库出现险情时,水库管理单位应立即在第一时间向下游预警,并迅速处置险情,同时向上级主管部门和同级防汛抗旱指挥机构报告。大型水库发生重大险情应在险情发生后4小时内上报到国家防总。当水库遭遇超标准洪水或其他不可抗拒因素而可能溃坝时,应提早向水库溃坝洪水风险图确定的淹没范围发出预警,为群众安全转移争取时间。

3.1.3　洪涝灾情信息

(1)洪涝灾情信息主要包括:灾害发生的时间、地点、范围、受灾人口以及群众财产、农林牧渔、交通运输、邮电通信、水电设施等方面的损失。

(2)洪涝灾情发生后,有关部门及时向防汛抗旱指挥机构报告洪涝受灾情况,防汛抗旱指挥机构应收集动态灾情,全面掌握受灾情况,并及时向同级政府和上级防汛抗旱指挥机构报告。对人员伤亡和较大财产损失的灾情,应立即上报,重大灾情在灾害发生后4小时内将初步情况报到国家防总,并对实时灾情组织核实,核实后及时上报,为抗灾救灾提供准确依据。

(3)地方各级人民政府、防汛抗旱指挥机构应按照规定上报洪涝灾情。

3.1.4　旱情信息

(1)旱情信息主要包括:干旱发生的时间、地点、程度、受旱范围、影响人口,以及对工农业生产、城乡生活、生态环境等方面造成的影响。

(2)防汛抗旱指挥机构应掌握水雨情变化、当地蓄水情况、农田土壤墒情和城乡供水情况,加强旱情监测,地方各级人民政府防汛抗旱指挥机构应按照规定上报受旱情况。遇旱情急剧发展时应及时加报。

3.2 预防预警行动

3.2.1 预防预警准备工作

(1)思想准备。加强宣传,增强全民预防水旱灾害和自我保护的意识,做好防大汛抗大旱的思想准备。

(2)组织准备。建立健全防汛抗旱组织指挥机构,落实防汛抗旱责任人、防汛抗旱队伍和山洪易发重点区域的监测网络及预警措施,加强防汛专业机动抢险队和抗旱服务组织的建设。

(3)工程准备。按时完成水毁工程修复和水源工程建设任务,对存在病险的堤防、水库、涵闸、泵站等各类水利工程设施实行应急除险加固,在有堤防防护的大中城市及时封闭穿越堤防的输排水管道、交通路口和排水沟;对跨汛期施工的水利工程和病险工程,要落实安全度汛方案。

(4)预案准备。修订完善各类江河湖库和城市防洪预案、台风暴潮防御预案、洪水预报方案、防洪工程调度规程、堤防决口和水库垮坝应急方案、蓄滞洪区安全转移预案、山区防御山洪灾害预案和抗旱预案、城市抗旱预案。研究制订防御超标准洪水的应急方案,主动应对大洪水。针对江河堤防险工险段,还要制订工程抢险方案。

(5)物料准备。按照分级负责的原则,储备必需的防汛物料,合理配置。在防汛重点部位应储备一定数量的抢险物料,以应急需。

(6)通信准备。充分利用社会通信公网,确保防汛通信专网、蓄滞洪区的预警反馈系统完好和畅通。健全水文、气象测报站网,确保雨情、水情、工情、灾情信息和指挥调度指令的及时传递。

(7)防汛抗旱检查。实行以查组织、查工程、查预案、查物资、查通信为主要内容的分级检查制度,发现薄弱环节,要明确责任、限时整改。

（8）防汛日常管理工作。加强防汛日常管理工作，对在江河、湖泊、水库、滩涂、人工水道、蓄滞洪区内建设的非防洪建设项目应当编制洪水影响评价报告，对未经审批并严重影响防洪的项目，依法强行拆除。

3.2.2　江河洪水预警

（1）当江河即将出现洪水时，各级水文部门应做好洪水预报工作，及时向防汛抗旱指挥机构报告水位、流量的实测情况和洪水走势，为预警提供依据。

（2）各级防汛抗旱指挥机构应按照分级负责原则，确定洪水预警区域、级别和洪水信息发布范围，按照权限向社会发布。

（3）水文部门应跟踪分析江河洪水的发展趋势，及时滚动预报最新水情，为抗灾救灾提供基本依据。

3.2.3　渍涝灾害预警

当气象预报将出现较大降雨时，各级防汛抗旱指挥机构应按照分级负责原则，确定渍涝灾害预警区域、级别，按照权限向社会发布，并做好排涝的有关准备工作。必要时，通知低洼地区居民及企事业单位及时转移财产。

3.2.4　山洪灾害预警

（1）凡可能遭受山洪灾害威胁的地方，应根据山洪灾害的成因和特点，主动采取预防和避险措施。水文、气象、国土资源等部门应密切联系，相互配合，实现信息共享，提高预报水平，及时发布预报警报。

（2）凡有山洪灾害的地方，应由防汛抗旱指挥机构组织国土资源、水利、气象等部门编制山洪灾害防御预案，绘制区域内山洪灾害风险图，划分并确定区域内易发生山洪灾害的地点及范围，制订安全转移方案，明确组织机构的设置及职责。

（3）山洪灾害易发区应建立专业监测与群测群防相结合的监测体系，落实观测措施，汛期坚持24小时值班巡逻制度，降雨期间，加密观测、加强巡逻。每个乡镇、村、组和相关单位都要落实信号发送员，一旦发现危险征兆，立即向周边群众报警，实现快速转移，并报本地防汛抗旱指挥机构，以便及时组织抗灾救灾。

3.2.5 台风暴潮灾害预警

（1）根据中央气象台发布的台风（含热带风暴、热带低压等）信息，省级及其以下有关气象管理部门应密切监视，做好未来趋势预报，并及时将台风中心位置、强度、移动方向和速度等信息报告同级人民政府和防汛抗旱指挥机构。

（2）可能遭遇台风袭击的地方，各级防汛抗旱指挥机构应加强值班，跟踪台风动向，并将有关信息及时向社会发布。

（3）水利部门应根据台风影响的范围，及时通知有关水库、主要湖泊和河道堤防管理单位，做好防范工作。各工程管理单位应组织人员分析水情和台风带来的影响，加强工程检查，必要时实施预泄预排措施。

（4）预报将受台风影响的沿海地区，当地防汛抗旱指挥机构应及时通知相关部门和人员做好防台风工作。

（5）加强对城镇危房、在建工地、仓库、交通道路、电信电缆、电力电线、户外广告牌等公用设施的检查和采取加固措施，组织船只回港避风和沿海养殖人员撤离工作。

3.2.6 蓄滞洪区预警

（1）蓄滞洪区管理单位应拟订群众安全转移方案。

（2）蓄滞洪区工程管理单位应加强工程运行监测，发现问题及时处理，并报告上级主管部门和同级防汛抗旱指挥机构。

（3）运用蓄滞洪区，当地人民政府和防汛抗旱指挥机构应把人民的生命安全放在首位，迅速启动预警系统，按照群众安全转移方案实施转移。

3.2.7 干旱灾害预警

（1）各级防汛抗旱指挥机构应针对干旱灾害的成因、特点，因地制宜采取预警防范措施。

（2）各级防汛抗旱指挥机构应建立健全旱情监测网络和干旱灾

害统计队伍，随时掌握实时旱情灾情，并预测干旱发展趋势，根据不同干旱等级，提出相应对策，为抗旱指挥决策提供科学依据。

(3)各级防汛抗旱指挥机构应当加强抗旱服务网络建设，鼓励和支持社会力量开展多种形式的社会化服务组织建设，以防范干旱灾害的发生和蔓延。

3.2.8　供水危机预警

当因供水水源短缺或被破坏、供水线路中断、供水水质被侵害等原因而出现供水危机，由当地防汛抗旱指挥机构向社会公布预警，居民、企事业单位做好储备应急用水的准备，有关部门做好应急供水的准备。

3.3　预警支持系统

3.3.1　洪水、干旱风险图

(1)各级防汛抗旱指挥机构应组织工程技术人员，研究绘制本地区的城市洪水风险图、蓄滞洪区洪水风险图、流域洪水风险图、山洪灾害风险图、水库洪水风险图和干旱风险图。

(2)防汛抗旱指挥机构应以各类洪水、干旱风险图作为抗洪抢险救灾、群众安全转移安置和抗旱救灾决策的技术依据。

3.3.2　防御洪水方案

防汛抗旱指挥机构应根据需要，编制和修订防御江河洪水方案，主动应对江河洪水。

3.3.3　抗旱预案

各级防汛抗旱指挥机构应编制抗旱预案，以主动应对不同等级的干旱灾害。

4. 应急响应

4.1　应急响应的总体要求

4.1.1　按洪涝、旱灾的严重程度和范围，将应急响应行动分为四级。

4.1.2　进入汛期、旱期，各级防汛抗旱指挥机构应实行24小时值班制度，全程跟踪雨情、水情、工情、旱情、灾情，并根据不同情况启动相关应急程序。

4.1.3 国务院和国家防总或流域防汛指挥机构负责关系重大的水利、防洪工程调度；其他水利、防洪工程的调度由所属地方人民政府和防汛抗旱指挥机构负责，必要时，视情况由上一级防汛抗旱指挥机构直接调度。防总各成员单位应按照指挥部的统一部署和职责分工开展工作并及时报告有关工作情况。

4.1.4 洪涝、干旱等灾害发生后，由地方人民政府和防汛抗旱指挥机构负责组织实施抗洪抢险、排涝、抗旱减灾和抗灾救灾等方面的工作。

4.1.5 洪涝、干旱等灾害发生后，由当地防汛抗旱指挥机构向同级人民政府和上级防汛抗旱指挥机构报告情况。造成人员伤亡的突发事件，可越级上报，并同时报上级防汛抗旱指挥机构。任何个人发现堤防、水库发生险情时，应立即向有关部门报告。

4.1.6 对跨区域发生的水旱灾害，或者突发事件将影响到邻近行政区域的，在报告同级人民政府和上级防汛抗旱指挥机构的同时，应及时向受影响地区的防汛抗旱指挥机构通报情况。

4.1.7 因水旱灾害而衍生的疾病流行、水陆交通事故等次生灾害，当地防汛抗旱指挥机构应组织有关部门全力抢救和处置，采取有效措施切断灾害扩大的传播链，防止次生或衍生灾害的蔓延，并及时向同级人民政府和上级防汛抗旱指挥机构报告。

4.2 Ⅰ级应急响应

4.2.1 出现下列情况之一者，为Ⅰ级响应

（1）某个流域发生特大洪水；

（2）多个流域同时发生大洪水；

（3）大江大河干流重要河段堤防发生决口；

（4）重点大型水库发生垮坝；

（5）多个省（区、市）发生特大干旱；

（6）多座大型以上城市发生极度干旱。

4.2.2 Ⅰ级响应行动

(1)国家防总总指挥主持会商,防总成员参加。视情启动国务院批准的防御特大洪水方案,作出防汛抗旱应急工作部署,加强工作指导,并将情况上报党中央、国务院。国家防总密切监视汛情、旱情和工情的发展变化,做好汛情、旱情预测预报,做好重点工程调度,并在24小时内派专家组赴一线加强技术指导。国家防总增加值班人员,加强值班,每天在中央电视台发布《汛(旱)情通报》,报道汛(旱)情及抗洪抢险、抗旱措施。

财政部门为灾区及时提供资金帮助。国家防总办公室为灾区紧急调拨防汛抗旱物资;铁路、交通、民航部门为防汛抗旱物资运输提供运输保障。民政部门及时救助受灾群众。卫生部门根据需要,及时派出医疗卫生专业防治队伍赴灾区协助开展医疗救治和疾病预防控制工作。国家防总其他成员单位按照职责分工,做好有关工作。

(2)相关流域防汛指挥机构按照权限调度水利、防洪工程;为国家防总提供调度参谋意见。派出工作组、专家组,支援地方抗洪抢险、抗旱。

(3)相关省、自治区、直辖市的流域防汛指挥机构,省、自治区、直辖市的防汛抗旱指挥机构启动Ⅰ级响应,可依法宣布本地区进入紧急防汛期,按照《中华人民共和国防洪法》的相关规定,行使权力。同时,增加值班人员,加强值班,动员部署防汛抗旱工作;按照权限调度水利、防洪工程;根据预案转移危险地区群众,组织强化巡堤查险和堤防防守,及时控制险情,或组织强化抗旱工作。受灾地区的各级防汛抗旱指挥机构负责人、成员单位负责人,应按照职责到分管的区域组织指挥防汛抗旱工作,或驻点具体帮助重灾区做好防汛抗旱工作。各省、自治区、直辖市的防汛抗旱指挥机构应将工作情况上报当地人民政府和国家防总。相关省、自治区、直辖市的防汛抗旱指挥机构成员单位全力配合做好防汛抗旱和抗灾救灾工作。

4.3 Ⅱ级应急响应

4.3.1 出现下列情况之一者,为Ⅱ级响应

（1）一个流域发生大洪水；

（2）大江大河干流一般河段及主要支流堤防发生决口；

（3）数省（区、市）多个市（地）发生严重洪涝灾害；

（4）一般大中型水库发生垮坝；

（5）数省（区、市）多个市（地）发生严重干旱或一省（区、市）发生特大干旱；

（6）多个大城市发生严重干旱，或大中城市发生极度干旱。

4.3.2 Ⅱ级响应行动

（1）国家防总副总指挥主持会商，作出相应工作部署，加强防汛抗旱工作指导，在2小时内将情况上报国务院并通报国家防总成员单位。国家防总加强值班，密切监视汛情、旱情和工情的发展变化，做好汛情旱情预测预报，做好重点工程的调度，并在24小时内派出由防总成员单位组成的工作组、专家组赴一线指导防汛抗旱。国家防总办公室不定期在中央电视台发布汛（旱）情通报。民政部门及时救助灾民。卫生部门派出医疗队赴一线帮助医疗救护。国家防总其他成员单位按照职责分工，做好有关工作。

（2）相关流域防汛指挥机构密切监视汛情、旱情发展变化，做好洪水预测预报，派出工作组、专家组，支援地方抗洪抢险、抗旱；按照权限调度水利、防洪工程；为国家防总提供调度参谋意见。

（3）相关省、自治区、直辖市防汛抗旱指挥机构可根据情况，依法宣布本地区进入紧急防汛期，行使相关权力。同时，增加值班人员，加强值班。防汛抗旱指挥机构具体安排防汛抗旱工作，按照权限调度水利、防洪工程，根据预案组织加强防守巡查，及时控制险情，或组织加强抗旱工作。受灾地区的各级防汛抗旱指挥机构负责人、成员单位负责人，应按照职责到分管的区域组织指挥防汛抗旱工作。相关省级防汛抗旱指挥机构应将工作情况上报当地人民政府主要领导和国家防总。相关省、自治区、直辖市的防汛抗旱指挥机构成员单位全力配合做好防汛抗旱和抗灾救灾工作。

4.4　Ⅲ级应急响应

4.4.1　出现下列情况之一者，为Ⅲ级响应

(1)数省(区、市)同时发生洪涝灾害；

(2)一省(区、市)发生较大洪水；

(3)大江大河干流堤防出现重大险情；

(4)大中型水库出现严重险情或小型水库发生垮坝；

(5)数省(区、市)同时发生中度以上的干旱灾害；

(6)多座大型以上城市同时发生中度干旱；

(7)一座大型城市发生严重干旱。

4.4.2　Ⅲ级响应行动

(1)国家防总秘书长主持会商，作出相应工作安排，密切监视汛情、旱情发展变化，加强防汛抗旱工作的指导，在2小时内将情况上报国务院并通报国家防总成员单位。国家防总办公室在24小时内派出工作组、专家组，指导地方防汛抗旱。

(2)相关流域防汛指挥机构加强汛(旱)情监视，加强洪水预测预报，做好相关工程调度，派出工作组、专家组到一线协助防汛抗旱。

(3)相关省、自治区、直辖市的防汛抗旱指挥机构具体安排防汛抗旱工作；按照权限调度水利、防洪工程；根据预案组织防汛抢险或组织抗旱，派出工作组、专家组到一线具体帮助防汛抗旱工作，并将防汛抗旱的工作情况上报当地人民政府分管领导和国家防总。省级防汛指挥机构在省级电视台发布汛(旱)情通报；民政部门及时救助灾民。卫生部门组织医疗队赴一线开展卫生防疫工作。其他部门按照职责分工，开展工作。

4.5　Ⅳ级应急响应

4.5.1　出现下列情况之一者，为Ⅳ级响应

(1)数省(区、市)同时发生一般洪水；

(2)数省(区、市)同时发生轻度干旱；

(3)大江大河干流堤防出现险情；

(4)大中型水库出现险情；

(5)多座大型以上城市同时因旱影响正常供水。

4.5.2 Ⅳ级响应行动

(1)国家防总办公室常务副主任主持会商,作出相应工作安排,加强对汛(旱)情的监视和对防汛抗旱工作的指导,并将情况上报国务院并通报国家防总成员单位。

(2)相关流域防汛指挥机构加强汛情、旱情监视,做好洪水预测预报,并将情况及时报国家防总办公室。

(3)相关省、自治区、直辖市的防汛抗旱指挥机构具体安排防汛抗旱工作;按照权限调度水利、防洪工程;按照预案采取相应防守措施或组织抗旱;派出专家组赴一线指导防汛抗旱工作;并将防汛抗旱的工作情况上报当地人民政府和国家防总办公室。

4.6 信息报送和处理

4.6.1 汛情、旱情、工情、险情、灾情等防汛抗旱信息实行分级上报,归口处理,同级共享。

4.6.2 防汛抗旱信息的报送和处理,应快速、准确、翔实,重要信息应立即上报,因客观原因一时难以准确掌握的信息,应及时报告基本情况,同时抓紧了解情况,随后补报详情。

4.6.3 属一般性汛情、旱情、工情、险情、灾情,按分管权限,分别报送本级防汛抗旱指挥机构值班室负责处理。凡因险情、灾情较重,按分管权限一时难以处理,需上级帮助、指导处理的,经本级防汛抗旱指挥机构负责同志审批后,可向上一级防汛抗旱指挥机构值班室上报。

4.6.4 凡经本级或上级防汛抗旱指挥机构采用和发布的水旱灾害、工程抢险等信息,当地防汛抗旱指挥机构应立即调查,对存在的问题,及时采取措施,切实加以解决。

4.6.5 国家防总办公室接到特别重大、重大的汛情、旱情、险情、灾情报告后应立即报告国务院,并及时续报。

4.7 指挥和调度

4.7.1 出现水旱灾害后,事发地的防汛抗旱指挥机构应立即启动应急预案,并根据需要成立现场指挥部。在采取紧急措施的同时,向上一级防汛抗旱指挥机构报告。根据现场情况,及时收集、掌握相关信息,判明事件的性质和危害程度,并及时上报事态的发展变化情况。

4.7.2　事发地的防汛抗旱指挥机构负责人应迅速上岗到位,分析事件的性质,预测事态发展趋势和可能造成的危害程度,并按规定的处置程序,组织指挥有关单位或部门按照职责分工,迅速采取处置措施,控制事态发展。

4.7.3　发生重大水旱灾害后,上一级防汛抗旱指挥机构应派出工作组赶赴现场指导工作,必要时成立前线指挥部。

4.8　抢险救灾

4.8.1　出现水旱灾害或防洪工程发生重大险情后,事发地的防汛抗旱指挥机构应根据事件的性质,迅速对事件进行监控、追踪,并立即与相关部门联系。

4.8.2　事发地的防汛抗旱指挥机构应根据事件具体情况,按照预案立即提出紧急处置措施,供当地政府或上一级相关部门指挥决策。

4.8.3　事发地防汛抗旱指挥机构应迅速调集本部门的资源和力量,提供技术支持;组织当地有关部门和人员,迅速开展现场处置或救援工作。大江大河干流堤防决口的堵复、水库重大险情的抢护应按照事先制定的抢险预案进行,并由防汛机动抢险队或抗洪抢险专业部队等实施。

4.8.4　处置水旱灾害和工程重大险情时,应按照职能分工,由防汛抗旱指挥机构统一指挥,各单位或各部门应各司其职,团结协作,快速反应,高效处置,最大程度地减少损失。

4.9　安全防护和医疗救护

4.9.1　各级人民政府和防汛抗旱指挥机构应高度重视应急人员的安全,调集和储备必要的防护器材、消毒药品、备用电源和抢救伤员必备的器械等,以备随时应用。

4.9.2 抢险人员进入和撤出现场由防汛抗旱指挥机构视情况作出决定。抢险人员进入受威胁的现场前,应采取防护措施以保证自身安全。参加一线抗洪抢险的人员,必须穿救生衣。当现场受到污染时,应按要求为抢险人员配备防护设施,撤离时应进行消毒、去污处理。

4.9.3 出现水旱灾害后,事发地防汛抗旱指挥机构应及时做好群众的救援、转移和疏散工作。

4.9.4 事发地防汛抗旱指挥机构应按照当地政府和上级领导机构的指令,及时发布通告,防止人、畜进入危险区域或饮用被污染的水源。

4.9.5 对转移的群众,由当地人民政府负责提供紧急避难场所,妥善安置灾区群众,保证基本生活。

4.9.6 出现水旱灾害后,事发地人民政府和防汛抗旱指挥机构应组织卫生部门加强受影响地区的疾病和突发公共卫生事件监测、报告工作,落实各项防病措施,并派出医疗小分队,对受伤的人员进行紧急救护。必要时,事发地政府可紧急动员当地医疗机构在现场设立紧急救护所。

4.10 社会力量动员与参与

4.10.1 出现水旱灾害后,事发地的防汛抗旱指挥机构可根据事件的性质和危害程度,报经当地政府批准,对重点地区和重点部位实施紧急控制,防止事态及其危害的进一步扩大。

4.10.2 必要时可通过当地人民政府广泛调动社会力量积极参与应急突发事件的处置,紧急情况下可依法征用、调用车辆、物资、人员等,全力投入抗洪抢险。

4.11 信息发布

4.11.1 防汛抗旱的信息发布应当及时、准确、客观、全面。

4.11.2 汛情、旱情及防汛抗旱动态等,由国家防总统一审核和发布;涉及水旱灾情的,由国家防办会同民政部审核和发布。

4.11.3 信息发布形式主要包括授权发布、散发新闻稿、组织报道、接受记者采访、举行新闻发布会等。

4.11.4 地方信息发布:重点汛区、灾区和发生局部汛情的地方,其汛情、旱情及防汛抗旱动态等信息,由各地防汛抗旱指挥机构审核和发布;涉及水旱灾情的,由各地防汛指挥部办公室会同民政部门审核和发布。

4.12 应急结束

4.12.1 当洪水灾害、极度缺水得到有效控制时,事发地的防汛抗旱指挥机构可视汛情旱情,宣布结束紧急防汛期或紧急抗旱期。

4.12.2 依照有关紧急防汛、抗旱期规定征用、调用的物资、设备、交通运输工具等,在汛期、抗旱期结束后应当及时归还;造成损坏或者无法归还的,按照国务院有关规定给予适当补偿或者作其他处理。

4.12.3 紧急处置工作结束后,事发地防汛抗旱指挥机构应协助当地政府进一步恢复正常生活、生产、工作秩序,修复水毁基础设施,尽可能减少突发事件带来的损失和影响。

5. 应急保障

5.1 通信与信息保障

5.1.1 任何通信运营部门都有依法保障防汛抗旱信息畅通的责任。

5.1.2 防汛抗旱指挥机构应按照以公用通信网为主的原则,合理组建防汛专用通信网络,确保信息畅通。

5.2.3 出现突发事件后,通信部门应启动应急通信保障预案,迅速调集力量抢修损坏的通信设施,努力保证防汛抗旱通信畅通。必要时,调度应急通信设备,为防汛通信和现场指挥提供通信保障。

5.1.4 在紧急情况下,应充分利用公共广播和电视等媒体以及手机短信等手段发布信息,通知群众快速撤离,确保人民生命的安全。

5.2 应急支援与装备保障

5.2.1 现场救援和工程抢险保障

(1)对历史上的重点险工险段或易出险的水利工程设施,应提前编制工程应急抢险预案,以备紧急情况下因险施策;当出现新的险情后,应派工程技术人员赶赴现场,研究优化除险方案,并由防汛行政首长负责组织实施。

(2)防汛抗旱指挥机构和防洪工程管理单位以及受洪水威胁的其他单位,储备的常规抢险机械、抗旱设备、物资和救生器材,应能满足抢险急需。

5.2.2 应急队伍保障

任何单位和个人都有依法参加防汛抗洪的义务。解放军、武警部队和民兵是抗洪抢险的重要力量。防汛抢险队伍分为:群众抢险队伍、非专业部队抢险队伍和专业抢险队伍。

在抗旱期间,地方各级人民政府和防汛抗旱指挥机构应组织动员社会公众力量投入抗旱救灾工作。

5.2.3 供电保障

电力部门主要负责抗洪抢险、抢排渍涝、抗旱救灾等方面的供电需要和应急救援现场的临时供电。

5.2.4 交通运输保障

交通运输部门主要负责优先保证防汛抢险人员、防汛抗旱救灾物资运输;蓄滞洪区分洪时,负责群众安全转移所需地方车辆、船舶的调配;负责分泄大洪水时河道航行和渡口的安全;负责大洪水时用于抢险、救灾车辆、船舶的及时调配。

5.2.5 医疗保障

医疗卫生防疫部门主要负责水旱灾区疾病防治的业务技术指导;组织医疗卫生队赴灾区巡医问诊,负责灾区防疫消毒、抢救伤员等工作。

5.2.6 治安保障

公安部门主要负责做好水旱灾区的治安管理工作,依法严厉打击破坏抗洪抗旱救灾行动和工程设施安全的行为，保证抗灾救灾工作的顺利进行；负责组织搞好防汛抢险、分洪爆破时的戒严、警卫工作，维护灾区的社会治安秩序。

5.2.7　物资保障

防汛抗旱指挥机构、重点防洪工程管理单位以及受洪水威胁的其他单位应按规范储备防汛抢险物资，并做好生产流程和生产能力储备的有关工作。防汛物资管理部门应及时掌握新材料、新设备的应用情况，及时调整储备物资品种，提高科技含量。

干旱频繁发生地区县级以上地方人民政府应当贮备一定数量的抗旱物资，由本级防汛抗旱指挥机构负责调用。

严重缺水城市应当建立应急供水机制，建设应急供水备用水源。

5.2.8　资金保障

(1)中央财政安排特大防汛抗旱补助费，用于补助遭受特大水旱灾害的省、自治区、直辖市，以及计划单列市、新疆生产建设兵团进行防汛抢险、抗旱及中央直管的大江大河防汛抢险。省、自治区、直辖市人民政府应当在本级财政预算中安排资金，用于本行政区域内遭受严重水旱灾害的工程修复补助。

(2)国家设立中央水利建设基金，专项用于大江大河重点治理工程维护和建设，以及其他规定的水利工程的维护和建设。

5.2.9　社会动员保障

(1)防汛抗旱是社会公益性事业，任何单位和个人都有保护水利工程设施和防汛抗旱的责任。

(2)汛期或旱季，各级防汛抗旱指挥机构应根据水旱灾害的发展，做好动员工作，组织社会力量投入防汛抗旱。

(3)各级防汛抗旱指挥机构的组成部门，在严重水旱灾害期间，应按照分工，特事特办，急事急办，解决防汛抗旱的实际问题，同时充分调动本系统的力量，全力支持抗灾救灾和灾后重建工作。

(4)各级人民政府应加强对防汛抗旱工作的统一领导，组织有关部门和单位,动员全社会的力量,做好防汛抗旱工作。在防汛抗旱的关键时刻,各级防汛抗旱行政首长应靠前指挥,组织广大干部群众奋力抗灾减灾。

5.3 技术保障

建设国家防汛抗旱指挥系统,形成覆盖国家防总、流域机构和各省、自治区、直辖市防汛抗旱部门的计算机网络系统,提高信息传输的质量和速度。

各级防汛抗旱指挥机构应建立专家库,当发生水旱灾害时,由防汛抗旱指挥机构统一调度,派出专家组,指导防汛抗旱工作。

5.4 宣传、培训和演习

5.4.1 公众信息交流

(1)汛情、旱情、工情、灾情及防汛抗旱工作等方面的公众信息交流,实行分级负责制,一般公众信息可通过媒体向社会发布。

(2)当主要江河发生超警戒水位以上洪水,呈上涨趋势;山区发生暴雨山洪,造成较为严重影响;出现大范围的严重旱情,并呈发展趋势时,按分管权限,由本地区的防汛抗旱指挥部统一发布汛情、旱情通报,以引起社会公众关注,参与防汛抗旱救灾工作。

5.4.2 培训

(1)采取分级负责的原则,由各级防汛抗旱指挥机构统一组织培训。

(2)培训工作应做到合理规范课程、考核严格、分类指导,保证培训工作质量。

(3)培训工作应结合实际,采取多种组织形式,定期与不定期相结合,每年汛前至少组织一次培训。

5.4.3 演习

(1)各级防汛抗旱指挥机构应定期举行不同类型的应急演习,以检验、改善和强化应急准备和应急响应能力。

(2)专业抢险队伍必须针对当地易发生的各类险情有针对性地每年进行抗洪抢险演习。

(3)多个部门联合进行的专业演习,一般2~3年举行一次,由省级防汛抗旱指挥机构负责组织。

6. 善后工作

发生水旱灾害的地方人民政府应组织有关部门做好灾区生活供给、卫生防疫、救灾物资供应、治安管理、学校复课、水毁修复、恢复生产和重建家园等善后工作。

6.1 救灾

6.1.1 民政部门负责受灾群众生活救助。应及时调配救灾款物,组织安置受灾群众,作好受灾群众临时生活安排,负责受灾群众倒塌房屋的恢复重建,保证灾民有粮吃、有衣穿、有房住,切实解决受灾群众的基本生活问题。

6.1.2 卫生部门负责调配医务技术力量,抢救因灾伤病人员,对污染源进行消毒处理,对灾区重大疫情、病情实施紧急处理,防止疫病的传播、蔓延。

6.1.3 当地政府应组织对可能造成环境污染的污染物进行清除。

6.2 防汛抢险物料补充

针对当年防汛抢险物料消耗情况,按照分级筹措和常规防汛的要求,及时补充到位。

6.3 水毁工程修复

6.3.1 对影响当年防洪安全和城乡供水安全的水毁工程,应尽快修复。防洪工程应力争在下次洪水到来之前,做到恢复主体功能;抗旱水源工程应尽快恢复功能。

6.3.2 遭到毁坏的交通、电力、通信、水文以及防汛专用通信设施,应尽快组织修复,恢复功能。

6.4 蓄滞洪区补偿

全国重点蓄滞洪区分洪运用后,按照《蓄滞洪区补偿暂行办法》进行补偿。其他蓄滞洪区由地方人民政府参照《蓄滞洪区补偿暂行办法》补偿。

6.5　灾后重建

各相关部门应尽快组织灾后重建工作。灾后重建原则上按原标准恢复,在条件允许情况下,可提高标准重建。

6.6　防汛抗旱工作评价

每年各级防汛抗旱部门应针对防汛抗旱工作的各个方面和环节进行定性和定量的总结、分析、评估。引进外部评价机制,征求社会各界和群众对防汛抗旱工作的意见和建议,总结经验,找出问题,从防洪抗旱工程的规划、设计、运行、管理以及防汛抗旱工作的各个方面提出改进建议,以进一步做好防汛抗旱工作。

7. 附则

7.1　名词术语定义

7.1.1　洪水风险图:是融合地理、社会经济信息、洪水特征信息,通过资料调查、洪水计算和成果整理,以地图形式直观反映某一地区发生洪水后可能淹没的范围和水深,用以分析和预评估不同量级洪水可能造成的风险和危害的工具。

7.1.2　干旱风险图:是融合地理、社会经济信息、水资源特征信息,通过资料调查、水资源计算和成果整理,以地图形式直观反映某一地区发生干旱后可能影响的范围,用以分析和预评估不同干旱等级造成的风险和危害的工具。

7.1.3　防御洪水方案:是有防汛抗洪任务的县级以上地方人民政府根据流域综合规划、防洪工程实际状况和国家规定的防洪标准,制定的防御江河洪水(包括特大洪水)、山洪灾害(山洪、泥石流、滑坡等)、台风暴潮灾害等方案的统称。

7.1.4　抗旱预案:是在现有工程设施条件和抗旱能力下,针对不同等级、程度的干旱,而预先制定的对策和措施,是各级防汛抗旱指挥部门实施指挥决策的依据。

7.1.5　抗旱服务组织:是由水利部门组建的事业性服务实体,

以抗旱减灾为宗旨,围绕群众饮水安全、粮食用水安全、经济发展用水安全和生态环境用水安全开展抗旱服务工作。国家支持和鼓励社会力量兴办各种形式的抗旱社会化服务组织。

7.1.6　一般洪水:洪峰流量或洪量的重现期5~10年一遇的洪水。

7.1.7　较大洪水:洪峰流量或洪量的重现期10~20年一遇的洪水。

7.1.8　大洪水:洪峰流量或洪量的重现期20~50年一遇的洪水。

7.1.9　特大洪水:洪峰流量或洪量的重现期大于50年一遇的洪水。

7.1.10　轻度干旱:受旱区域作物受旱面积占播种面积的比例在30%以下;以及因旱造成农(牧)区临时性饮水困难人口占所在地区人口比例在20%以下。

7.1.11　中度干旱:受旱区域作物受旱面积占播种面积的比例达31%—50%;以及因旱造成农(牧)区临时性饮水困难人口占所在地区人口比例达21%—40%。

7.1.12　严重干旱:受旱区域作物受旱面积占播种面积的比例达51%—80%;以及因旱造成农(牧)区临时性饮水困难人口占所在地区人口比例达41%—60%。

7.1.13　特大干旱:受旱区域作物受旱面积占播种面积的比例在80%以上;以及因旱造成农(牧)区临时性饮水困难人口占所在地区人口比例高于60%。

7.1.14　城市干旱:因遇枯水年造成城市供水水源不足,或者由于突发性事件使城市供水水源遭到破坏,导致城市实际供水能力低于正常需求,致使城市实际供水能力低于正常需求,致使城市的生产、生活和生态环境受到影响。

7.1.15　城市轻度干旱:因旱城市供水量低于正常需求量的5%—10%,出现缺水现象,居民生活、生产用水在受到一定程度影响。

7.1.16　城市中度干旱:因旱城市供水量低于正常日用水量的10%—20%,出现明显的缺水现象,居民生活、生产用水受到较大影响。

7.1.17　城市重度干旱:因旱城市供水量低于正常日用水量的20%—30%,出现明显缺水现象,城市生活、生产用水受到严重影响。

7.1.18　城市极度干旱:因旱城市供水量低于正常日用水量的30%,出现极为严重的缺水局面或发电供水危机,城市生活、生产用水受到极大影响。

7.1.19　大型城市:指非农业人口在50万以上的城市。

7.1.20　紧急防汛期:根据《中华人民共和国防洪法》规定,当江河、湖泊的水情接近保证水位或者安全流量,水库水位接近设计洪水位,或者防洪工程设施发生重大险情时,有关县级以上人民政府防汛指挥机构可以宣布进入紧急防汛期。

本预案有关数量的表述中,以上"含本数","以下"不含本数。

7.2　预案管理与更新

本预案由国家防总办公室负责管理,并负责组织对预案进行评估。每5年对本预案评审一次,并视情况变化作出相应修改。各流域管理机构,各省、自治区、直辖市防汛抗旱指挥机构根据本预案制定相关江河、地区和重点工程的防汛抗旱应急预案。

7.3　国际沟通与协作

积极开展国际间的防汛抗旱减灾交流,借鉴发达国家防汛抗旱减灾工作的经验,进一步做好我国水旱灾害突发事件防范与处置工作。

7.4　奖励与责任追究

对防汛抢险和抗旱工作作出突出贡献的劳动模范、先进集体和个人,由人事部和国家防总联合表彰;对防汛抢险和抗旱工作中英勇献身的人员,按有关规定追认为烈士;对防汛抗旱工作中玩忽职守造成损失的，依据《中华人民共和国防洪法》、《中华人民共和国防汛条例》、《公务员管理条例》追究当事人的责任，并予以处罚，构成犯罪的，依法追究其刑事责任。

7.5　预案实施时间

本预案自印发之日起实施。

国家突发公共卫生事件应急预案

（2006 年 2 月 26 日国务院发布）

1. 总则

1.1 编制目的

有效预防、及时控制和消除突发公共卫生事件及其危害，指导和规范各类突发公共卫生事件的应急处理工作，最大程度地减少突发公共卫生事件对公众健康造成的危害，保障公众身心健康与生命安全。

1.2 编制依据

依据《中华人民共和国传染病防治法》、《中华人民共和国食品卫生法》、《中华人民共和国职业病防治法》、《中华人民共和国国境卫生检疫法》、《突发公共卫生事件应急条例》、《国内交通卫生检疫条例》和《国家突发公共事件总体应急预案》，制定本预案。

1.3 突发公共卫生事件的分级

根据突发公共卫生事件性质、危害程度、涉及范围，突发公共卫生事件划分为特别重大（Ⅰ级）、重大（Ⅱ级）、较大（Ⅲ级）和一般（Ⅳ级）四级。

其中，特别重大突发公共卫生事件主要包括：

（1）肺鼠疫、肺炭疽在大、中城市发生并有扩散趋势，或肺鼠疫、肺炭疽疫情波及 2 个以上的省份，并有进一步扩散趋势。

(2)发生传染性非典型肺炎、人感染高致病性禽流感病例，并有扩散趋势。

(3)涉及多个省份的群体性不明原因疾病，并有扩散趋势。

(4)发生新传染病或我国尚未发现的传染病发生或传入，并有扩散趋势，或发现我国已消灭的传染病重新流行。

(5)发生烈性病菌株、毒株、致病因子等丢失事件。

(6)周边以及与我国通航的国家和地区发生特大传染病疫情，并出现输入性病例，严重危及我国公共卫生安全的事件。

(7)国务院卫生行政部门认定的其他特别重大突发公共卫生事件。

1.4 适用范围

本预案适用于突然发生，造成或者可能造成社会公众身心健康严重损害的重大传染病、群体性不明原因疾病、重大食物和职业中毒以及因自然灾害、事故灾难或社会安全等事件引起的严重影响公众身心健康的公共卫生事件的应急处理工作。

其他突发公共事件中涉及的应急医疗救援工作，另行制定有关预案。

1.5 工作原则

(1)预防为主，常备不懈。提高全社会对突发公共卫生事件的防范意识，落实各项防范措施，做好人员、技术、物资和设备的应急储备工作。对各类可能引发突发公共卫生事件的情况要及时进行分析、预警，做到早发现、早报告、早处理。

(2)统一领导，分级负责。根据突发公共卫生事件的范围、性质和危害程度，对突发公共卫生事件实行分级管理。各级人民政府负责突发公共卫生事件应急处理的统一领导和指挥，各有关部门按照预案规定，在各自的职责范围内做好突发公共卫生事件应急处理的有关工作。

(3)依法规范，措施果断。地方各级人民政府和卫生行政部门要按照相关法律、法规和规章的规定，完善突发公共卫生事件应急体系，建立健全系统、规范的突发公共卫生事件应急处理工作制度，对突发公共卫生事件和可能发生的公共卫生事件做出快速反应，及时、有效开展监测、报告和处理工作。

（4）依靠科学，加强合作。突发公共卫生事件应急工作要充分尊重和依靠科学，要重视开展防范和处理突发公共卫生事件的科研和培训，为突发公共卫生事件应急处理提供科技保障。各有关部门和单位要通力合作、资源共享，有效应对突发公共卫生事件。要广泛组织、动员公众参与突发公共卫生事件的应急处理。

2. 应急组织体系及职责

2.1 应急指挥机构

卫生部依照职责和本预案的规定，在国务院统一领导下，负责组织、协调全国突发公共卫生事件应急处理工作，并根据突发公共卫生事件应急处理工作的实际需要，提出成立全国突发公共卫生事件应急指挥部。

地方各级人民政府卫生行政部门依照职责和本预案的规定，在本级人民政府统一领导下，负责组织、协调本行政区域内突发公共卫生事件应急处理工作，并根据突发公共卫生事件应急处理工作的实际需要，向本级人民政府提出成立地方突发公共卫生事件应急指挥部的建议。

各级人民政府根据本级人民政府卫生行政部门的建议和实际工作需要，决定是否成立国家和地方应急指挥部。

地方各级人民政府及有关部门和单位要按照属地管理的原则，切实做好本行政区域内突发公共卫生事件应急处理工作。

2.1.1 全国突发公共卫生事件应急指挥部的组成和职责

全国突发公共卫生事件应急指挥部负责对特别重大突发公共卫生事件的统一领导、统一指挥，作出处理突发公共卫生事件的重大决策。指挥部成员单位根据突发公共卫生事件的性质和应急处理的需要确定。

2.1.2 省级突发公共卫生事件应急指挥部的组成和职责

省级突发公共卫生事件应急指挥部由省级人民政府有关部门组成,实行属地管理的原则,负责对本行政区域内突发公共卫生事件应急处理的协调和指挥,作出处理本行政区域内突发公共卫生事件的决策,决定要采取的措施。

2.2 日常管理机构

国务院卫生行政部门设立卫生应急办公室(突发公共卫生事件应急指挥中心),负责全国突发公共卫生事件应急处理的日常管理工作。

各省、自治区、直辖市人民政府卫生行政部门及军队、武警系统要参照国务院卫生行政部门突发公共卫生事件日常管理机构的设置及职责,结合各自实际情况,指定突发公共卫生事件的日常管理机构,负责本行政区域或本系统内突发公共卫生事件应急的协调、管理工作。

各市(地)级、县级卫生行政部门要指定机构负责本行政区域内突发公共卫生事件应急的日常管理工作。

2.3 专家咨询委员会

国务院卫生行政部门和省级卫生行政部门负责组建突发公共卫生事件专家咨询委员会。

市(地)级和县级卫生行政部门可根据本行政区域内突发公共卫生事件应急工作需要,组建突发公共卫生事件应急处理专家咨询委员会。

2.4 应急处理专业技术机构

医疗机构、疾病预防控制机构、卫生监督机构、出入境检验检疫机构是突发公共卫生事件应急处理的专业技术机构。应急处理专业技术机构要结合本单位职责开展专业技术人员处理突发公共卫生事件能力培训,提高快速应对能力和技术水平,在发生突发公共卫生事件时,要服从卫生行政部门的统一指挥和安排,开展应急处理工作。

3. 突发公共卫生事件的监测、预警与报告

3.1 监测

国家建立统一的突发公共卫生事件监测、预警与报告网络体系。各级医疗、疾病预防控制、卫生监督和出入境检疫机构负责开展突发公共卫生事件的日常监测工作。

省级人民政府卫生行政部门要按照国家统一规定和要求，结合实际，组织开展重点传染病和突发公共卫生事件的主动监测。

国务院卫生行政部门和地方各级人民政府卫生行政部门要加强对监测工作的管理和监督，保证监测质量。

3.2 预警

各级人民政府卫生行政部门根据医疗机构、疾病预防控制机构、卫生监督机构提供的监测信息，按照公共卫生事件的发生、发展规律和特点，及时分析其对公众身心健康的危害程度、可能的发展趋势，及时做出预警。

3.3 报告

任何单位和个人都有权向国务院卫生行政部门和地方各级人民政府及其有关部门报告突发公共卫生事件及其隐患，也有权向上级政府部门举报不履行或者不按照规定履行突发公共卫生事件应急处理职责的部门、单位及个人。

县级以上各级人民政府卫生行政部门指定的突发公共卫生事件监测机构、各级各类医疗卫生机构、卫生行政部门、县级以上地方人民政府和检验检疫机构、食品药品监督管理机构、环境保护监测机构、教育机构等有关单位为突发公共卫生事件的责任报告单位。执行职务的各级各类医疗卫生机构的医疗卫生人员、个体开业医生为突发公共卫生事件的责任报告人。

突发公共卫生事件责任报告单位要按照有关规定及时、准确地报告突发公共卫生事件及其处置情况。

4. 突发公共卫生事件的应急反应和终止

4.1　应急反应原则

发生突发公共卫生事件时，事发地的县级、市（地）级、省级人民政府及其有关部门按照分级响应的原则，作出相应级别应急反应。同时，要遵循突发公共卫生事件发生发展的客观规律，结合实际情况和预防控制工作的需要，及时调整预警和反应级别，以有效控制事件，减少危害和影响。要根据不同类别突发公共卫生事件的性质和特点，注重分析事件的发展趋势，对事态和影响不断扩大的事件，应及时升级预警和反应级别；对范围局限、不会进一步扩散的事件，应相应降低反应级别，及时撤销预警。

国务院有关部门和地方各级人民政府及有关部门对在学校、区域性或全国性重要活动期间等发生的突发公共卫生事件，要高度重视，可相应提高报告和反应级别，确保迅速、有效控制突发公共卫生事件，维护社会稳定。

突发公共卫生事件应急处理要采取边调查、边处理、边抢救、边核实的方式，以有效措施控制事态发展。

事发地之外的地方各级人民政府卫生行政部门接到突发公共卫生事件情况通报后，要及时通知相应的医疗卫生机构，组织做好应急处理所需的人员与物资准备，采取必要的预防控制措施，防止突发公共卫生事件在本行政区域内发生，并服从上一级人民政府卫生行政部门的统一指挥和调度，支援突发公共卫生事件发生地区的应急处理工作。

4.2　应急反应措施

4.2.1　各级人民政府

（1）组织协调有关部门参与突发公共卫生事件的处理。

（2）根据突发公共卫生事件处理需要，调集本行政区域内各类人员、物资、交通工具和相关设施、设备参加应急处理工作。涉及危险化学品管理和运输安全的，有关部门要严格执行相关规定，防止事故发生。

（3）划定控制区域：甲类、乙类传染病暴发、流行时，县级以上地方人民政府报经上一级地方人民政府决定，可以宣布疫区范围；经省、自治区、直辖市人民政府决定，可以对本行政区域内甲类传染病疫区实施封锁；封锁大、中城市的疫区或者封锁跨省（区、市）的疫区，以及封锁疫区导致中断干线交通或者封锁国境的，由国务院决定。对重大食物中毒和职业中毒事故，根据污染食品扩散和职业危害因素波及的范围，划定控制区域。

（4）疫情控制措施：当地人民政府可以在本行政区域内采取限制或者停止集市、集会、影剧院演出，以及其他人群聚集的活动；停工、停业、停课；封闭或者封存被传染病病原体污染的公共饮用水源、食品以及相关物品等紧急措施；临时征用房屋、交通工具以及相关设施和设备。

（5）流动人口管理：对流动人口采取预防工作，落实控制措施，对传染病病人、疑似病人采取就地隔离、就地观察、就地治疗的措施，对密切接触者根据情况采取集中或居家医学观察。

（6）实施交通卫生检疫：组织铁路、交通、民航、质检等部门在交通站点和出入境口岸设置临时交通卫生检疫站，对出入境、进出疫区和运行中的交通工具及其乘运人员和物资、宿主动物进行检疫查验，对病人、疑似病人及其密切接触者实施临时隔离、留验和向地方卫生行政部门指定的机构移交。

（7）信息发布：突发公共卫生事件发生后，有关部门要按照有关规定作好信息发布工作，信息发布要及时主动、准确把握，实事求是，正确引导舆论，注重社会效果。

（8）开展群防群治：街道、乡（镇）以及居委会、村委会协助卫生行政部门和其他部门、医疗机构，做好疫情信息的收集、报告、人员分散隔离及公共卫生措施的实施工作。

（9）维护社会稳定：组织有关部门保障商品供应，平抑物价，防止哄抢；严厉打击造谣传谣、哄抬物价、囤积居奇、制假售假等违法犯罪和扰乱社会治安的行为。

4.2.2　卫生行政部门

(1)组织医疗机构、疾病预防控制机构和卫生监督机构开展突发公共卫生事件的调查与处理。

(2)组织突发公共卫生事件专家咨询委员会对突发公共卫生事件进行评估,提出启动突发公共卫生事件应急处理的级别。

(3)应急控制措施:根据需要组织开展应急疫苗接种、预防服药。

(4)督导检查:国务院卫生行政部门组织对全国或重点地区的突发公共卫生事件应急处理工作进行督导和检查。省、市(地)级以及县级卫生行政部门负责对本行政区域内的应急处理工作进行督察和指导。

(5)发布信息与通报:国务院卫生行政部门或经授权的省、自治区、直辖市人民政府卫生行政部门及时向社会发布突发公共卫生事件的信息或公告。国务院卫生行政部门及时向国务院各有关部门和各省、自治区、直辖市卫生行政部门以及军队有关部门通报突发公共卫生事件情况。对涉及跨境的疫情线索,由国务院卫生行政部门向有关国家和地区通报情况。

(6)制订技术标准和规范:国务院卫生行政部门对新发现的突发传染病、不明原因的群体性疾病、重大中毒事件,组织力量制订技术标准和规范,及时组织全国培训。地方各级卫生行政部门开展相应的培训工作。

(7)普及卫生知识。针对事件性质,有针对性地开展卫生知识宣教,提高公众健康意识和自我防护能力,消除公众心理障碍,开展心理危机干预工作。

(8)进行事件评估:组织专家对突发公共卫生事件的处理情况进行综合评估,包括事件概况、现场调查处理概况、病人救治情况、所采取的措施、效果评价等。

4.2.3　医疗机构

(1)开展病人接诊、收治和转运工作,实行重症和普通病人分开管理，对疑似病人及时排除或确诊。

（2）协助疾控机构人员开展标本的采集、流行病学调查工作。

（3）做好医院内现场控制、消毒隔离、个人防护、医疗垃圾和污水处理工作，防止院内交叉感染和污染。

（4）做好传染病和中毒病人的报告。对因突发公共卫生事件而引起身体伤害的病人，任何医疗机构不得拒绝接诊。

（5）对群体性不明原因疾病和新发传染病做好病例分析与总结，积累诊断治疗的经验。重大中毒事件，按照现场救援、病人转运、后续治疗相结合的原则进行处置。

（6）开展科研与国际交流：开展与突发事件相关的诊断试剂、药品、防护用品等方面的研究。开展国际合作，加快病源查寻和病因诊断。

4.2.4 疾病预防控制机构

（1）突发公共卫生事件信息报告：国家、省、市（地）、县级疾控机构做好突发公共卫生事件的信息收集、报告与分析工作。

（2）开展流行病学调查：疾控机构人员到达现场后，尽快制订流行病学调查计划和方案，地方专业技术人员按照计划和方案，开展对突发事件累及人群的发病情况、分布特点进行调查分析，提出并实施有针对性的预防控制措施；对传染病病人、疑似病人、病原携带者及其密切接触者进行追踪调查，查明传播链，并向相关地方疾病预防控制机构通报情况。

（3）实验室检测：中国疾病预防控制中心和省级疾病预防控制机构指定的专业技术机构在地方专业机构的配合下，按有关技术规范采集足量、足够的标本，分送省级和国家应急处理功能网络实验室检测，查找致病原因。

（4）开展科研与国际交流：开展与突发事件相关的诊断试剂、疫苗、消毒方法、医疗卫生防护用品等方面的研究。开展国际合作，加快病源查寻和病因诊断。

（5）制订技术标准和规范：中国疾病预防控制中心协助卫生行政

部门制订全国新发现的突发传染病、不明原因的群体性疾病、重大中毒事件的技术标准和规范。

(6)开展技术培训:中国疾病预防控制中心具体负责全国省级疾病预防控制中心突发公共卫生事件应急处理专业技术人员的应急培训。各省级疾病预防控制中心负责县级以上疾病预防控制机构专业技术人员的培训工作。

4.2.5 卫生监督机构

(1)在卫生行政部门的领导下,开展对医疗机构、疾病预防控制机构突发公共卫生事件应急处理各项措施落实情况的督导、检查。

(2)围绕突发公共卫生事件应急处理工作,开展食品卫生、环境卫生、职业卫生等的卫生监督和执法稽查。

(3)协助卫生行政部门依据《突发公共卫生事件应急条例》和有关法律法规,调查处理突发公共卫生事件应急工作中的违法行为。

4.2.6 出入境检验检疫机构

(1)突发公共卫生事件发生时,调动出入境检验检疫机构技术力量,配合当地卫生行政部门做好口岸的应急处理工作。

(2)及时上报口岸突发公共卫生事件信息和情况变化。

4.2.7 非事件发生地区的应急反应措施

未发生突发公共卫生事件的地区应根据其他地区发生事件的性质、特点、发生区域和发展趋势,分析本地区受波及的可能性和程度,重点做好以下工作:

(1)密切保持与事件发生地区的联系,及时获取相关信息。

(2)组织做好本行政区域应急处理所需的人员与物资准备。

(3)加强相关疾病与健康监测和报告工作,必要时,建立专门报告制度。

(4)开展重点人群、重点场所和重点环节的监测和预防控制工作,防患于未然。

(5)开展防治知识宣传和健康教育,提高公众自我保护意识和能力。

(6)根据上级人民政府及其有关部门的决定,开展交通卫生检疫等。

4.3　突发公共卫生事件的分级反应

特别重大突发公共卫生事件(具体标准见1.3)应急处理工作由国务院或国务院卫生行政部门和有关部门组织实施,开展突发公共卫生事件的医疗卫生应急、信息发布、宣传教育、科研攻关、国际交流与合作、应急物资与设备的调集、后勤保障以及督导检查等工作。国务院可根据突发公共卫生事件性质和应急处置工作,成立全国突发公共卫生事件应急处理指挥部,协调指挥应急处置工作。事发地省级人民政府应按照国务院或国务院有关部门的统一部署,结合本地区实际情况,组织协调市(地)、县(市)人民政府开展突发公共事件的应急处理工作。

特别重大级别以下的突发公共卫生事件应急处理工作由地方各级人民政府负责组织实施。超出本级应急处置能力时,地方各级人民政府要及时报请上级人民政府和有关部门提供指导和支持。

4.4　突发公共卫生事件应急反应的终止

突发公共卫生事件应急反应的终止需符合以下条件:突发公共卫生事件隐患或相关危险因素消除,或末例传染病病例发生后经过最长潜伏期无新的病例出现。

特别重大突发公共卫生事件由国务院卫生行政部门组织有关专家进行分析论证,提出终止应急反应的建议,报国务院或全国突发公共卫生事件应急指挥部批准后实施。

特别重大以下突发公共卫生事件由地方各级人民政府卫生行政部门组织专家进行分析论证,提出终止应急反应的建议,报本级人民政府批准后实施,并向上一级人民政府卫生行政部门报告。

上级人民政府卫生行政部门要根据下级人民政府卫生行政部门的请求,及时组织专家对突发公共卫生事件应急反应的终止的分析论证提供技术指导和支持。

5. 善后处理

5.1　后期评估

突发公共卫生事件结束后，各级卫生行政部门应在本级人民政府的领导下，组织有关人员对突发公共卫生事件的处理情况进行评估。评估内容主要包括事件概况、现场调查处理概况、病人救治情况、所采取措施的效果评价、应急处理过程中存在的问题和取得的经验及改进建议。评估报告上报本级人民政府和上一级人民政府卫生行政部门。

5.2　奖励

县级以上人民政府人事部门和卫生行政部门对参加突发公共卫生事件应急处理作出贡献的先进集体和个人进行联合表彰；民政部门对在突发公共卫生事件应急处理工作中英勇献身的人员，按有关规定追认为烈士。

5.3　责任

对在突发公共卫生事件的预防、报告、调查、控制和处理过程中，有玩忽职守、失职、渎职等行为的，依据《突发公共卫生事件应急条例》及有关法律法规追究当事人的责任。

5.4　抚恤和补助

地方各级人民政府要组织有关部门对因参与应急处理工作致病、致残、死亡的人员，按照国家有关规定，给予相应的补助和抚恤；对参加应急处理一线工作的专业技术人员应根据工作需要制订合理的补助标准，给予补助。

5.5　征用物资、劳务的补偿

突发公共卫生事件应急工作结束后，地方各级人民政府应组织有关部门对应急处理期间紧急调集、征用有关单位、企业、个人的物资和劳务进行合理评估，给予补偿。

6. 突发公共卫生事件应急处置的保障

突发公共卫生事件应急处理应坚持预防为主，平战结合，国务院有关部门、地方各级人民政府和卫生行政部门应加强突发公共卫生事件的组织建设，组织开展突发公共卫生事件的监测和预警工作，加强突发公共卫生事件应急处理队伍建设和技术研究，建立健全国家统一的突发公共卫生事件预防控制体系，保证突发公共卫生事件应急处理工作的顺利开展。

6.1 技术保障

6.1.1 信息系统

国家建立突发公共卫生事件应急决策指挥系统的信息、技术平台，承担突发公共卫生事件及相关信息收集、处理、分析、发布和传递等工作，采取分级负责的方式进行实施。

要在充分利用现有资源的基础上建设医疗救治信息网络，实现卫生行政部门、医疗救治机构与疾病预防控制机构之间的信息共享。

6.1.2 疾病预防控制体系

国家建立统一的疾病预防控制体系。各省（区、市）、市（地）、县（市）要加快疾病预防控制机构和基层预防保健组织建设，强化医疗卫生机构疾病预防控制的责任；建立功能完善、反应迅速、运转协调的突发公共卫生事件应急机制；健全覆盖城乡、灵敏高效、快速畅通的疫情信息网络；改善疾病预防控制机构基础设施和实验室设备条件；加强疾病控制专业队伍建设，提高流行病学调查、现场处置和实验室检测检验能力。

6.1.3 应急医疗救治体系

按照“中央指导、地方负责、统筹兼顾、平战结合、因地制宜、合理布局”的原则，逐步在全国范围内建成包括急救机构、传染病救治机构和化学中毒与核辐射救治基地在内的，符合国情、覆盖城乡、功能完善、反应灵敏、运转协调、持续发展的医疗救治体系。

6.1.4 卫生执法监督体系

国家建立统一的卫生执法监督体系。各级卫生行政部门要明确职能，落实责任，规范执法监督行为，加强卫生执法监督队伍建设。

对卫生监督人员实行资格准入制度和在岗培训制度，全面提高卫生执法监督的能力和水平。

6.1.5　应急卫生救治队伍

各级人民政府卫生行政部门按照“平战结合、因地制宜，分类管理、分级负责，统一管理、协调运转”的原则建立突发公共卫生事件应急救治队伍，并加强管理和培训。

6.1.6　演练

各级人民政府卫生行政部门要按照“统一规划、分类实施、分级负责、突出重点、适应需求”的原则，采取定期和不定期相结合的形式，组织开展突发公共卫生事件的应急演练。

6.1.7　科研和国际交流

国家有计划地开展应对突发公共卫生事件相关的防治科学研究，包括现场流行病学调查方法、实验室病因检测技术、药物治疗、疫苗和应急反应装备、中医药及中西医结合防治等，尤其是开展新发、罕见传染病快速诊断方法、诊断试剂以及相关的疫苗研究，做到技术上有所储备。同时，开展应对突发公共卫生事件应急处理技术的国际交流与合作，引进国外的先进技术、装备和方法，提高我国应对突发公共卫生事件的整体水平。

6.2　物资、经费保障

6.2.1　物资储备

各级人民政府要建立处理突发公共卫生事件的物资和生产能力储备。发生突发公共卫生事件时，应根据应急处理工作需要调用储备物资。卫生应急储备物资使用后要及时补充。

6.2.2　经费保障

应保障突发公共卫生事件应急基础设施项目建设经费，按规定落实对突发公共卫生事件应急处理专业技术机构的财政补助政策和突发公共卫生事件应急处理经费。应根据需要对边远贫困地区突发公共卫生事件应急工作给予经费支持。国务院有关部门和地方各级人民政府应积极通过国际、国内等多渠道筹集资金，用于突发公共卫生事件应急处理工作。

6.3 通信与交通保障

各级应急医疗卫生救治队伍要根据实际工作需要配备通信设备和交通工具。

6.4 法律保障

国务院有关部门应根据突发公共卫生事件应急处理过程中出现的新问题、新情况,加强调查研究,起草和制订并不断完善应对突发公共卫生事件的法律、法规和规章制度,形成科学、完整的突发公共卫生事件应急法律和规章体系。

国务院有关部门和地方各级人民政府及有关部门要严格执行《突发公共卫生事件应急条例》等规定,根据本预案要求,严格履行职责,实行责任制。对履行职责不力,造成工作损失的,要追究有关当事人的责任。

6.5 社会公众的宣传教育

县级以上人民政府要组织有关部门利用广播、影视、报刊、互联网、手册等多种形式对社会公众广泛开展突发公共卫生事件应急知识的普及教育,宣传卫生科普知识,指导群众以科学的行为和方式对待突发公共卫生事件。要充分发挥有关社会团体在普及卫生应急知识和卫生科普知识方面的作用。

7. 预案管理与更新

根据突发公共卫生事件的形势变化和实施中发现的问题及时进行更新、修订和补充。

国务院有关部门根据需要和本预案的规定,制定本部门职责范围内的具体工作预案。

县级以上地方人民政府根据《突发公共卫生事件应急条例》的规定,参照本预案并结合本地区实际情况,组织制定本地区突发公共卫生事件应急预案。

8. 附则

8.1　名词术语

重大传染病疫情是指某种传染病在短时间内发生、波及范围广泛,出现大量的病人或死亡病例,其发病率远远超过常年的发病率水平的情况。

群体性不明原因疾病是指在短时间内,某个相对集中的区域内同时或者相继出现具有共同临床表现病人,且病例不断增加,范围不断扩大,又暂时不能明确诊断的疾病。

重大食物和职业中毒是指由于食品污染和职业危害的原因而造成的人数众多或者伤亡较重的中毒事件。

新传染病是指全球首次发现的传染病。

我国尚未发现传染病是指埃博拉、猴痘、黄热病、人变异性克雅氏病等在其他国家和地区已经发现,在我国尚未发现过的传染病。

我国已消灭传染病是指天花、脊髓灰质炎等传染病。

8.2　预案实施时间

本预案自印发之日起实施。

中国人民银行突发事件应急预案管理办法

（2005 年 8 月 4 日中国人民银行发布）

第一章 总 则

第一条 为规范人民银行系统突发事件应急预案的制定和管理工作，提高应对突发事件的综合管理水平和应急处置能力，做好应对风险和突发事件的各项工作，根据《中华人民共和国中国人民银行法》等相关法律法规和规章，参照国务院办公厅《国务院有关部门和单位制定和修订突发事件应急预案框架指南》，制定本办法。

第二条 人民银行各司局、分支行、企事业单位制定、评估、修订和管理应急预案适用本办法。

企事业单位包括人民银行直属企事业单位以及与人民银行主要计算机业务系统、网络系统联网运行的其他企事业单位。其中，对于与人民银行主要计算机业务系统、网络系统联网运行的其他企事业单位，由人民银行科技司会同相关司局负责指导、督促其参照本办法落实相关应急预案。

第三条 人民银行系统应急预案的制定和管理实行分类指导、分级负责的原则。

各司局、分支行和企事业单位要按照人民银行“三定方案”等确定的职责范围，主动、有序地开展突发事件风险评估、监测以及与预案的制定、评估、更新、演练相关的各项工作，统一接受人民银行应急预案领导小组的领导和管理。

办公厅负责人民银行总体应急预案的相关工作；各司局负责与自身业务直接相关的部门应急预案、专项应急预案和内部应急预案相关工作。

条法司负责与各项应急预案相关的法律事务，承办需由人民银行参与的各项应急处置法制化建设的相关工作。

各分行、营业管理部、省会（首府）城市中心支行负责本级应急预案各项工作，同时按各项应急预案的业务性质接受对口司局的指导。

各企事业单位负责本单位应急预案各项工作，除接受归口司局的指导外，主要计算机业务系统及网络应急预案相关工作，由归口司局会同科技司共同指导。

第四条 各司局、分支行和企事业单位的各项应急预案工作，应贯彻依法行政的要求，使突发事件的应急处置规范化、制度化和法制化。

第二章 应急预案的制订

第五条 人民银行及其各司局、分支行和企事业单位在依法行政或经营管理过程中，因突发事件可能形成下列一个或多个风险的必须制定突发事件应急预案：

（一）无法正常、全面、充分地履行法定职责或开展正常的生产、经营管理活动；

（二）人员伤亡；

（三）较大财产损失或依法须由本单位承担法律责任的他人较大财产损失；

（四）危害县（市）以上区域的经济正常运行、金融稳定；

（五）危害人民银行的公共关系和形象，造成不良社会影响。

人民银行应急预案领导小组可根据实际需要，责成相关部门或单位制定针对其他风险的应急预案。

各司局、分支行和企事业单位可以根据实际需要制定针对其他风险的应急预案，或将其应急处置纳入适当的应急预案中。

第六条 各司局、分支行和企事业单位应结合本单位实际工作，定期或实时评估突发事件风险，提出突发事件风险评估报告。

各司局的突发事件风险评估报告报人民银行应急预案领导小组审核认定；分支行、企事业单位突发事件风险评估报告报本单位突发事件应急预案领导机构审核认定，并报上级单位或归口司局备案。

第七条 突发事件风险评估报告的定期报告周期原则上不超过二年。

各司局报告周期，由各司局提出意见，报人民银行应急预案领导小组确定。

分支行、企事业单位根据本单位实际情况，本着及时、有效和简便的原则，自行确定报告周期。

与主要计算机业务系统、网络通信系统相关的突发事件风险评估报告，定期报告周期不得超过一年，也可以根据技术进步、系统升级、应对风险变化等情况，采取实时评估的方式。

第八条 定期的突发事件风险评估报告包括以下内容：

（一）报告起止期及完成日期；

（二）报告期内主要突发事件风险的变化情况；

（三）对下一报告期内主要突发事件风险的预测分析；

（四）关于现有应急预案有效性的评估；

（五）关于是否需要修订现有应急预案或制定新应急预案的明确意见，以及修订内容或新应急预案的框架；

（六）报告期内与应急预案相关的演练、宣传和培训情况及下一报告期内的演练、宣传和培训计划；

（七）报告单位认为需要报告的其他内容；

（八）报告参与人员名单及其签章。

第九条 各级应急预案领导机构根据突发事件风险评估报告，研究确定本单位应急预案的修订和应急预案起草任务，并责成相关单位落实完成。

第十条 人民银行的应急预案体系包括五个层次：

（一）总体应急预案，确定人民银行应急处置的指挥体系、操作指南以及与应急处置相关的主要原则、标准和程序等。

（二）部门应急预案，应急预案的实施需要其他部门、单位的参与或协作，并列入《国家突发公共事件总体应急预案》的“部门应急预案目录”和《中国人民银行突发事件总体应急预案》的“部门应急预案目录”。

（三）专项应急预案，应急预案的实施不需要其他部门、单位的参与或协作，针对人民银行依法行政所必需的重要计算机业务系统、网络通信系统所面临的突发事件风险，列入《中国人民银行突发事件总体应急预案》的“专项应急预案目录”。

（四）内部应急预案，针对各自机关内部工作制定的应急预案，包括为确保机关正常工作而针对自然灾害、事故灾难、突发公共卫生事件和突发重大刑事案件、群体性事件而制定的内部规章制度。

（五）分支机构预案，各分支行、企事业单位根据自身应急处置机制建设的需要，制定的与上级单位应急预案相衔接的上级单位预案的分预案、子预案及次级预案等。

第十一条 总体应急预案由办公厅起草，经人民银行应急预案领导小组审核后，以人民银行发文颁布施行。

总体应急预案修订，由办公厅根据部门应急预案、专项应急预案和内部应急预案的调整等情况适时提出修订意见，经人民银行应急预案领导小组审核后，以人民银行发文颁布。

第十二条 部门应急预案由各司局、分支行和企事业单位提出立项、修订意见，报人民银行应急预案领导小组审核后，完成征求意见稿，以人民银行办公厅发文征求其他部门、单位意见，协商一致并经人民银行应急预案领导小组同意，以人民银行发文颁布，并向国务院完成备案程序。

第十三条　专项应急预案由各司局、分支行和企事业单位提出立项、修订意见，征求相关司局、单位意见，报经人民银行应急预案领导小组同意，以人民银行发文颁布。

第十四条　内部应急预案由各职能部门或单位自行制定施行，报本单位办公厅（室）备案，修订和解释亦同。

第十五条　分支机构应急预案由各分支机构、企事业单位按照上级单位要求，自行制定和确定发文形式，报上一级单位相关部门和办公厅（室）备案。

第十六条　应急预案的起草、修订和评估可根据需要聘请外部专家、咨询或研究机构参与。

第三章　应急预案的内容标准

第十七条　应急预案的总则部分应当说明：编制目的和依据、突发事件的分类分级、适用范围、工作原则等，有分预案或次级预案的，还应说明应急预案体系。

突发事件的分类应当科学合理，方便应对处置；按照突发事件的性质、严重程度、可控性和影响范围等因素，应对其进行科学合理的分级，以便实施分级响应和开展预防、预警工作。

第十八条　应急预案应当说明应急处置的组织体系，明确领导机构、办事机构和工作机构等的职责。

第十九条　应急预案应当建立应对突发事件的预测预警、信息报告、应急处置、恢复重建及调查评估等运行机制，并以此提高应急处置能力和指挥水平。

对可能发生并可以预警的突发事件，应急预案应依据其可能造成的危害程度、紧急程度和发展态势，划分预警级别，建立相应的预警信息发布机制。

第二十条　应急预案应本着坚持平战结合、充分利用现有资源的原则，对人力资源、财力保障、物资保障、通信保障等作出应急保障方面的规定或说明。

第二十一条 应急预案应当明确预案的演练、宣传、培训及责任、奖惩等方面的管理规定。

第二十二条 应急预案应当在附则中说明预案的管理和生效等内容。

第二十三条 应急预案附录中应当根据需要列出应急处置联系人名单和联系方式、应急预案框架图、应急处置工作流程图、分预案或次级预案的目录等内容。

第二十四条 内部应急预案可在保证合规、完整、有效的前提下，本着方便处置的原则适当省略第十六条至第二十二条规定的部分内容。

第二十五条 应急预案正文前应有目录。

应急预案应按有关规定标注密级。

应急预案可对每个自然段用阿拉伯数字编号，以方便检索和引用。

应急预案的文字表述应当简明、准确、严谨。

第四章 应急预案的管理

第二十六条 各司局、分支行和企事业单位应根据实际需要，定期制订应急演练计划，报本级应急预案领导机构审核同意后实施。

第二十七条 各司局、分支行和企事业单位应根据实际需要，组织编写相关培训大纲、教材和应急处置操作手册，编印突发事件通俗读本，通过培训，确保本单位工作人员熟练掌握必需的应急处置知识和技能。

各司局、分支行和企事业单位应根据应对突发事件的需要，确定应急预案、应急处置操作手册等资料的合理保存方式，以方便使用及指导应急处置。必要时可对应急预案、应急处置操作手册等资料采取异地备份保存、电子与纸质等多介质保存等方式。

第二十八条 各司局、分支行和企事业单位主要行政负责人为本单位及相关业务应急预案工作的第一责任人,统一组织领导各项应急预案工作。

列入应急预案联系名单的人民银行工作人员,应负责名单相关信息的真实有效;应急预案管理部门、单位应指定专人负责保持列入应急预案联系名单的人民银行以外工作人员相关信息的真实有效。

第五章 附　　则

第二十九条 本办法由人民银行办公厅负责解释。

第三十条 本办法自发布之日起施行。